Heinrich Loth

Afrika —
ein Zentrum der alten Welt

Heinrich Loth

Afrika –
ein Zentrum der alten Welt

Die historische Bedeutung
eines Kontinents

Mit 42 Abbildungen

Akademie-Verlag Berlin

ISBN 3-05-000818-0

Erschienen im Akademie-Verlag Berlin, Leipziger Straße 3—4,
DDR-1086
© Akademie-Verlag Berlin 1990
Lizenznummer: 202
Lektoren: Sibylle Gebuhr, Eva Hausotter
Einbandgestaltung: Ralf Michaelis
Gesamtherstellung: VEB Druckerei „Thomas Müntzer",
5820 Bad Langensalza
LSV 0235
Bes ellnummer: 754 997 3 (9166)

Inhalt

Kapitel III

Die Heilkunst in ihrer Einheit von Tradition, Fortschritt und Entlehnung

Einleitung — Grundlagen

Seit den letzten Jahrzehnten ziehen die außereuropäischen Völker, ihre Geschichte, ihre Religionen und Kulturen in wachsendem Maße das allgemeine Interesse auf sich. Dies gilt uneingeschränkt auch für Afrika, Indien und China und die frühen afro-asiatischen Beziehungen. Der Indische Ozean als Drehscheibe eines vorwiegend friedlichen Austausches, an dem auch China, obgleich kein Anliegerland, seit altersher Anteil hatte, verknüpfte afrikanische und asiatische Handelszentren miteinander.

Die Neuentdeckung der frühen kulturellen Beziehungen zwischen Afrika, Arabien, Persien, Indien, Ceylon, Indochina, Indonesien und China sowie der Ostafrika vorgelagerten Inselwelt ist Wiederentdeckung im doppelten Sinne: Einmal stammen zahlreiche Nachrichten über diese »Teilbewegung der Menschheitsgeschichte« bereits von antiken und arabischen Schriftstellern, und zum anderen gibt es in den europäischen Reiseberichten des 16. bis 18. Jahrhunderts, vor allem im Aufklärungszeitalter, schon zahlreiche Aussagen, die das vorweggenommen haben, was heute in der Geschichtswissenschaft erörtert wird. Bereits im 18. Jahrhundert erfuhr das vorherrschende europäisch zentrierte Weltbild eine Korrektur. Die im Zeitalter der großen Entdeckungen gewonnenen Kenntnisse und Erkenntnisse über die historisch-kulturelle Region von Afrika bis China riefen bei einem Teil der aufklärerischen Reisebeschreiber auch einen Bewußtseinswandel hervor: Die frühen afro-asiatischen Beziehungen, wenn auch noch umstritten, fanden erstmals Eingang in die Betrachtung, bis sie im Zeitalter der kolonialen Besitzergreifung durch die Großmächte aus dem Bewußtsein weitgehend wieder verdrängt wurden.

Im Mittelpunkt der vorliegenden Darstellung steht der Anteil der Afrikaner an der Herausbildung des historisch-kulturellen Gebietes mit dem Indischen Ozean als Zentrum. Ihre historischen Leistungen werden in nicht unerheblichem Maße dadurch sinnfällig, daß die wechselseitigen Beziehungen mit den außerafrikanischen kulturellen Gebieten wie Arabien, Indien und China in die Betrachtung einbezogen werden. Afrikanische Geschichte wird aus der Sicht der Wechselbeziehungen zwischen Afrika und Asien gesehen, wie sie sich im Spiegel der Reisebeschreibungen des 16. bis 18. Jahrhunderts darstellen. Die Aufmerksamkeit richtet sich vor allem auf Ägypten und Äthiopien, auf die ostafrikanische Küste und deren Hinterland.

Die Bemühungen der letzten Jahrzehnte, Afrikas und Asiens Geschichte in die allgemeine Weltgeschichte einzubeziehen, zeitigten bereits überraschende Ergebnisse. »Die Vorherrschaft des Alten Ostens«, so I. Geiss, »beruhte nicht einfach auf dem Mittelmeer als ökonomischer Hauptachse des Alten Ostens, wie wir in unserer Beschränkung auf Europa annahmen«, sondern diese sei bis zum Indischen Ozean, bis zum Südchinesischen Meer zu verlängern. »Noch besser, die Prioritäten sind umzukehren: Der Indische Ozean, verlängert durch Persischen Golf/Euphrat einerseits, das Rote Meer/Meerenge von Suez/Nil andererseits und das Mittelmeer zusammen bildeten die ökonomische Hauptachse der Alten Welt, der drei miteinander zusammenhängenden Kontinente Asien, Afrika und Europa.« (II/259/109)

Die kulturellen Wirkungen, die von diesem Raum ausgingen, versetzten bei näherer Bekanntschaft dem alteingewurzelten Glauben von der alleinigen Bedeutung der Mittelmeerkulturen einen Stoß und lassen auch die Geschichte Ägyptens, Nordostafrikas mit Äthiopien, der ostafrikanischen Küste und der dieser vorgelagerten Inselwelt in einem neuen Licht erscheinen.

Seit dem Aufkommen der Seeverbindungen förderten diese den Austausch von Gütern, Ideen und Informationen innerhalb der alten Welt und brachten Afrika, Indien, China und Europa einander näher. Der Indische Ozean, einschließlich des Persischen Golfes und des Roten Meeres sowie des Südchinesischen Meeres, besaß für die Entwicklung der menschlichen Kultur eine bedeutende Funktion. Der Handelsverkehr im nordwestlichen Teil des Indischen

Ozeans geht weit bis in das Altertum zurück. Die Ägypter und Äthiopier sind wahrscheinlich die ältesten beglaubigten Seeleute auf dem Roten Meer und dem angrenzenden Teil des Indischen Ozeans.

Bei Handel und Handelsverkehr spielte seit dem 2. Jahrhundert der Seeweg eine immer größere Rolle, da außer den politischen Verhältnissen, die zeitweilig den Überlandverkehr lahmzulegen drohten, der Schiffsverkehr für den wachsenden Warenfluß billiger, sicherer und schneller als der Karawanenverkehr war. Auch die Ausbreitung des Buddhismus, Hinduismus und vor allem des Islam erfolgte zu einem erheblichen Teil über die Seefahrt. Bevor im 15. Jahrhundert die Zeit der geographischen Entdeckungen begann, war die Weltkenntnis auch unter den gebildeten Europäern noch sehr begrenzt. Von der Ausdehnung Afrikas oder den Kulturen im Innern dieses Kontinents besaß man in Europa kaum eine Vorstellung. Nur wenige hatten Kenntnis von den Werken früher arabischer Reisender über Afrika. Zudem beanspruchte Asien mehr als Afrika das Interesse.

Einen Wandel kündigte die Legende von dem sagenhaften Priester Johannes an, von der Europa erstmals im Jahre 1145 Kenntnis erhielt. In »indischer Ferne« sollte dieser Priesterkönig über ein gewaltiges christliches Reich regieren, das sowohl in Asien als auch in Afrika, zwischen Baikalsee und Äthiopien, zwischen China und dem Kongo vermutet wurde.

Durch das bedeutendste europäische Reisewerk des Mittelalters, den Bericht Marco Polos, erfuhr Europa Näheres über Reisewege bis China und Japan, über Landschaften und Orte, über die Sitten und Bräuche ihrer Bewohner, über historische Ereignisse und religiöse Mythen. Marco Polo hatte sich 27 Jahre lang am Hofe des Großkhans in China aufgehalten. Sein Reisewerk enthielt zahlreiche Angaben auch über Afrika.

Die Darstellung von Menschen fremder Erdteile findet sich im mittelalterlichen Europa nur sporadisch. Erst mit der Renaissance und der durch die Entdeckungsreisen erweiterte Weltsicht wurden in Literatur und bildender Kunst neben der antiken und biblischen Tradition auch Gegebenheiten aus Asien und Afrika widergespiegelt. Mit dem weltumspannenden Handel, den die Republiken Venedig und Genua führten, traten die Völker Afrikas und Asiens verstärkt in das Bewußtsein Europas. Ende des 13. Jahrhunderts hatte die römische Kurie die Missionstätigkeit in China aufgenommen. Die frühen Berichte über das Reich der Mitte, wenn auch in ihrer Zahl noch beschränkt, leiteten den Beginn der geographisch-völkerkundlichen Literatur in Europa ein, die in den späteren Jahren, vor allem im 17. und 18. Jahrhundert, durch immer detailliertere Informationen über die Vielfalt des Alltags- und Staatslebens von Afrika bis China ergänzt wurde. Seit der Mitte des 17. Jahrhunderts und im nachfolgenden Aufklärungsjahrhundert trat in der Berichterstattung über Asien und Afrika die »exotische Fremdheit« als Bewertungskriterium zurück. »Schon erscheint der bis dahin christlich-europäisch zentrierte Weltblick nicht mehr als unangefochten; man muß erfahren, daß ›Wilde‹ nicht nur barbarische Heiden sind, ja, daß fremde Erdteile, Völker von hoher Kultur und humaner Gesittung zu Bewohnern haben.« (II/515/17)

Die Karten der alten Zeit zeigen, wie sich seit den großen geographischen Entdeckungen des 15. und 16. Jahrhunderts — Umschiffung der Südspitze Afrikas durch Bartolomeu Diaz, Landung Vasco da Gamas in Indien sowie Entdeckung Amerikas durch Christoph Kolumbus — das Weltbild von einem Viertel der Erde auf fast alle Teile der Erdoberfläche ausgeweitet hat. Im 18. Jahrhundert, der »zweiten Entdeckungszeit«, fand dieser Prozeß im wesentlichen seinen Abschluß. Dieses Jahrhundert wird nicht zu Unrecht wegen der Vielzahl von Bildungsreisen in die verschiedenen Gegenden der Welt (neben England, Italien, Deutschland und Rußland rückten auch die entlegeneren Länder in das Blickfeld) das »Jahrhundert der Reiseliteratur« genannt.

Europäische Reisende, die mit Staunen und Bewunderung von Ostafrika bis China afro-asiatische Kulturen entdeckten, die an der Herausbildung kultureller Zentren einen großen Anteil hatten, und die seit der Mitte des 17. Jahrhunderts in verstärktem Maße über philosophische, naturwissenschaftliche und historische Gegebenheiten in den »exotischen« Ländern informierten, gaben den Anstoß für wissenschaftliche Untersuchungen, die bereits im 18. Jahrhundert zu erstaunlichen Schlußfolgerungen führten.

Einen beachtlichen Ansatz für eine Neubewertung unternahm der Engländer William Robertson, dessen »Historische Untersuchung über die Kenntnisse der Alten von Indien« 1792 in Berlin verlegt wurde: Indien spielte im friedlichen Austausch zwischen Asien und Afrika seit der frühesten Zeit eine besondere Rolle. Von alters her gab es einen Handelsverkehr, oft über weiteste Entfernungen, wenn dieser auch anfänglich nur ein geringes Ausmaß hatte. Nach den Überlieferungen und nach dem Zeugnis der ältesten Dokumente ist kein Zweifel, daß ursprünglich der Landweg der gebräuchlichste war. Robertson: »Daß die Alten häufig ihre Zuflucht zu dem langwierigen und kostbaren Landtransport genommen haben, darf uns nicht befremden, wenn wir uns erinnern, wie unvollkommen der Zustand der Schiffahrt bei ihnen war.« (II/429/151 f.)

Der Haupthandel ging vom nordwestlichen Indien aus. Die Karawanen setzten sich von Attok aus in Bewegung, überschritten nicht weit von dieser Stadt den Indus und zogen nach Kabul (am Flusse gleichen Namens und Hauptstadt des heutigen Afghanistan), wo sie sich mit den Kaufleuten, welche an den westlichen Ufern des Indus wohnten, vereinigten. Von Kabul führte eine Straße nordöstlich von Baktra (Balkh) nach den blühenden Orten Buchara und Markanda (Samarkand) und weiter bis zu den Skythen. Die Hauptstraße aber setzte sich von Kabul aus nach Süden fort über Kandahar durch das Gebiet der Parther, durch das Kaspische Tor bis nach Hamadan in Mesopotamien. Von hier wandten sich die Karawanen entweder südwärts zur Mündung von Tigris und Euphrat, um nach Babylon zu kommen, oder sie suchten diese Stadt direkt auf westlichem Weg durch Überqueren des Tigris zu erreichen. Babylon war der größte und bedeutendste Stapelplatz des gesamten Handels und übte eine große Anziehungskraft wegen der bedeutenden Teppichweberei, Buntwirkerei, Glas- und Tonarbeiten aus. Von Babylon konnte der Kaufmann entweder zu Schiff auf dem Euphrat nach Armenien oder zu Lande nach Ägypten gelangen. Berühmtheit erlangte die Seidenstraße, auf welcher chinesische Seide auf dem Landwege von Zentralasien bis nach Bagdad und von dort zur See nach den Mittelmeerhäfen gebracht wurde. Die Anlage befestigter Karawanenstraßen unter der Han-Dynastie (206 v. bis 220 n. u. Z.) steigerte die Ausfuhr chinesischer Seide auch nach Europa, wo das Römische Reich den größten Verbrauch verzeichnete; der transkontinentale Handel erreichte damals eine Blüte. Die Herstellung der Seide blieb für Jahrtausende das Geheimnis der Chinesen, bei denen sie zeitweise billiger als Leinwand war. Erst im 5. Jahrhundert büßte China das alleinige Privileg der Seidenerzeugung ein.

Robertson gibt eine Erklärung, weshalb trotz wachsenden Seehandels auch der Landtransport bis ins 18. Jahrhundert fortgedauert hat, zieht einen Vergleich mit Afrika und unterstreicht dabei ganz nebenbei den hohen Stellenwert des afrikanischen Handels überhaupt. »Eben die Umstände, welche die Asiaten bewogen, einen so beträchtlichen Teil ihres Handels mit einander auf diese Art zu treiben (Landweg, H. L.), wirkte noch viel mächtiger in Afrika. Dieser große Kontinent ... bildet eine ununterbrochene Oberfläche ohne Abwechslung, zwischen deren verschiedenen Teilen von den frühesten Zeiten an kein anderer Verkehr, als zu Lande, stattfinden konnte; ... ein solcher Verkehr (scheint) immer unterhalten worden zu sein. Wie weit er sich in den früheren Perioden, auf welche meine Nachforschungen gerichtet sind, erstreckt habe und auf was für verschiedenen Wegen er getrieben worden sei, kann ich, aus Mangel an hinlänglicher Belehrung, nicht genau bestimmen. Es ist indes höchst wahrscheinlich, daß seit undenklichen Zeiten das Gold, das Elfenbein und die köstlichen wohlriechenden Waren (perfumes) sowohl aus den südlichen, als auch aus den nördlicheren Teilen von Afrika entweder nach dem Arabischen Meerbusen, oder nach Ägypten gebracht und gegen Spezereien und andere Produkte des Orients vertauscht worden sind.« (Ebenda/152f.)

Die Reiseberichte von der Renaissance bis zur Aufklärung machten den Leser mit dem Roten Meer, dem Persischen Golf, mit Indien und Ceylon und mit den anderen Ländern und Völkern in dem Raum von der Ostküste Afrikas bis China und Japan bekannt. Man entdeckte, daß der Indische Ozean und seine östliche Verlängerung, das Südchinesische Meer, neben dem Mittelmeer, der westlichen Verlängerung, eine kulturhistorische Rolle spielte, von deren Bedeutung man bis dahin nichts geahnt hatte. Erst in der heutigen Zeit erschließt sich vieles neu, erweisen sich die Reiseberichte trotz ihrer Grenzen, die sich aus der Zeit ihrer Entstehung oder durch manche groteske und phantasievolle Züge ergeben, als unschätzbare Quelle für unsere Kenntnisse über Religionen, Kulturen und Alltagsleben der Völker von Afrika bis China.

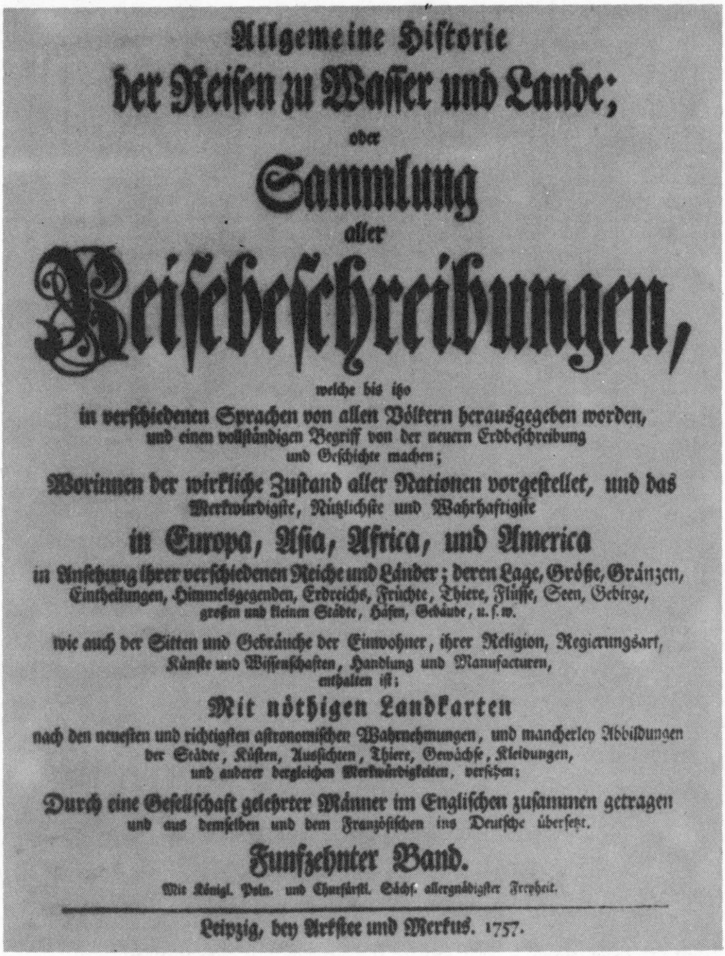

Allgemeine Historie
der Reisen zu Wasser und Lande;
oder
Sammlung
aller
Reisebeschreibungen,
welche bis itzo
in verschiedenen Sprachen von allen Völkern herausgegeben worden,
und einen vollständigen Begriff von der neuern Erdbeschreibung
und Geschichte machen;
Worinnen der wirkliche Zustand aller Nationen vorgestellet, und das
Merkwürdigste, Nützlichste und Wahrhaftigste
in Europa, Asia, Africa, und America
in Ansehung ihrer verschiedenen Reiche und Länder; deren Lage, Größe, Gränzen,
Eintheilungen, Himmelsgegenden, Erdreichs, Früchte, Thiere, Flüsse, Seen, Gebirge,
großen und kleinen Städte, Häfen, Gebäude, u. s. w.
wie auch der Sitten und Gebräuche der Einwohner, ihrer Religion, Regierungsart,
Künste und Wissenschaften, Handlung und Manufacturen,
enthalten ist;
Mit nöthigen Landkarten
nach den neuesten und richtigsten astronomischen Wahrnehmungen, und mancherley Abbildungen
der Städte, Küsten, Aussichten, Thiere, Gewächse, Kleidungen,
und anderer dergleichen Merkwürdigkeiten, versehen;
Durch eine Gesellschaft gelehrter Männer im Englischen zusammen getragen
und aus demselben und dem Französischen ins Deutsche übersetzt.
Funfzehnter Band.
Mit Königl. Poln. und Churfürstl. Sächs. allergnädigster Freyheit.
Leipzig, bey Arkstee und Merkus. 1757.

Abb. 1: Europäische Reisende informierten seit der Mitte des 18. Jahrhunderts in verstärktem Maße über die exotischen Länder.

Die Reiseberichte des 16. bis 18. Jahrhunderts verdeutlichen — bei aller notwendigen differenzierenden Quellenkritik — die sonst in der wissenschaftlichen Literatur oft vernachlässigten Kommunikationslinien zwischen Afrika und Asien. Sie veranschaulichen die

Transfersituation, in der seit frühester Zeit der Austausch von Gütern und Ideen und die wechselseitigen Informationsströme verliefen.

Die Beobachtungen der Reisenden belegen, daß Afrika das Ziel von zentrifugalen Strömen und zugleich Ausgangspunkt von Gegenströmen war. Die kritische Auswertung dieser Passagen dient der Darstellung der frühen Wechselbeziehungen zwischen Afrika und Asien und regt eine Gesamtschau der seit frühester Zeit sich herausbildenden ethno-kulturellen Kontakte an. Grundanliegen ist die Neubewertung afrikanischer Geschichte durch die Ausweitung des Untersuchungsgegenstandes über den afrikanischen Kontinent hinaus. Anstelle der eingebürgerten Vergleiche zwischen Europa und Afrika tritt die Herausarbeitung der Parallelismen zwischen Asien und Afrika, für welche die alten Reiseberichte, mit denen ein neues Weltverständnis begann, bereits erste Ansätze geliefert haben.

Besonders das 18. Jahrhundert ragt in der wechselvollen Geschichte der europäischen Überseebeziehungen mit seinen bedeutenden Fernreisen und der diese begleitenden Flut von Reiseliteratur heraus. Meist aus fremden Sprachen übersetzt und von deutschen Verlegern herausgegeben, fand diese Literatur großes Interesse auch beim deutschen Publikum. Für das Denkschema der Europäer war sie lange Zeit die maßgebliche Erkenntnisquelle für außereuropäische Kulturen. Sie hatte gleichermaßen Anteil an der Herausbildung eines europabezogenen Geschichtsbildes wie an der Vermittlung wertvoller ethnographischer, ökonomischer und kultureller Fakten. In manchen Fällen vermitteln die Reiseberichte selbst Fachleuten kaum noch bekannte Angaben über verschiedene Lebensbereiche und den Alltag, die Wohnkultur, den Bodenbau und das Handwerk, die Wissenschaften, die Religionen, die Sitten und Bräuche.

Die erstaunliche Unvoreingenommenheit, mit der sich Robertson im 18. Jahrhundert über die alte Geschichte nicht nur Asiens, sondern auch Afrikas als »Teilbewegung der Menschheitsgeschichte« äußerte, findet sich auch in anderen Werken dieser Zeit. Ein Reisebuchherausgeber wandte sich 1789 gegen das Vorurteil, die »Informationsströme« hätten sich einseitig von Nord nach Süd bewegt. Ausgehend von der beobachteten Übereinstimmung zahlreicher Sitten und Bräuche in verschiedenen Gegenden Afrikas, begründete er die tatsächlich vorhandene Wechselseitigkeit der kulturellen Einflüsse.

»Ja es finden sich so viele Beispiele dieser Art, zwischen den Gebräuchen und Feierlichkeiten verschiedener und entfernter Gegenden von Afrika, daß wir oft zu dem Schluß veranlaßt werden, es müsse, in einem früheren Zeitraum, ein Verkehr zwischen ihnen stattgefunden haben ... Wenn wir ferner bedenken, daß die besten Geschichtsschreiber die Nigritier für die ersten Bewohner von Afrika ausgeben, so können wir eben so vernünftig annehmen, daß jene Gebräuche unter den Einwohnern ... entstanden waren, und ihren Weg eher *gegen* Norden, als von daher, genommen hatten ... Doch wollte ich hier nicht so verstanden sein, als ob ich glaubte, daß alle ähnlichen Gebräuche in Guinea und unter den östlichen und nördlichen Nationen von Afrika ihren Ursprung im Süden genommen hätten; denn viele derselben beweisen das Gegenteil, indem sie eine unmittelbare Beziehung auf den Mohammedismus haben und so beschaffen sind, daß sie offenbar erst seit der Hegira eingeführt werden konnten; und zwar zum Teil durch das Eindringen der Araber und anderer Nationen, zum Teil durch den Handelsverkehr; bloß auf diejenigen wollten wir unsere Vermutung anwenden, welche die eben genannte Beschaffenheit haben.« (I/25/Vorwort)

Der Autor gelangte zu dem Standpunkt, daß der Fortschritt als Hauptstrang der Weltgeschichte den Wechsel räumlich-kultureller Zentren in sich einschließt, wobei er auf der Grundlage des damaligen Erkenntnisstandes über »exotische Völker« am Beispiel Afrikas einen interessanten Ansatzpunkt für ein wissenschaftliches Gesamtbild formulierte: »Es läßt sich von Nigritien (gemeint war Afrika südlich der Sahara, H. L.) eben so wenig vermuten, daß es immer in seinem gegenwärtigen Zustand von Unwissenheit und Wildheit gewesen sei, wie von Äthiopien, Ägypten und Griechenland; nur daß der Zeitraum seiner Größe weiter entfernt ist ... Auf der anderen Seite haben wir eben so wenigen Grund zur Vermutung, daß die Phönizier und Äthiopier immer das nämliche gebildete Volk gewesen wären, welches sie zu den Zeiten des Salomo, Alexander und Ptolemäus waren, als wir das nämliche von Britannien aus seinem gegenwärtigen Zustand schließen können; da wir wissen, daß kaum zweitausend Jahre verflossen sind, als der vornehmste Schmuck unserer Frauenzimmer in der Länge ihres Haares und in der blauen Farbe ihrer Körper bestand.« (Ebenda)

Die Reiseliteratur des 16. bis 18. Jahrhunderts, deren Kenntnis von den alten historisch-kulturellen Verbindungen zwischen den arabischen, afrikanischen und asiatischen Ländern im 19. Jahrhundert gewissermaßen verloren ging, bildet einen Schwerpunkt. Es ist nicht beabsichtigt, eine Geschichte der exotischen Reisebuchliteratur zu schreiben oder einzelne ihrer Autoren zu würdigen. Der Quellenwert der Reisewerke ist immanenter Gegenstand der Untersuchung als Ganzes.

Aus den Reiseberichten wird nur das Wesentliche über die verschiedenen Seiten des Lebens wiedergegeben, auch manches aus dem Alltag, was Historiker bislang häufig als nebensächlich ansahen oder — weil allgemein bekannt — vernachlässigten. Die Eigentümlichkeit der Ausdrucksweise früherer Jahrhunderte wurde meist bewahrt. Rechtschreibung und Zeichensetzung sind den heute gültigen Regeln weitgehend angepaßt. Geographische Namen wurden nach geltenden Regeln geschrieben; das schließt, wo notwendig, die jeweilige historische Schreibweise ein. Für die Vorkolonial- und Kolonialzeit wurden die alten Bezeichnungen beibehalten, etwa für das heutige Sumatera der frühere Name Sumatra, für Kalimantan Borneo, für Sri Lanka Ceylon, für Bangla Desh Bengalen usw. Die Ortsbezeichnungen in den Zitaten sind unverändert, um die Originalität und den Charakter der Quellen zu wahren. Bei den Anmerkungen wird so verfahren, daß im laufenden Text mit I auf das Quellen-, mit II auf das Verzeichnis der ausgewählten Literatur verwiesen wird. Die erste nachfolgende arabische Ziffer bezeichnet die Ordnungszahl des zitierten Werkes im Quellen- bzw. Literaturverzeichnis, die zweite die Seitenangabe.

Unterstützung gaben Bibliotheken und Museen, besonders die Forschungsbibliothek Gotha und die Universitätsbibliothek Bremen. Wolfgang Griep, Bremen, stellte Angaben zur deutschsprachigen Reiseliteratur 1700 bis 1810 zur Verfügung. Dank gilt Johannes Irmscher, Berlin, und Wolfgang Liedtke, Leipzig, für Rat und Hilfe, Ursula Nygrin, welche die technischen Arbeiten ausführte, sowie den Lektorinnen des Akademie-Verlages Berlin, Eva Hausotter und Sibylle Gebuhr, die die Drucklegung in bewährter Zusammenarbeit mit dem Autor besorgten.

Kapitel I

Afrika — neu gesehen

Seit uralter Zeit kreuzen sich an den Küsten Indiens und Arabiens, Ostafrikas und Chinas die Ausstrahlungen verschiedener Kulturen. Bereits im Altertum gab es zwischen eben diesen Gebieten einen intensiven Austausch von Gütern und Ideen. Die ersten Reiche, die sich seit dem 3. Jahrtausend v. u. Z. bildeten, entstanden in Mesopotamien, in Nordafrika, Ägypten, Äthiopien sowie in Arabien, Persien, Indien und China.

Der subtropische Gürtel vom Südchinesischen Meer bis zum Mittelmeer spielte im kulturhistorischen System der alten Welt, wie es sich über Jahrtausende ausprägte, eine bedeutende Rolle; zu ihm sind sowohl die asiatischen und nordafrikanischen als auch die nordost- und ostafrikanischen Gebiete zu rechnen. Die Kulturen von Afrika bis China waren keine isolierten und sich selbst genügenden, sondern dynamische Systeme, verbunden durch vielfältige und wechselseitige Informationsströme; sie schlossen Afrika ein oder gingen gar von dort aus. Die Ostküste Afrikas, die mit den Völkern der asiatischen Anlieger des Indischen Ozeans und des Südchinesischen Meeres frühzeitig Seeverbindungen hatte, besaß einen wichtigen gemeinsamen Berührungspunkt mit Asien in der vorgelagerten Inselwelt. Hiervon zeugen die überaus bedeutsamen ethno-kulturellen Kontakte auf der Insel Madagaskar und deren Besiedlungsgeschichte. Handelskontakte, Kulturaustausch und Siedlungsbewegungen vollzogen sich auf dem Land- und Seewege, wobei der erstere, die berühmte Seidenstraße, über lange Zeit am gebräuchlichsten war.

In der Kultur eines jeden Volkes gibt es Erscheinungen, die nur ihm allein oder sogar nur einzelnen seiner sozialen und ethnischen Gruppen eigen sind, neben Besonderheiten, die bei vielen Ethnien verbreitet oder der gesamten Menschheit in einer gegebenen historischen Epoche zugehörig sind.

In den vier großen Kulturen der alten Welt, in Ägypten, Mesopotamien, Indien und China, entstanden an mehreren Stellen unabhängig voneinander kulturelle Neuerungen. Viele wichtige Errungenschaften traten in Asien und Afrika auf, wo Menschen zuerst begannen, die künstliche Bewässerung ihrer Felder einzuführen, Metalle zu schmelzen und zu bearbeiten, Städte zu bauen, den Wagen zu benutzen, Gefäße auf der Töpferscheibe herzustellen und kulturelle Informationen mit Hilfe vereinbarter Zeichen aufzuschreiben. (II/ 351/73 f.) In Ägypten, Mesopotamien, Indien und China gestatteten die natürlichen Bedingungen (die Flußtäler mit ihren bei künstlicher Bewässerung zu erzielenden guten Ernten) die Herausbildung einer zahlenmäßig relativ starken Bevölkerung und die Erzeugung eines Mehrproduktes. In Asien und Afrika gab es alle wirtschaftlich-kulturellen Typen, die den jeweiligen Stand der Produktivkräfte widerspiegelten und immer mit der Produktionsweise einer konkreten Gesellschaft verbunden waren: Jäger, Sammler und Fischer; Bodenbauern und Viehzüchter; Ackerbauern als Synthese von Bodenbauern und Viehzüchtern. In Indien, Indochina, Südchina, Indonesien und in Afrika gab es Bodenbau; in den Steppen und Halbwüsten Zentral-, Mittel- und Vorderasiens, in den arabisch-afrikanischen und südafrikanischen Gebieten lebten Viehzüchternomaden. Neben den drei Hauptgruppen gab es auch Mischtypen.

Unter den wirtschaftlich-kulturellen Typen, mit denen die Ethnographie bestimmte Komplexe von Besonderheiten der Wirtschaft und Kultur kennzeichnet, die sich historisch bei verschiedenen Völkern auf beinahe gleichem Niveau sozialökonomischer Entwicklung und unter ähnlichen natürlich-geographischen Bedingungen herausbildeten, spielt der Ackerbau unter Nutzung der Zugkraft von Haustieren und Verwendung des Pfluges eine besondere Rolle. Der Ackerbau entstand in den verschiedenen Kulturzentren eigenständig und breitete sich zuerst in den Tälern von Tigris, Euphrat und Nil, in Äthiopien und in Südarabien aus und erfaßte später fast ganz Asien,

Abb. 2: Die Insel Madagaskar spielte eine bedeutende Rolle bei den ethno-kulturellen Kontakten zwischen Afrika und Asien. Abbildung von Madagassen Anfang des 19. Jahrhunderts

Nord- und Nordostafrika. Im Nildelta, in den Flußebenen Süd-
mesopotamiens, im Industal, in Mittelasien und in China führte die
Entwicklung zu wachsenden sozialen Unterschieden und zur Ver-
dichtung des Siedlungsnetzes. Die ersten großen Siedlungen und
·Städte, die 3000 v. u. Z. in Ägypten und in Asien entstanden, förderten die wirtschaftlichen Verbindungen und den Handel über große
Entfernungen.

Kulturelle Neuerungen, wie die Metallgewinnung und -verarbei-
tung, die Kultivierung von bestimmten Pflanzen und Tieren, der
Übergang zum Boden- und Ackerbau, die Einführung komplizierterer
Werkzeuge, besserer Transportmittel und vieles andere, Arbeits-
erfahrungen, Glaubensformen und medizinisches Wissen, können
in zwei Gruppen eingeteilt werden: erstens jene, die an einem oder
an mehreren Orten unabhängig voneinander entstanden, und zwei-
tens solche, die sich durch ethno-kulturelle Kontakte, durch Handel
und Migrationen (Wanderungen) ausgebreitet haben, etwa die meisten Kulturpflanzen, in erster Linie die Getreidearten (nämlich Hirse
aus Ostasien, Reis aus Indien), aber auch Yams und Taro aus Südostasien, Tee aus Südchina, Kaffee aus Äthiopien.

1. Altafrikanische Kulturen

Die Region des Indischen Ozeans mit seinen Küstengebieten und
der östlichen Verlängerung bis in das Südchinesische Meer hob
sich in diesem System gegenseitiger Kenntnis, des Ideen- und Güter-
austausches, früh heraus. Afrika, Indien und China bildeten eine
der bedeutendsten historisch-kulturellen Regionen in der Welt. Vom
3. bis 2. Jahrtausend v. u. Z. existierte auf dem Territorium Afrikas
die altägyptische Kultur, die dem Entwicklungsstand Vorderasiens,
des Iran, Indiens und anderer Gebiete Asiens entsprach und bis zum
Aufkommen des »minoischen« Kreta das Niveau der europäischen
Zivilisation beträchtlich übertraf.

Die frühgeschichtliche Forschung macht auf eine interessante Tatsache aufmerksam: Nord- und Nordostafrika, Ägypten, die Gebiete
der Sahara, Nubien, Äthiopien und Somaliland hatten vor Jahrtausenden viele Ähnlichkeiten in ihrer materiellen und geistigen Kultur.

Abb. 3: Stadtansicht von Algier (aus einem Reisebericht des 17. Jahrhunderts)

Bei allen Einschränkungen, die gemacht werden müssen, lassen sich Analogien sogar zu anderen afrikanischen Kulturen (z. B. Westafrika) erkennen.

Der starken Einwirkung der altägyptischen Kultur waren nicht nur die ihr naheliegenden Stämme im Norden und im Nordosten Afrikas sowie der angrenzenden Gebiete, sondern auch entferntere Ethnien ausgesetzt. Die Beziehungen des alten Ägypten reichten bis weit in das Innere Afrikas.

Felszeichnungen in der Sahara, in Oberägypten, in Äthiopien und Somalia mit schematischen Darstellungen von Menschen und Tieren belegen frühe Verbindungen mit Indien. Seit dem Altertum kamen aus Asien wandernde Händler nach Ägypten und Nordostafrika.

Das tropische und äquatoriale Afrika, dessen Entwicklungsbedingungen ungünstiger waren als die der Länder der subtropischen Zone Asiens und Nordostafrikas, war trotz fortschreitender Austrocknung der Sahara vom Zentrum der alten Kulturen nicht isoliert. Die Völker Asiens interessierten sich für die inneren Gebiete Afrikas als Lieferanten teurer Metalle und kostbarer Edelsteine, exotischer Tiere und Tierfelle, von Elfenbein und anderen wertvollen Naturprodukten. Eine Brückenfunktion zwischen Asien und Afrika übten der Nahe Osten und Arabien aus.

Die Äußerungen über Afrika in den europäischen Reiseberichten, vorwiegend des 18. Jahrhunderts, geben weitgehend ein positives Bild vom afrikanischen Anteil an der welthistorischen Entwicklung.

Afrikanische Historiker, die bemüht sind, die kulturhistorische Bedeutung ihres Kontinents auf neuer Grundlage zu erschließen, verfolgen den Weg der afrikanischen Völker weit zurück und heben die Geschichte Ägyptens als untrennbaren Bestandteil der afrikanischen Geschichte hervor. Schon im 18. Jahrhundert ließen sich aus der großen Zahl europäischer Reiseberichte über Afrika und Asien Stimmen hören, die mit der großartigen frühen Entwicklung Ägyptens auch das übrige Afrika in den historischen Strom weltgeschichtlicher Betrachtungsweise einbetteten. Das Alte Ägypten stand den anderen hochentwickelten Staaten Vorderasiens und Asiens nicht nach — es blieb im Verlauf von Jahrtausenden ein reiches, fruchtbares und dichtbesiedeltes Land. »Ägypten ist ein Geschenk des Nils«, heißt es bei Herodot (484—425 v. u. Z.), war doch das ganze Leben der Bevölkerung des Landes mit dem Nil verknüpft, dessen Tal schon im Alt- und Jungpaläolithikum von Menschen bewohnt war. Die alten Ägypter waren die Begründer und Träger einer der ältesten und höchstentwickelten Kulturen der alten Welt und zugleich Ureinwohner des afrikanischen Kontinents.

An der Herausbildung der ägyptischen Kultur waren auch Menschen negroider Herkunft beteiligt, wie überhaupt die Kulturen der »schwarzen« und »weißen« Afrikaner aus ein und derselben Quelle stammen. Hatschepsut (etwa 1490—1468 v. u. Z.), gewiß die größte, aber nicht die einzige regierende Herrscherin Ägyptens, war schwarz. Nach einer berühmten These, die von Chekh Anta Diop in seinem Buch »The African O igin of Civilisation« (New York 1974) vertreten wird, waren die alten Ägypter überhaupt Menschen mit schwarzer Hautfarbe — und es waren damit schwarze Afrikaner, die am Anfang der »westlichen Zivilisation« gestanden haben. Diese Übertreibung ist die Gegenreaktion auf eine jahrhundertelange Geschichtsbetrachtung, derzufolge das alte Afrika nicht Teil der frühen Kulturen war, sondern zur Peripherie zu zählen sei und in der Weltgeschichte keine oder nur eine geringe Rolle spielte und von der nicht selten behauptet wurde, daß die alten Ägypter eigentlich gar keine Afrikaner gewesen seien. Richtig ist, daß lange vor dem Entstehen der ersten Klassengesellschaften in Afrika enge Kontakte zwischen den Bevölkerungsgruppen negroiden, äthiopischen und europid-mediteranen Typs bestanden und die Kultur des alten Ägypten sowohl ihrer Herkunft als auch ihrem Inhalt nach afrikanisch war, ungeachtet der Hautfarbe und der ethnischen Zusammensetzung ihrer Träger. Zum Anteil schwarzafrikanischer Menschen an der Bevölkerung des Alten Ägyptens gibt eine arabische Chronik, welche die kirchlichen Verhältnisse Ägyptens im 7. Jahrhundert, zur Zeit des Einfalls der Mohammedaner schildert, eine Teilantwort: »Als die Moslimen nach Ägyptenland kamen, war es gänzlich mit Christen angefüllt, die sich in zwei nach Abkunft und Religionsglauben verschiedene Teile teilten: der eine, die regierenden, bestand aus lauter Griechen von den Soldaten des Beherrschers von Constantinopel, Kaisers von Griechenland ... und deren Zahl sich auf mehr als 300 000 belief, der andere Teil, die ganze Masse des Volkes von Ägypten, Copten genannt, war ein vermischtes Geschlecht, so daß man nicht mehr unterscheiden konnte, ob jemand unter ihnen von Coptischer, Habessinischer (äthiopischer, H. L.), Nubischer oder Israelitischer Abkunft war ... Ihre Zahl belief sich auf mehrere Hundert Tausend, denn sie waren eigentlich die Bewohner von Ägyptenland im oberen und untern Teile.« (II/514/49 f.)

Unter den energischen Pharaonen der IV. bis VI. Dynastie begannen Land- und See-Expeditionen. Ägyptische Inschriften berichten aus dem 3. Jahrtausend v. u. Z., daß die Pharaonen wiederholt mit den libyschen Stämmen Krieg führten. Als Libyen wurden damals alle Länder Nordafrikas westlich von Ägypten bezeichnet. Darstellungen der Kämpfe haben sich auf den Wänden der alten ägyptischen Tempel erhalten. Die Bodenbau und Viehzucht treibenden Libyer erkennt man darauf an ihrer charakteristischen Kleidung, mit Straußenfedern im Haar, bewaffnet mit Schwert, Pfeil und Bogen. Unter den Pharaonen der XVIII. Dynastie (1580—1350 v. u. Z.) drangen die Ägypter in Nubien, dem reichen Land südlich des ersten Nilkatarakts, bis zum vierten Katarakt vor. Die nubischen Stämme und die ägyptischen Kolonisten wurden einem Statthalter des Pharao, dem »Königssohn von Kusch« unterstellt. Es bildeten sich See- und Landhandelswege.

Märchenhafte Reichtümer gelangten durch Handel oder Tribut aus den Nachbarländern in das Land der Pharaonen: Gold, Silber, Platin und Kupfer, Myrrhe (Weihrauch) vom »Horn Afrikas«, Smaragde aus der Nubischen Wüste, »Karthagische Steine« aus der Sahara, Edelsteine von der Küste am Roten Meer, Elfenbein, Edelholz, Gummi, aromatische Harze, Leopardenfelle und Olivenöl.

Bereits im 3. Jahrtausend v. u. Z. wagten sich ägyptische Bootsfahrer, die früher nur den vertrauten Nil auf primitiven Papyrus- und Holzbarken befahren hatten, auf weite Fahrten in die Küstengebiete des Mittelmeeres und des Roten Meeres und vielleicht auch schon zu früher Zeit in den Golf von Aden. Die ägyptische Königin Hatschepsut sandte ihre Galeeren nach Punt, dem heutigen Somalia, nach Jemen und bis nach Indien und China.

Das Gold des Sudan, die Reichtümer des Punt und der östlichen Sahara ermöglichten den Pharaonen die Besoldung der ausländischen Krieger und die Aufrechterhaltung ihrer Herrschaft in Ägypten, im Nahen Osten und im Mittelmeerraum. Zunächst vermochte Ägypten den Strom des Reichtums aus den südlichen Teilen Afrikas auf das eigene Land zu lenken, bis dann auch die alten Völker Asiens und des Mittelmeerraumes daraus ihren Vorteil zu ziehen suchten. Die dem Alten Ägypten benachbarten Stämme und Völkerschaften haben das politische, kulturelle und militärische Zentrum am Nil und dessen überlegene Position nicht in Passivität oder ohne Selbstbehauptungswillen hingenommen, sondern setzten sich damit aktiv auseinander. Die Bewohner Seapions im Gebiet des heutigen Mogadischu an der ostafrikanischen Küste trieben schon vor zweitausend Jahren Handel mit Indien und Aden. Das »Horn Afrikas«, das mit seiner Spitze am Kap Guardafui den Golf von Aden vom Indischen Ozean trennt, bildete die Nahtstelle zwischen Afrika und Asien,

Sprungbrett und Sperre zugleich. Negroide kulturelle Einflüsse drangen bis in den Mittelmeerraum, nach Vorderasien, Indien und nach anderen Gebieten. Ein frühes Zeugnis bilden die Fresken des »minoischen« Kreta, wie sie im Palast von Knossos (Bauphasen vom 20. bis 16. Jahrhundert v. u. Z.) auf Resten von Wandgemälden erhalten geblieben sind, auf denen die Flora und Fauna Afrikas und ganze Abteilungen schwarzer Krieger dargestellt sind. Bis in den Raum des Indischen Ozeans und des Mittelmeeres drangen synkretistische Religionsvorstellungen sowie Sitten und Bräuche schwarzafrikanischen Ursprungs. Im fernen Griechenland gab es Isis-Tempel, in denen schwarze Afrikaner die Priesterfunktionen ausübten. Ähnliches teilen später europäische Reiseberichte über afrikanische Einflüsse in asiatischen Ländern mit. Xenophanes (um 575–475 v. u. Z.) äußerte, daß die »Äthiopier sagen, daß ihre Götter stupsnasig und schwarz seien«. Makeda, die aus dem Hohen Lied Salomos bekannte Königin von Saba, rühmte sich ihrer schwarzen Hautfarbe: »Ich bin schwarz, aber gar lieblich . . .«

Schon seit dem 12. Jahrhundert v. u. Z. entstanden neben Ägypten weitere bedeutende Zentren altafrikanischer Kulturen — die meroitische, die nordäthiopische und die der westlichen Sahara. Neue Ideen und Anschauungen kamen aus Gebieten Afrikas, die den antiken Autoren noch nicht oder nur vom Hörensagen bekannt waren, so aus dem Bilad-es Sudan, dem Land der Schwarzen, das seinen Namen von den Arabern erhielt.

Erst in unserem Jahrhundert (1936 und 1943) haben archäologische Funde den Beweis erbracht, daß auch in Westafrika ein frühes Zentrum afrikanischer Kultur vorhanden war. Es handelt sich um die nach dem Fundort in der Nähe der Siedlung Nok auf dem Gebiet des heutigen Nigeria bezeichnete Nok-Kultur, die sich um 500 v. u. Z. bis 200 u. Z. entwickelt hat. Eine ganze Reihe von Völkern, die weite Gebiete im Westsudan, vom Atlantischen Ozean bis zum Tschadsee besiedelten, können sich als Erben dieser alten Kultur betrachten, deren Träger Bodenbau und Jagd betrieben sowie die Schmiedekunst und das Töpfern beherrschten. Ob es zwischen der Nok-Kultur und den nördlich wohnenden Garamanten und vielleicht auch noch anderen Kulturzentren in Westafrika irgendwelche Verbindungen gab, ist noch ein Rätsel;

es zeigt, daß Geschichte und Kultur des alten Afrika noch detaillierterer Erforschung bedürfen.

Vom 9. bis 3. Jahrhundert v. u. Z. entstanden erste Staaten in der Kyrenaika und im Maghreb, so Karthago und die Herrschaft der Garamanten mit der Oase Garama (heute Djerma bei Mursuk) als Mittelpunkt, von deren entwickelter Kultur Herodot Mitteilungen machte. Ende des 12. Jahrhunderts v. u. Z. waren die Phönizier zu einer bedeutenden Macht aufgestiegen, die nicht nur Handelsverbindungen nach Ägypten, Etrurien oder in die inneren Gebiete Afrikas pflegte, sondern auch Handelsfahrten nach Südarabien, Punt und Indien unternahm. Die Phönizier, ursprünglich ein Handels- und Seefahrervolk an der Küste des damaligen Syriens, drangen immer weiter nach Westen vor und errichteten bedeutende Kolonien und Handelsfaktoreien. Eine davon war das im Jahre 814 v. u. Z. gegründete Karthago oder, wie die Phönizier diese Stadt nannten, »Quart Hadascht« (Neue Stadt), die ihre Blütezeit vor dem Aufstieg Roms erreichte. Das Interesse der Karthager galt ausschließlich dem Seehandel. Der Karthager Hanno unternahm um 525 v. u. Z. eine berühmt gewordene Expedition entlang der Westküste Afrikas, die ihn mit sechzig großen Schiffen bis nach Sierra Leone, nach Meinung anderer bis nach Kamerun geführt hat.

Felszeichnungen überliefern, daß sich die Sahara-Bewohner bereits des Wagens bedienten, vor den Pferde gespannt waren. Im Kampf gegen Karthago bildeten sich die libyschen Staaten Numidien und Mauretanien. Numidien nahm das Gebiet des heutigen Ostalgeriens und Nordmarokkos ein. Nach dem Fall Karthagos (146 v. u. Z.) gründeten die römischen Eroberer im heutigen Tunesien die Provinz Africa. In lateinischen Quellen wurden Numidier und Libyer immer seltener erwähnt, man nannte die einheimische Bevölkerung Mauren und später Berber.

Die Griechen und Römer, welche in der frühesten Zeit auf den Handel der Phönizier angewiesen waren, verdankten ihre nähere Kenntnis östlicher Länder den Begleitern Alexanders des Großen (Alexandros III., 356—323 v. u. Z.), welche den Feldzug bis an die Grenzen Indiens mitgemacht hatten, und dem Historiker und Geographen Agatharchides (um 220—120 v. u. Z.), der am Hof von Alexandria lebte und der zehn Bücher »Asiatische Dinge«, vierzig

Abb.4: Stadtansicht von Tunis (aus einem Reisebericht des 17. Jahrhunderts)

Bücher »Europäische Dinge« und eine Beschreibung des Roten Meeres hinterließ. Für Rotes Meer und Indischen Ozean galt der Sammelname »Erythräisches Meer«.

Unter Augustus (63 v. u. Z. — 14 u. Z.) liefen jährlich bis zu 100 Schiffe von Ägypten nach Indien aus. Ptolemäus (etwa 90—160 u. Z.), der berühmte Astronom, Mathematiker, Geograph und Astrolog in Alexandria, erwähnte Handelsrouten nach Südchina. Im 1. Jahrhundert u. Z. hatte ein in Ägypten lebender Kaufmann, der mit Handelsfahrten nach Indien wohlvertraut war, in nautischer, ethnographischer und merkantiler Beziehung die Küsten des Erythräischen Meeres, die Handelsplätze und die gebräuchlichsten Produkte beschrieben. Seine kleine anonyme Schrift »Der Periplus des Erythräischen Meeres« (II/407) war ein Handbuch für Händler und Lotsen, die den Indischen Ozean und das Rote Meer befuhren. Über die

27

Nutzung der für die Schiffahrt auf dem Indischen Ozean bedeutsamen Windverhältnisse ist aus dem »Periplus« zu erfahren, daß unter der Regierung des Claudius (41—54 u. Z.) der Zolleintreiber Hippalos, Freigelassener des Zollpächters Annius Plocamus, von der arabischen Küste nach Ceylon verschlagen wurde und erst nach sechs Monaten günstigen Wind zur Rückkehr erhielt. Auf diese Weise erfuhr man von den im Indischen Ozean periodisch wehenden Winden, den Monsunwinden, welche ein halbes Jahr aus Nordost und ein halbes Jahr aus Südwest kommen und deren Kenntnis eine sichere und leichte Fahrt ermöglichte.

Äthiopier als Soldaten, Händler und Kaufleute

Seit alter Zeit kamen Menschen von den nordöstlichen Küstengebieten Afrikas und dem nördlichen Teil der ostafrikanischen Küste aus unterschiedlichen Gründen nach Ägypten und Alexandria. So hat Ägypten seit dem Neuen Reich nicht nur Krieger aus den vorderasiatischen und südeuropäischen, sondern auch aus verschiedenen afrikanischen Stämmen und Völkern rekrutiert. Afrikanische Krieger, darunter viele Nubier und Äthiopier, bildeten einen beträchtlichen Teil der »Fremdenlegionen«, die in der altägyptischen Armee immer mehr an Bedeutung gewannen. An den Wänden einer Grabkammer aus der Zeit Thutmosis' (etwa 1413—1403 v. u. Z.) sind Exerzierübungen von Soldaten dargestellt: Ägypter, Libyer, Nubier und Äthiopier. Aus den Afrikanern wurden besondere Bogenschützeneinheiten formiert, für die man große Bogen aus Nubien und Punt beschaffte.

Die ägyptisch-äthiopischen Beziehungen blieben auch nach der Zeitenwende stabil. Äthiopische Kaufleute hielten sich oft und gern in Ägypten auf, wie ein Erlaß des Kaisers Theodosius I. aus dem 4. Jahrhundert u. Z. schließen läßt, nach dem jeder, der »ad gentem Axumitarum et Homeritas« reise, sich in Alexandria nicht länger als ein Jahr aufhalten dürfe. (II/298/Bd. II/14) Theodosius war der letzte römische Kaiser, der seine Herrschaft noch über das ganze Imperium Romanum ausübte.

Auch mit der Eroberung Ägyptens durch die Araber (640 u. Z.) und der Islamisierung blieben die Beziehungen zwischen Äthiopien und Ägypten bestehen. Im islamischen Ägypten hielten sich im Mittelalter zahlreiche Afrikaner auf, darunter auch Christen, wie aus der erd- und völkerkundlichen Literatur ersichtlich ist, in der es über Alexandrien heißt, daß dort »Deutsche, Dänen, spanische und andere Araber, Abessinier und Nubier« verkehrten. (Ebenda/437)

Justinian (482—565 u. Z.), seit 527 Kaiser von Byzanz, der die Restauration des Imperium Romanum erstrebte, stützte sich in seinen militärischen Auseinandersetzungen mit den Persern unter anderem auf kampfgeübte äthiopische Soldaten. Auch äthiopische Kaufleute wurden gegen die persische Handelskonkurrenz aufgeboten. »Geographisch begünstigtere Hilfskräfte suchte und fand Justinian in den Äthiopiern des befreundeten axumitischen Reichs, dessen Lage am Eingange zum Indischen Ozean wie zum Roten Meere den Zwischenhandel förmlich aufdrängte. Gleichwohl ist der Versuch gescheitert. Wohl gingen zahlreiche griechische Kaufleute nach Adulis hinunter, ja auf äthiopischen Schiffen selbst nach Indien hinüber; wohl wußten die dunkelfarbigen Kaufleute den Wert ihrer Vermittlerrolle gebührend zu schätzen; dennoch gelang es auch ihnen nicht, dem persischen Monopol nennenswerten Abbruch zu tun. Die Perser hatten sich im Laufe der Jahrhunderte zu fest in den indischen Häfen eingenistet, als daß der Wettbewerb eines zudem nicht einmal sehr unternehmungslustigen und mächtigen Volks sie aus der sorgsam ausgebauten Stellung hätte vertreiben können: Selbst Stürme von der Gewalt, wie sie die islamische Bewegung des siebenten Jahrhunderts auch für Persien mit sich brachte, haben sie nicht zu erschüttern vermocht.« (II/296/Bd. 1/581) Die Perser blieben auf dem Indischen Ozean bedeutend und teilten sich vom 8. bis 11. Jahrhundert mit den Arabern in den Gewinn und in die Gefahren der Handelsschiffahrt.

Das Phänomen der Rekrutierung von Kriegern aus »Äthiopien« (nicht immer ist das Herkunftsgebiet mit letzter Sicherheit zu bestimmen, da der Name auch auf andere afrikanische Söldner überging) ist nicht nur in den ägyptisch-äthiopischen Beziehungen eine höchst interessante Erscheinung. »Äthiopische« Krieger sind — wie noch zu berichten ist — auf Schiffen im Indischen Ozean ebenso nachzuweisen wie ihr Einsatz in den Anliegerstaaten; gleiches gilt für das Südchinesische Meer und China.

Äthiopien wurde bis in die jüngste Vergangenheit auch Abessinien genannt, so daß hier zunächst eine Begriffserklärung notwendig erscheint.

Abessinien ist vom arabischen »Habesch« abgeleitet, was ursprünglich »Laudanumsammler« bedeutete und jene Händler bezeichnete, die mit aromatischen Spezereien handelten. Äthiopien geht auf das griechische »Aithiopes« zurück und heißt wörtlich »Braungebrannter«. Der Begriff »Äthiopier« wurde oft auch für die Somali, die Nubier und andere Bevölkerungsgruppen im Norden und Osten Tropisch-Afrikas verwendet und dies auch noch in der neueren wissenschaftlichen Literatur. Der älteste äthiopische König bezeichnete sich als »Herr der gesamten Küste« am Roten Meer. Forschungsergebnisse, die in den letzten Jahrzehnten durch Archäologie und Geschichtswissenschaft erbracht worden sind, lassen die Rolle Äthiopiens in einem neuen Licht erscheinen. Die frühen Beziehungen verliefen nicht nur im Schatten Ägyptens — des ältesten Reiches auf afrikanischem Boden —, sondern wiesen auch Perioden der Dominanz über Ägypten auf.

Im nordöstlichen Afrika bildete sich in Nubien am Ende des 12. Jahrhunderts v. u. Z. der Staat Napata mit dem Zentrum am vierten Katarakt. Im Jahre 840 v. u. Z. eroberten die Herrscher Napatas ganz Oberägypten bis nach Memphis und später auch den Nil mit dem Delta. Diese Zeit ist in der Geschichte *Ägyptens* als *Herrschaft* der XXV. *äthiopischen* Dynastie bekannt.

Die Wirren, die mit dem Ende des Neuen Reiches in Ägypten ausbrachen, machten Äthiopien zu einem selbständigen Staat und veranlaßten schließlich, daß sich die äthiopische Dynastie mit Hilfe kuschitischer Krieger auf den Thron des alten Kulturreiches am Nil schwang (840—668 v. u. Z.).

Die Beziehungen Äthiopiens zu Asien waren ebenso eng wie die zu Ägypten. In den antiken und byzantinischen Quellen wird über den äthiopischen Handel mit Arabien, Persien und Indien berichtet. (Vgl. II/216) Äthiopien war durch vielfältige Fäden mit der ökonomischen Hauptachse der alten Welt verbunden, die vom Südchinesischen Meer und dem Indischen Ozean ihren Ausgang nahm,

Abb. 5: Mauerreste und Ruinen zeugen von der alten Baukunst in Afrika. Überreste eines Tempels in Jeha (Äthiopien)

über den Persischen Golf und den Euphrat sowie über das Rote Meer, die Meerenge von Suez und den Nil in das Mittelmeer führte. Äthiopien war wie die gesamte afrikanische Ostküste in einen weltweiten Handelsverkehr einbezogen, dessen Schwergewicht im Osten im Gebiet des Indischen Ozeans lag und der im Westen das afrikanische Binnenland einschloß.

Die Wiege der äthiopischen Kultur und Herrschermacht lag in der Tigrehochebene, die den zentralen Teil Nordäthiopiens einnimmt. Neben einer gewissen Isoliertheit, welche die Verteidigung gegen fremde Eindringlinge begünstigte, verfügte dieses Gebiet über einen kurzen Verbindungsweg zu den Handelszentren. Nur ein schmaler Streifen der Halbwüste trennte es vom Roten Meer. Wenige Tagesreisen weiter lagen die beiden wichtigsten Kreuzungen der alten Handelswege: die Straße von Bab-el-Mandeb im Süden und die Landenge im Golf von Suez im Norden. Die Flußtäler verbanden das Gebiet mit dem fruchtbaren Niltal, mit Nubien und Ägypten. Jenseits des Roten Meeres lagen die fruchtbaren Hochebenen, Täler und Oasen Arabiens mit dessen reichen alten Städten.

Seit dem 1. Jahrhundert u. Z. stieg die Handelsstadt Aksum zur Hauptstadt eines Reiches auf, das bereits am Ende des 3. Jahrhunderts von dem koptischen Kephalaia von Mani zu einem der »Vier Königreiche« der Welt neben Rom, Persien und China gezählt wurde. Gewaltige Bewässerungsanlagen, große Paläste, erhabene Stelen und prunkvolle Grabstätten entstanden. Als Umschlagstation für Waren besaß Äthiopien nach dem »Periplus des Erythräischen Meeres«, dem bereits erwähnten Handbuch für Händler und Lotsen, eine große Bedeutung »für den Handel im Binnenland«. Über Aksum verliefen bedeutsame Handelswege. »Wichtig war vor allem der An- und Verkauf von Elfenbein, das aus dem Gebiet westlich des Nils — heute Ostsudan, Sennar — kam. Als Hauptstadt hatte es mit allen Landesteilen Berührung, die ihre Produkte nach Aksum schickten. Von hier aus wurden sie entweder nach dem acht Tagereisen entfernten Adulis oder aber über Meroe nach Ägypten weitergeleitet.« (II/283/74) Das rasche Aufblühen des Aksumitischen Reiches erklärt sich aus seiner günstigen wirtschaftlichen Situation, aus der geographischen Lage, aber auch aus der Besonderheit der Erzeugnisse des Landes. »In früher Zeit fuhren die ägyptischen

Schiffe der Pharaonen noch bis zur Küste des Somalilandes, um die Produkte Äthiopiens zu kaufen. Damals waren die wichtigsten Ausfuhrerzeugnisse des Landes ‚Pun' (Punt) Gold und Weihrauch; in ptolemäischer Zeit wurden vor allem Elefanten und Elfenbein ausgeführt, zu denen in späterer Zeit noch Produkte tierischer und pflanzlicher Herkunft hinzutreten. Strabo erwähnt, daß der Ausfuhrhandel von Äthiopien sich besonders auf Aromaten stützte. Auch Plinius erwähnt verschiedene äthiopische Güter, die über Adulis exportiert wurden ...« (Ebenda/75)

Unter den Reisebeschreibungen ragt die zwischen 525 und 550 entstandene »Topographia christiana« heraus — niedergeschrieben von dem in Alexandria lebenden Kaufmann Kosmas, der später Mönch wurde und in eines der christlichen Sinaiklöster gegangen sein soll. Er beschrieb den Schiffsweg von Südarabien zur Somaliküste, nach Ostafrika sowie nach Ceylon und Indien und vermittelte aus eigener Kenntnis interessante geographische und kulturhistorische Beobachtungen über die Schiffsrouten und den Schiffsverkehr im Indischen Ozean, über die Handelswaren und über die Länder Indien und Ceylon. »Da die Insel Ceylon tatsächlich zentral gelegen ist, wird sie von Schiffen aus allen Teilen Indiens, Persiens und Äthiopiens viel besucht und sendet ebenso gar manche von ihren eigenen aus. Von den fernsten Ländern, wie Tzinitza (China) und anderen Handelsplätzen empfängt sie Seide, Aloe, Gewürznelken, Sandelholz und andere Produkte.« (II/298/Bd. II/47 f.)

Aus der »Topographia christiana« geht hervor, daß Adulis, der Umschlag- und Handelsplatz am Roten Meer in der Nähe des Dahlak-Archipels, mit den südlicheren Hafenstädten an der ostafrikanischen Küste in enger Verbindung stand. In den Anliegerländern des Roten Meeres betrieb Adulis den Goldhandel. Von den Waren, die Äthiopien in der Frühzeit importierte, werden im »Periplus« unter anderem genannt: in Ägypten gefertigte Kleider, Linnen, Glas, Myrrhe, Gefäße, Messing, Kupferbecher, Eisen (für Lanzen zur Jagd auf Elefanten und andere Tiere), Seile, Äxte, Dolche, Kupfer, in geringeren Mengen sogar der römische Denar, italienische Weine, Vasen, Amphoren und vieles andere, darunter Waren aus den benachbarten Territorien und von der südlicheren afrikanischen Ostküste.

Südarabien nahm aus historischen und geographischen Gründen im Austausch zwischen Asien und Afrika eine besondere Stellung ein. Es war Umschlagplatz des Warenverkehrs zwischen dem Nahen Osten, Äthiopien, Ostafrika, Indien, Ceylon, Indonesien und China. Seit alter Zeit segelten arabische Dhaus mit dem Nordost-Monsun nach Sansibar, um Waren von Arabien zu bringen und mit Sansibar-Produkten im Südwest-Monsun heimzusegeln. Porzellan und andere chinesische Waren (Seide, Brokat und Lackwaren), die schon zu Beginn der Zeitrechnung über das Rote Meer bis in das Mittelmeer gelangten, kamen mit den arabischen Dhaus zu den südlichen Küstengebieten Afrikas und wurden gegen Elfenbein, Rhinozeroshorn, Perlen, Weihrauch und anderes ausgetauscht. Im 2. und 1. Jahrtausend v. u. Z. bildete sich im Süden Arabiens eine Reihe von Staaten, die sich gleich einer Kette entlang der »Karawanenstraße der Wohlgerüche« erstreckten. Eines der ältesten und wohlhabendsten Reiche Arabiens und ein Staat von bedeutender Ausdehnung war Saba. Saba war der früheste bekannte Staat altorientalischen Typs in Südarabien. Er entwickelte sich im 13. und 12. Jahrhundert und existierte bis zum 6. Jahrhundert u. Z. Kaufleute reisten von der Arabischen Halbinsel nach Nordostafrika und zogen auf Karawanenwegen nach dem ägyptischen Theben, nach Napata und Meroë und nach den Städten des Tigreplateaus. Im 5. Jahrhundert v. u. Z. erschienen die ersten Kolonisten aus Saba und gründeten an der Küste des Roten Meeres (im Gebiet des heutigen Eritrea), auf der Tigrehochebene und vielleicht auch im Gebiet von Harara die ersten Handels-Stadtstaaten. Gleiches geschah in Ostarabien. Die dortigen Stadtstaaten vermittelten den Karawanenhandel bis nach Ägypten.

In der Zeit vom 3. bis zum 1. Jahrhundert v. u. Z. nahm die Bedeutung des Roten Meeres für den kulturellen Austausch zu. Äthiopien besaß mit dem Hafen Adulis einen wichtigen Umschlag- und Handelsplatz im System der Handels- und Verkehrsverbindungen. Äthiopien versuchte in vorchristlicher und christlicher Zeit, sich jenseits des Roten Meeres auf dem südarabischen Plateau und in afrikanischen Nachbarregionen die Vorherrschaft zu sichern; äthiopische Herrscher raubten Sklaven und Vieh und erhoben Tribute.

Wiederholt standen Teile Südarabiens unter der Kontrolle und Herrschaft Aksums bzw. Äthiopiens, so im 4. Jahrhundert u. Z. Äthiopiens Herrscher nannten sich damals »König der Axumiten, König der Himjariten, der Rasiden, der Äthiopier und Sabäer, des Sila, Tiamo und der Bugaiten«, das heißt, ihre Macht erstreckte sich auch über Südarabien, »wo die damals christlichen Himjariten (Homeriten) des öfteren axumitischen Herrschern untertan waren«. (II/298, Bd. II/14)

Zwischen 525 und 570 u. Z., als die christlichen Herrscher von Aksum erneut das Himjaritenreich eroberten und ihre Macht sich wiederum auf beide Ufer des südlichen Meeres ausgedehnt hatte, waren die aksumitischen Häfen in ihrer Bedeutung den ägyptischen überlegen. Wie mächtig dieses Reich damals war, zeigt die Botschaft Kaiser Justinians im Jahre 531 nach Aksum: Mit der Bitte um Beistand gegen Persien und einem Vorschlag über den Seidenhandel mit Indien wandte er sich an die äthiopischen Glaubensbrüder. »Selbst Alexandriens überragende Stellung im Handelsverkehr des Orients scheint damals in den Hintergrund gedrängt worden zu sein, und vielleicht wäre es zu einer langdauernden Vorrangstellung von Adulis gekommen, wenn nicht 570 die neu aufsteigende Großmacht des persischen Sassanidenreiches . . . das Glückliche Südarabien erobert und der axumitischen Herrschaft ein Ende bereitet hätte.« (Ebenda/52)

Südarabien hat in der Geschichte Äthiopiens nicht nur in der »sabäisch-äthiopischen« Periode eine besondere Rolle gespielt. Aber in diesen Jahrhunderten gab es zwischen Äthiopien und Südarabien besonders intensive ethno-kulturelle Kontakte. Archäologen entdeckten zahlreiche Gemeinsamkeiten, die schon im 6. und 5. Jahrhundert v. u. Z. im Nordwesten Äthiopiens und in Südarabien entstanden waren. Die Gegenseitigkeit der »Informationsströme« vermochte die Eigenständigkeit der Geschichte und die Eigentümlichkeit der Kultur der beteiligten Seiten jedoch nicht grundsätzlich zu beeinträchtigen. So ist dies in Äthiopien zu belegen, wo — im Gegensatz zur Meinung von einem südarabischen Einfluß auf das sakrale Königtum — E. Haberland nach umfassenden Studien zur Auffassung gelangte, daß »Südarabien als Wanderstraße auszuschließen« sei, »wenn es um die Frage nach der Herkunft des Königtums — und mit ihm anderer Kulturelemente in Afrika — geht«. (II/281/315)

Im äthiopischen Königtum blieben Elemente traditioneller afrikanischer Religionen bewahrt, so daß es in seinem Gesamtcharakter afrikanisch blieb. Die Idee des sakralen Königtums, die durch Afrika ihren Siegeslauf antrat, griff nicht auf die römische Reichsidee zurück oder war südarabisch inspiriert, sondern entwickelte sich auf authentisch-afrikanische Weise und manifestierte »afrikanisches Herrschertum«. »Der Ring als Symbol der Monarchie tritt auf, ferner die großen Trommeln und Trompeten und die Tiere, die in einem, dem Vorderen Orient unbekannten, engen Zusammenhang mit dem heiligen König stehen: Biene, Löwe und Schlange. Auch das Zeremoniell, das den königlichen Alltag und das Leben in der heiligen Pfalz regelt, erscheint nicht mehr als bloßer Ausfluß höfischer Kultur, sondern wurzelt noch unmittelbar im Tremendum des Königs, gegenüber dessen magischer Gestalt die anderen Menschen abgeschirmt werden müssen, und in der Heiligkeit und Unberührbarkeit des Königs, der vor allen schädlichen Einflüssen rituellen Schutzes bedarf. Der allerchristliche Herrscher tritt als echter charismatischer Heilsbringer auf.« (Ebenda/313)

Es ist hervorzuheben, daß die mittelalterlichen christlichen Reiche, die am Nil lagen und unter denen seit dem 8. Jahrhundert Äthiopien das bedeutendste war, die alten Traditionen der Vermittlung weitreichenden Seehandels fortsetzten. Der Handel zu Schiff wechselte mit dem Karawanenhandel. Güter und neue Ideen gelangten über die Transsahararouten und über andere Kontakte bis in die Tiefe des afrikanischen Kontinents; auf gleichen Wegen erhielten die Anliegerstaaten des Indischen Ozeans, ja selbst des Südchinesischen Meeres, Informationen und Handelswaren aus afrikanischen Ländern.

Christliche Religion und ethno-kulturelle Kontakte

In der ersten Phase der Ausbreitung des Christentums waren in Afrika und Asien zahlreiche christliche Gemeinden entstanden. Zwischen dem 3. und 5. Jahrhundert gab es in Alexandria und in anderen Städten Ägyptens »christliche Kirchen, Bischöfe, Märtyrer, Mönche und Einsiedler« (II/216/19), und über ganz Nordafrika dehnte sich deren Einfluß mit der Verkündigung des Evangeliums aus, so daß sich in

Ägypten und Nordafrika zeitweilig die wichtigsten Zentren des christlichen Glaubens befanden.

Für die Verbreitung des Christentums in Afrika und Asien nannte die »Topographia christiana« im 6. Jahrhundert Kirchen, Priester und Gemeinden von Gläubigen, von denen der Verfasser durch seine Reisen erfahren hatte: von »Taprobana, einer Insel im fernen Indien, da wo das indische Meer ist«, Malabar, »wo der Pfeffer wächst«, und »einem anderen Platze namens Calliana, (wo) außerdem ein Bischof (ist), der von Persien aus ordiniert ist. Auf der Insel wiederum, welche Insel des Dioscorides heißt, in demselben indischen Meere liegt« gibt es »auch eine Menge Christen . . . und ebenso gibt es unter den Baktriern, Hunnen und Persern sowie den übrigen Indiern, persischen Armeniern, Medern und Elamitern, sowie in ganz Persien eine unermeßliche Zahl von Kirchen mit Bischöfen und sehr großen Christengemeinden sowie auch viele Märtyrer und Mönche, die als Einsiedler leben. Ebenso in Äthiopien und Axum und dem ganzen Lande in der Runde; unter der Bevölkerung des glücklichen Arabiens — welche jetzt Homeriten heißen —, über ganz Arabien, Palästina, Phönizien und ganz Syrien und Antiochia bis nach Mesopotamien hin; unter den Nubiern und Garamanten, in Ägypten, Libyen, der Pentapolis, Afrika und Mauretanien bis zum südlichen Gadeira sind überall christliche Kirchen, Bischöfe, Märtyrer, Mönche und Einsiedler, bei denen das Evangelium Christi verkündet wird.« (Ebenda/18 f.) Äthiopien galt seit dem 4. Jahrhundert als eine Hochburg der christlichen Religion.

In der Zeit, als Konstantin (280—337 u. Z.) Byzanz zur Residenz erhob, wurde Äthiopien für das Christentum gewonnen. Die Bekehrung wird in der berühmten Rufinuslegende erzählt, von der eine Lesart verschiedentlich zu Vermutungen Anlaß gab, die Bekehrung des Landes sei schon vor dem 4. Jahrhundert erfolgt, wobei diese Annahme mitunter durch den Hinweis unterstützt wird, daß auch das mit Aksum zeitweise verbundene Südarabien bereits im 3. Jahrhundert christlich geworden sei.

Eine der Rufinuserzählungen, welche von der Christianisierung Äthiopiens in dieser frühen Zeit berichtet, geht davon aus, daß ein Kaufmann aus Tyrus mit zwei Knaben kam, deren einer Frumentius bzw. Frumentios, der andere Aedesius bzw. Aidesios genannt wurde

(im folgenden Fremenatos und Sidrakos). »Als der Kaufmann erkrankte und am Gestade des Meeres im äthiopischen Lande den Tod
gefunden hatte, wurden die jungen Leute dem König zugeführt, der
über ihr Erscheinen sehr erfreut war und den Befehl gab, sie sollten
mit seinem Sohn zusammen bleiben und zusammen leben. Sie wunderten sich aber gar sehr über die Lebensweise des äthiopischen Volkes
und fragten, wie es käme, daß sie sich zu Christus bekehrt hätten. Sie
nahmen nämlich wahr, daß jene beteten und die Heilige Dreieinigkeit
verehrten und die Frauen sich bekreuzigten. Daher dankten sie Gott,
daß er diesem Volk so viele Gnade gewährt habe, so daß es ohne Predigt und ohne Apostel den Glauben angenommen habe. So lange jener
König lebte, wohnten sie in seinem Hause. Als sein Tod herannahte,
entließ er sie und erlaubte ihnen zu gehen, wohin sie wollten. Sidrakos
kehrte daher in sein Vaterland Tyrus zurück, aber Fremenatos begab
sich zum Patriarchen von Alexandria und sprach den Wunsch aus,
es möge ein Mittel angewandt werden, um den Äthiopen das Heil zu
bringen. Darum berichtete er ihm, was er gesehen hatte, und wie jene
seit den Tagen der Apostel den rechten Glauben hätten. Hierüber
war der Patriarch gar sehr erfreut und dankte Gott für sein großes
Erbarmen, das er ihnen erwiesen habe, indem er ihnen seine heilige
Lehre offenbart hatte. Dann sprach er zu Fremenatos: ‚Du sollst ihr
Hirt sein, denn dich hat Gott erlesen und bezeichnet.‘ Und er weihte
ihn zum Priester und setzte ihn als Bischof der Äthiopen ein. Er kehrte
dorthin zurück und taufte die Einwohner, ernannte viele Priester und
Diakone, auf daß sie ihm behilflich seien. Und sie hielten ihn in großen
Ehren und achteten ihn hoch und nannten ihn, weil er ihnen das Heil
gebracht hatte, Abba Salâma.« (II/298/Bd. II/12 f.)

Im Jahre 356 wurde die christliche Religion in Aksum zur Staatsreligion erhoben. Äthiopien blieb über allen Religionsstreit hinweg
dem Monophysitismus, der Lehre der vorderorientalischen Kirchen,
wie sie in Syrien und Ägypten vertreten wurde, und dem Patriarchat
von Alexandrien treu. Nach dieser Lehre hat Christus als *eine* Person
auch nur *eine* Natur, wobei die Natur göttlich ist.

Unbestreitbar ist, daß die glänzendsten Namen der alten Kirche,
frühchristliche Denker und Gelehrte, Bischöfe und Märtyrer sich auf
afrikanischem Boden finden: Origenes (185—253/54 u. Z.), Cyprian
(200/210—258 u. Z.), Tertullian (160—220 u. Z.), Augustin (354—

430 u. Z.). Auch das Mönchtum und die Kirche haben sich in Ägypten entwickelt. Später, nachdem sich im Norden und Nordosten Afrikas das Christentum ausgebreitet hatte, gab es außer der ägyptischen und äthiopischen Kirchensprache auch eine nubische. Bruchstücke christlicher Literatur in altnubischer Sprache aus dem 8. Jahrhundert sind in Handschriften überliefert. (II/364/185 f.)

Einer der bedeutenden Theologen, dessen dogmatische Schriften neben der Heiligen Schrift zum grundlegenden Werk für die äthiopische Theologie wurden, war Cyrill von Alexandrien (gest. 444). Sein Dialog »Daß Christus Einer ist« zählt zu den wichtigsten Literaturdenkmälern des christlichen Altertums. In einer Übersetzung aus dem Griechischen gehört er zu den ältesten christlichen Schriften in Äthiopien. (II/497/32)

Das äthiopische Kaiserreich

Im 13. Jahrhundert entstand das äthiopische Kaiserreich. 1270 gründete Jakuno Amlak (1270—1285), der unter dem Namen Johannes regierte, die neue Königsdynastie der Salomoniden, die ihre Abstammung auf die Familie der großen Könige von Aksum und auf Menelik I., Sohn Salomos und der »Königin von Saba«, zurückführt. Diese Legende beruht auf alttestamentlicher Tradition. Die »Königin von Saba« der Bibel ist Äthiopierin.

Das Kaiserreich entwickelte sich — im Zeichen der Verlagerung des Schwergewichtes des Reiches auf die südlichen Landesteile — aus den fünf großen Provinzen mit ihren verschiedenen ethnischen Gruppen. In dem neuen Staat Äthiopien gingen die geschichtlichen Traditionen Aksums auf. Es kam zu zahlreichen Kriegszügen gegen abtrünnige Provinzen und Gouverneure, gegen die Stämme im Süden, und manche Feldzüge wurden unter der Fahne des Kampfes gegen die Mohammedaner geführt. Im Ergebnis war zwischen 1270 und 1527 ein einheitliches Reich geschaffen, das sich hauptsächlich südwärts ausdehnte. Äthiopien verfügte über Vasallenstaaten, die dem Herrscher tributpflichtig waren. Die Jahre 1433 bis 1472 gelten als Zeit der Reformen, in welcher der Nordteil des Reiches in Frieden und Wohlstand blühte.

Das System der frühen überregionalen Beziehungen, in dem Äthiopien eine große Bedeutung hat, ist ein wichtiges Moment bei der Neubewertung afrikanischer Geschichte. Zur historischen Tradition des neuen äthiopischen Kaiserreiches zählt die Rolle der Soldaten, Krieger und Händler in Ägypten, Südarabien oder auf den Schiffen im Roten Meer. Die Reiseberichte von Marco Polo im 13. und Ibn Battuta im 14. Jahrhundert öffneten erstmals den Blick des europäischen Lesepublikums auf Regierung, Sozialstruktur und Religionen des nordostafrikanischen Landes und seine faszinierende Kultur, wie sie sich über die Zeiten herausgebildet hatten und wie sie im Zusammenhang mit der Priester-Johannes-Legende und ihrer Bedeutung für Äthiopien als Reiseland noch darzulegen sind.

2. Der Indik
als Drehscheibe des Austausches

Afrika geriet zu Unrecht in den Ruf, in seiner geschichtlichen und kulturellen Entwicklung lediglich an der Peripherie der Welt gelegen zu haben. Die afro-asiatischen Beziehungen belegen dies in vielfältiger Weise. Sie fanden in dem uralten Handel und Verkehr von Afrika bis China ihren sichtbaren Ausdruck. Die Schiffahrt auf dem Indischen Ozean spielte hierbei eine besondere Rolle. Auf eine erste Frühphase und auf mancherlei Vorstufen folgte auf den Territorien Asiens und Afrikas ein Prozeß der Urbanisierung, der in einem weitgehend gleichen zeitlichen Takt verlief: in China und Indien seit dem 6. Jahrhundert und in der mohammedanischen Welt von Spanien bis zum Vorderen Orient und der Ostküste Afrikas seit dem 8. Jahrhundert.

Die weitere Entwicklung von Handwerk und Handel brachte immer seetüchtigere Schiffe hervor. Handel und Verkehr zwischen den Anliegerstaaten des Indischen Ozeans und des Südchinesischen Meeres erfaßten — wie schon erwähnt — nicht nur Waren, sondern auch Ideen und Informationen, religiöse Gedanken und medizinische Erfahrungen. Zusammen mit dem Handel haben die Weltreligionen, wie sie sich im 1. Jahrtausend v. u. Z. entwickelt haben, mit ihrer eigenen Ausbreitung zugleich Philosophie, Medizin, Literatur und Kunst, Mythen und Legenden weitergetragen.

In Indien, China und Griechenland entwickelten sich nach dem Übergang zur Klassengesellschaft neue philosophische Schulen und religiöse Systeme. Der iranische Religionsstifter Zarathustra trat im 7. Jahrhundert v. u. Z. in Mittelasien auf. Zwischen dem 6. und 5. Jahrhundert v. u. Z. entstand die Lehre des Buddhismus. Konfuzius begründete zwischen dem 6. und Anfang des 5. Jahrhunderts v. u. Z. die Ideologie des traditionellen China. Vom 5. bis 3. Jahrhundert v. u. Z. kamen das meroitische, das nordäthiopische und das phönikische Religionssystem auf.

Die religiösen und philosophischen Ideen waren von China und Nepal bis Süditalien und Sizilien in der Verurteilung der Blutopfer, in der Vorstellung von der Seelenwanderung, über eine »Urmaterie« und in einer Reihe anderer Auffassungen ähnlich. Die originellen Formen des gesellschaftlichen Bewußtseins, wie sie zu dieser Zeit in Entwicklung begriffen waren, haben die Formierung ethnisch- und historisch-kultureller Gebiete im Rahmen der ethno-kulturellen Kontakte gefördert.

Es war ein weitgespannter religiöser Synkretismus, d. h. die Verschmelzung bzw. Vermischung verschiedener religiöser Anschauungen und Kulte charakteristisch, in dem auf polyethnischer Grundlage fremde Glaubensformen und die in diese integrierten philosophischen, medizinischen, literarischen und künstlerischen Auffassungen, Sitten und Bräuche in verschiedenen, der eigenen Vorstellungswelt angepaßten Formen rezipiert wurden. In Karthago und in anderen phönikischen Städten vermischten sich die phönikischen Götter und verschmolzen mit den Gottheiten Asiens, Afrikas und Europas. In Aksum (Äthiopien) wurden Elemente des Buddhismus und der meroitischen Religion nachgewiesen. Bei den Garamanten der Sahara entdeckten Archäologen und Ethnographen in alten Kulturdenkmälern Hinweise auf frühere Einflüsse der christlichen Religion. Afrikanische Religionen und Religionsauffassungen fanden im Mittelmeerraum und in Asien Verbreitung. Nach China kam der Buddhismus schon im 1. Jahrhundert v. u. Z. Indische Glaubensboten besuchten China, chinesische Buddhisten kamen als Wallfahrer nach Indien. Die Lehre Mohammeds soll nach der Legende noch zu Lebzeiten des Religionsstifters durch seine Schüler zwischen 622 und 625 u. Z. bis nach China gebracht worden sein. (II/298/Bd. II/197)

Während im 7. bis 9. Jahrhundert das nestorianische Christentum in China Bedeutung erlangt hatte, war im 13. und 14. Jahrhundert unter der Mongolenherrschaft neben dem nestorianischen auch das römisch-katholische Christentum im Lande der Mitte zu finden. »Die Brüder Polo (vgl. S. 74ff., H. L.) scheinen die ersten römisch-katholischen Christen gewesen zu sein, die den chinesischen Boden betraten (etwa 1263) . . . Doch . . . der große Umschwung von 1368, der die Mongolendynastie stürzte . . ., zerstörte die Keime des Christentums . . ., so daß die jesuitischen Missionare, die im 17. Jahrhundert nach China kamen, völlig von neuem aufbauen mußten.« (Ebenda/97f.)

Siedlungsbewegungen waren mit den ethno-kulturellen Kontakten verbunden und nicht selten religiös begründet. Schon aus älterer Zeit ist bekannt, daß Inder sich in Südarabien sowie auf der Insel Sokotora ansiedelten, die als Zwischenstation des Handels vortrefflich gelegen war. (Ebenda/425) Zahlreiche Zuwanderer nach Indien entzogen sich mit ihrem Schritt der religiösen Intoleranz ihrer einstigen Heimat. So floh eine größere Menge von »Feueranbetern« vor der »Bekehrungswut« der Anhänger Mohammeds im Jahre 717 aus Persien, nahezu 100 000 der sich zur Religion von Zarathustra bekennenden Perser ließen sich im Küstengebiet von Bombay nieder. (Ebenda/Bd. I/344) Nicht immer wurden Auswanderung und Neuansiedlung durch solche dramatischen Ereignisse verursacht. Das galt für kleinere Gruppen von Kaufleuten und Handwerkern ebenso wie für Wandermönche, Schiffsleute oder Mitglieder von Gesandtschaften, die sich aus unterschiedlichen Gründen entschlossen, zeitweilig oder gänzlich in dem jeweiligen Gastland zu bleiben.

Unter den Kulturgütern, die durch die ethno-kulturellen Kontakte verbreitet wurden, besaßen medizinische Kenntnisse, oft in Verbindung mit den Weltreligionen, und neue, bis dahin unbekannte Arzneimittel einen hohen Stellenwert. Der Wunsch, in den Besitz eines lebensverlängernden Mittels zu gelangen, war seit alter Zeit der Beweggrund für manche beschwerliche Reise. Ein Kraut der tausend Jahre oder eine Arznei für ewiges Leben geisterte in dem Kopf manches Herrschers. Seit dem Aufkommen von Handelsbeziehungen und der Verbreitung von Religionen blieben Heilverfahren und Arzneimittelgebrauch nicht auf eigene Erfahrungen und auf heimatliche pflanzliche, mineralische und tierische Produkte beschränkt. Die zahl-

. reichen Übereinstimmungen, die sich z. B. in der Arzneimittellehre, einem wichtigen Teil der Heilkunde, in China, Indien und Afrika zeigten, gingen auf den frühen Kulturaustausch zurück.

In dem im 16. Jahrhundert verfaßten phantastisch-satirischen Roman »Reise nach dem Westen« des chinesischen Literaten Wu Chengen (dt.: Wu Tschöng-ön, Die Pilgerfahrt nach dem Westen, Rudolstadt 1962) hieß es, er sei einem Schiffseigner begegnet, der ihm erzählt habe, daß man in Afrika das kostbare Horn von Nashörnern — das als heilkräftig galt — erhalten könne. Weihrauch aus Somalia, ein kostbarer Duftstoff, der nicht nur unvermeidliches Attribut der Krönungszeremonien der Ägypter, der Tempelfeiern der alten Griechen und Römer war, sondern auch in der Heilkunde Anwendung fand, gelangte bis an den Kaiserhof von China. Aus China kommende Schiffe mit persisch-arabischen Schiffsführern liefen immer häufiger die Küsten Afrikas an. Als Ladung hatten sie Rhabarber, dem eine besondere heilungsfördernde Wirkung zugeschrieben wurde und der deshalb begehrt war.

Die Darstellung der Heilkunst in Afrika und Asien und ihre Beurteilung in den neuzeitlichen Reiseberichten macht die Parallelismen afrikanischer Kulturen mit den Kulturen Indiens und Chinas sichtbar und belegt indirekt auch das dichte »Informationsnetz« innerhalb des afrikanischen Kontinents. Die europäischen Reisenden des 16. bis 18. Jahrhunderts beschreiben die verschiedenen wirtschaftlich- und historisch-kulturellen Gebiete von China bis Afrika in ihrer Spezifik und liefern Anhaltspunkte für Vergleiche der materiellen und geistigen Kultur.

Indien als Hauptumschlagplatz im See- und Karawanenhandel

Zum Unterschied von wirtschaftlich-kulturellen Typen schließen historisch-kulturelle Gebiete immer Völker ein, die real miteinander verbunden sind, »obwohl sie sich oft im Niveau und in der Richtung ihrer jeweiligen sozialökonomischen Entwicklung, in Sprache und Rassemerkmalen voneinander unterscheiden«. (II/477/114) Parallelismen afrikanischer Kulturen mit jenen asiatischer Länder haben eine entscheidende Grundlage im Schiffsverkehr auf dem Indischen Ozean.

Abb. 6: Stadtansicht von Chiwa (Zeichnung vom Anfang des 19. Jahrhunderts)

Indien und der Indische Ozean sind untrennbar miteinander verbunden, wie schon die Benennung zeigt. Die Inder waren zeitweilig das dominierende Handelsvolk des Indischen Ozeans, bis sich die arabische Seemacht entwickelte. Indien war Hauptumschlagplatz im See- und Karawanenhandel zwischen dem Fernen Osten und dem Westen. Dies war nicht die Folge einer militärischen Überlegenheit, sondern der günstigen geographischen Lage und des hohen Anteils an der Entwicklung des Schiffbaus und der Nautik. Die größte Bucht, der Golf von Cambay (Khambat), hat für den Schiffsverkehr schon früh Bedeutung gewonnen. Auf beiden Seiten der Südspitze der Halbinsel haben sich Lagunen gebildet, die selbst während der ungünstigen Monsunzeiten den Binnenverkehr längs der Küste ermöglichen. Gute Häfen sind u. a. in Bombay und in Goa vorhanden. Indien hat der Welt aus seinen ungeheuren Schätzen in früherer Zeit das meiste unter allen Ländern gegeben. Die Handelsbeziehungen reichten von Europa bis zum Fernen Osten. 3000 Jahre v. u. Z. hatten die Bewohner Indiens Seekontakte mit Mesopotamien sowie Ägypten und Nordostafrika. 1000 v. u. Z. brachten die Inder auf eigenen Schiffen die Produkte ihres Landes in den Persischen Golf. Hier wurden sie an der Küste Arabiens ausgeladen und mit Karawanen auf dem Land- und Wasserweg bis nach Ägypten gebracht. In der islamischen Zeit kamen die indischen Waren über den Persischen Golf, den Euphrat und den Tigris bis nach Bagdad, dann zu den Handelsplätzen der syrischen Küste, wo sie von den Italienern, besonders den Venezianern und den Genuesen, abgeholt wurden — ein Handel, der erst in der Portugiesenzeit aufhören mußte. Früh hatten sich die Handelsverbindungen bis nach China entwickelt. Aus China bezogen die indischen Fürsten zur Zeit Buddhas den Kampfer. Auch die Küste Afrikas wurde von indischen Schiffen besucht, und Inder siedelten sich wegen des Handelsgewinns dort an. Sie kehrten jedoch meist, wenn sie an der ostafrikanischen Küste durch Handel genügend verdient hatten, wieder in ihre Heimat zurück.

Aus Indien wurden vor allem Spezereien und Gewürze (Pfeffer), Edelsteine und Perlen sowie Seide ausgeführt. Seit alters her lieferte das Land außerdem Eisen, Glas, Indigo, Baumwolle und baumwollene Gewebe, Sesamöl, Porzellan, verschiedene Drogen und Heilmittel. Unter den Einfuhrgütern befanden sich viele Waren aus Ägypten und Äthiopien sowie von der ostafrikanischen Küste. Ibn Battuta erwähnt unter den Importwaren sogar Hammel aus Mogadischu. (I/88/337)

Früher als arabische und persische fuhren indische Schiffe nach Ceylon, wo sie durch chinesische Dschunken dorthin gebrachte Waren, vor allem Seide, Gewürznelken, Aloe und Sandelholz, in Empfang nahmen. Zahlreiche Schiffsführer, Kaufleute, Glaubensboten und Gesandtschaften aus Indien kamen nach Südostasien und bis nach China. Der vorwiegend friedliche Handelsaustausch ging Hand in Hand mit der Verbreitung der religiösen Vorstellungen des Brahmanismus und des Buddhismus. Während in Indien der chinesische Einfluß bedeutungslos blieb, drangen mit dem Buddhismus indische Kunst und Literatur bis ins Innere Ostasiens. Die buddhistische Lehre hatte sich in China derart stark ausgebreitet, daß es dort Mitte des 9. Jahrhunderts mehr als 44 000 buddhistische Tempel gab. (II/164/XXIX) Indische Kultur wurde über den Buddhismus und später durch den Hinduismus auch nach Siam und anderen Gebieten Indochinas sowie dem Malaiischen Archipel vermittelt. Die Inder, die nach Siam auswanderten und sich dort niederließen, verhielten sich wie ihre Landsleute an der ostafrikanischen Küste, und sie ehrten

»den Buddha nicht als einen Gott, sondern als einen Heiligen von großem Ruf . . .« — so ist im »Tagebuch der Gesandtschaft an die Höfe von Siam und Cochin-China« zu lesen. (I/146/266 f.) Ein weiterer Hinweis aus diesem Tagebuch über die Ansiedler in Siam ist bedeutungsvoll: »Sie gehörten sämtlich der Priester- und Kriegerkaste und der Sekte von Siwa an. Wir hatten hier Gelegenheit zu bemerken, daß sie die Stirn nach dem Typus dieser Sekte bemalten und den Strick trugen, welcher die höheren Kasten der Hindus bezeichnet.« (Ebenda)

Das »arabische Meer«

Nach dem »Periplus des Erythräischen Meeres« und der Geographie von Ptolemäus ergibt sich, daß es an der Küste Ostafrikas im 2. Jahrhundert u. Z. eine Reihe von Handelsplätzen gab, mit denen die Araber einen lebhaften Warenaustausch betrieben. Am Handel mit der ostafrikanischen Küste waren neben indischen später auch zeitweilig chinesische Schiffe beteiligt; auf ihnen befanden sich auch Menschen afrikanischer Herkunft als Seeleute, Soldaten und Kaufleute. Die Araber begannen, den gewinnreichen Handel mit der Ostküste Afrikas an sich zu reißen, indem sie ägyptische Bootsfahrer zwangen, ihre Waren am Ausgang der Straße Bab-el-Mandeb auf arabische Schiffe umzuladen. Mit dem Islam und dem Siegeszug der Fahne des Propheten entwickelten sich unter Integration der afrikanischen Bevölkerung blühende Sultanate und reiche Städte von Sofala hinauf bis Malindi, und zwischen den Küsten Ostafrikas und Indiens florierte ein lebhafter Schiffsverkehr. Die Küstenorte Mogadischu und Kilwa, später Malindi und Mombasa, waren wie die Inseln Sansibar und Pemba in arabischer Hand.

Die Araber übernahmen die Führung und Leitung der fremden Karawanen durch die Wüste. Sie besorgten auch den Handel aus der Gegend von Hadramaut, dem östlich von Aden in Südarabien gelegenen Zentrum des Weihrauchanbaus, indem sie die indischen Waren, welche von den Hindus nachweislich schon in frühester Zeit zur See an die Küste der Sabäer gebracht wurden, über zwei Karawanenstraßen weiter bis nach Babylon, Syrien und Ägypten vermittelten. Arabien wurde der Mittelpunkt eines großen Transithandels, zugleich besaß es in Kaffee, Weihrauch, Myrrhe und Balsam begehrte Ausfuhrartikel.

Der arabische Einfluß im System der alten Kulturen verstärkte sich durch den Islam, der von Mohammed Anfang des 7. Jahrhunderts begründeten monotheistischen Religion, und gab den afro-asiatischen Beziehungen eine Perspektive auf neuer Grundlage. Der Islam und mit ihm die Herrschaft der Araber setzte sich im 7. bis 8. Jahrhundert in Syrien, Irak und Iran, über Mittelasien bis zum Indus und über Ägypten und Nordafrika bis nach Spanien und Portugal durch. Seit dem 10. und 11. Jahrhundert drang er in Indien und Indonesien vor und breitete sich dann über Kleinasien und in Afrika südlich der Sahara aus.

Araber und Afrikaner waren gemeinsam an der Besiedlung und Islamisierung der Komoreninseln beteiligt. Als die erste »arabische« Welle— aus dem Persischen Golf kommend — in den ersten Jahrhunderten nach der Hedschra die Inselgruppe erreichte, setzten zur gleichen Zeit, vielleicht schon früher, die Sindsch, die schwarzhäutigen Bewohner der afrikanischen Ostküste, auf großen Booten (z. T. Auslegerboote, einem indonesischen Typ ähnlich) auf die Komoren über, wo sie auf eine Bevölkerung stießen, die teilweise aus Südostasien, vielleicht auch aus Südasien stammte. Im 12. Jahrhundert wurde die Herrschaft der bedeutenden ostafrikanischen Handelsstadt Kilwa auf die Komoren ausgedehnt. Islamisch-swahilische Gruppen gelangten von den Komoren bzw. von Madagaskar auf die unbewohnten Seychellen und Maskarenen (Réunion, Mauritius usw.). Enge Kontakte bestanden zwischen islamischen Bewohnern der Komoren und der malaiischen Inselgruppe.

Im Jahre 1276 soll sich ein malaiischer Herrscher zum Islam bekannt haben. Malaiische Bootsfahrer befuhren den Indischen Ozean, malaiische Händler und Siedler breiteten sich über die Inselwelt aus und ließen sich unter anderem auf der Insel Madagaskar nieder. Die indonesischen Inseln boten vor allem Gewürze, Gold und Diamanten und waren Stützpunkte im Seeverkehr zwischen Ostasien, Indien und Afrika. Nach Singapur (1160) war es Malakka (1252), das zum Mittelpunkt eines malaiischen Staates wurde. Die indonesische Inselgruppe war früh Ziel fremder Kaufleute und Glaubensboten, die teilweise auch für ständig dort blieben: Chinesen, Inder, Araber und Afrikaner. Von den Segelschiffen wurde die Malakkastraße am meisten genutzt und Palembang auf Ostsumatra galt besonders in der Araberzeit als ein Ort, »wo Kaufleute Obdach finden und Gewürze einladen«. (II/298/Bd. II/499)

Der Indische Ozean wurde seit Mohammed ein »arabisches Meer«. Die Seefahrt vom Indischen Ozean bis zum Südchinesischen Meer, die trotz des wiederholten Wechsels zwischen dem Überwiegen des Land- bzw. des Seeverkehrs zu neuem Ansehen gelangt war, brachte einen raschen Zuwachs der geographischen und landeskundlichen Kenntnisse der Araber. Mit dem Besitz und der Kontrolle über das Rote Meer und den Persischen Golf besaßen und kontrollierten die Araber auch die direkte Verbindung zwischen dem Mittelmeer und Süd- sowie Südostasien.

Nach R. Hennig kann als möglich gelten, daß ein arabischer Seefahrer bereits um 1420 vom Indischen Ozean südlich um Afrika ins »Meer der Finsternis« (Atlantischer Ozean) mit einem Schiff gefahren ist, das für den Indienverkehr bestimmt war. Damit hätte ein arabisches Fahrzeug viele Jahrzehnte vor dem Portugiesen Bartolomeu Dias die Umseglung des Kaps der Guten Hoffnung ausgeführt. (Ebenda/Bd. IV/44f.)

Im Vergleich zum Buddhismus, Hinduismus oder zum nestorianischen Christentum hatte die islamische Religion für den ethnisch-kulturellen Austausch zwischen Afrika und Asien die größere Bedeutung, auf die im 18. Jahrhundert William Robertson in seiner »Historischen Untersuchung über die Kenntnisse der Alten von Indien« hinwies. »Die Mohammedanische Religion, die sich mit erstaunlicher Geschwindigkeit über ganz Asien und einen beträchtlichen Teil von Afrika ausbreitete, trug viel dazu bei, den Handelsverkehr zu Lande in diesen beiden Weltteilen zu vergrößern, und ihm einen höheren Grad von Lebhaftigkeit zu geben . . . Mohammed machte es allen seinen Anhängern zur Pflicht, einmal in ihrem Leben . . . Mekka zu besuchen . . . Um einem feierlich gegebenen und sorgfältig eingeprägten Gebote nachzukommen, versammeln sich jährlich in jedem Lande, wo der Mohammedanische Glaube gegründet ist, zahlreiche Karawanen von Pilgrimen. Von den Küsten des Atlantischen Meeres auf der einen Seite, und von den entferntesten Gegenden des Orients auf der anderen, gehen die Anhänger des Propheten nach Mekka. Es mischen sich Ideen und Gegenstände des Handels in die Andacht . . . Zu der heiligen Stadt drängen sich nicht nur eifrige

Andächtige, sondern auch reiche Kaufleute. Während der wenigen Tage, die sie daselbst bleiben, ist der Markt von Mekka vielleicht der größte auf der Erde. . . . Die Produkte und Manufakturen von Indien machen einen Hauptartikel in diesem großen Handel aus, und die Karawanen verbreiten sich bei ihrer Zurückkunft durch jeden Teil von Asien und Afrika. . . . Außer diesen großen Karawanen, die zum Teil Ehrfurcht vor einer Religionsvorschrift, zum Teil die Absicht, einen einträglichen Handelszweig zu treiben, zusammenführt, gibt es auch noch andre, und zwar nicht unbeträchtliche, die gänzlich aus Kaufleuten bestehen und nur Handel zum Endzweck haben.« (II/421/153 f.)

Informationsströme und Migration von West nach Ost

Nicht selten wurde, was kulturhistorisch sehr aufschlußreich und bedeutsam ist, wenig zwischen Äthiopien und Indien unterschieden. Dies ist nicht nur der für die alten Zeiten verständlichen ungenügenden Kenntnis griechischer, römischer, byzantinischer oder arabischer Geographen zuzuschreiben, sondern liegt vor allem auch im Verständnis der Zeitgenossen begründet, die das Gemeinsame zwischen den genannten Ländern in den von ihnen gewählten geographischen Namen zum Ausdruck brachten. Die alte und mittelalterliche Geschichte Äthiopiens, aber auch Somalias und der übrigen Gebiete der ostafrikanischen Küste, war besonders eng mit der Geschichte Arabiens und Indiens verbunden.

Chinesische geographische Lehrbücher des 12. und 13. Jahrhunderts erfaßten mit dem Begriff »Indien« auch Äthiopien. (II/298/ Bd. II/420, 451) Der venezianische Kaufmann und Reisende Marco Polo, der im 13. Jahrhundert Land und Leute ferner Länder studierte, bezeichnete Arabien und Äthiopien als »Mittelindien«, die Gebiete vom Golf von Oman bis zur Malabarküste als »Großindien«. Die Unbestimmtheit einzelner Völker- und Ländernamen gab ständig Anlaß zu Verwechslungen, und die Angaben über die beiden Länder Indien und Äthiopien stimmten nur hinsichtlich der dunklen Hautfarbe ihrer Bewohner überein. Indien war angeblich zugleich asiatisch *und* afrikanisch und zerfiel nach damaliger Vorstellung in ein Groß-, ein Klein- und ein Mittelindien, wobei die einzelnen Gelehrten und Reisenden unter den gleich benannten Teilen häufig wiederum verschiedene Länder verstanden. Äthiopien wurde meist als ein Teilgebiet Indiens angesehen. Noch zur Portugiesenzeit galt Äthiopien als das »afrikanische Indien«. Wie selbstverständlich erscheint bei William Robertson die enge Verflechtung der alten Handels- und Verkehrsbeziehungen zwischen den Völkern Asiens und Afrikas. Nachdrücklich hob er den Einfluß ägyptischer und äthiopischer Seefahrer und Kaufleute auf den Verkehr mit Indien hervor und beschrieb, gestützt auf Angaben von Plinius, diese Handelsverbindung. (II/429/52 f.) Der berühmte arabische Reisende Ibn Battuta, geb. 1304 in Tanger, gestorben 1377 in Fes, der verschiedene Länder Asiens besuchte und bis nach China gelangte und dessen letzte Reise 1352/53 ihn in den westlichen Sudan führte (vgl. auch S. 77 ff.), notierte auf seiner Asienreise: »Ich schiffte mich auf dem Jagier ein, auf dem sich 50 Schützen und 50 abyssinische Krieger befanden. Die letzteren sind die Herren dieses Meeres; wenn sich nur ein einziger Mann von ihnen auf einem Schiff befindet, vermeiden die indischen Piraten und Ungläubigen, es anzugreifen.« (I/88/282)

Afrikaner spielten, oft weit von ihrem Heimatland entfernt, in dem wachsenden ethnisch-kulturellen Austausch in dieser oder jener Weise eine Rolle, wie aus den alten Reiseberichten hervorgeht. Dies ist kulturhistorisch sehr interessant, wenn auch nicht immer deutlich wird, ob die Begriffe »Abyssinier« oder »Äthiopier« Menschen aus Nordostafrika oder, wie es häufig verstanden wurde, Afrikaner überhaupt bezeichneten.

Eine ähnliche Schwierigkeit verbirgt sich hinter dem Gebrauch des Begriffes »Mohr«. In dem Buch von Hieronymus Megiseri über Madagaskar aus dem Jahre 1609, einer Sammlung von Nachrichten und größtenteils historisch angelegt, werden im allgemeinen die Inselbewohner von »Leib und Angesicht« als »kohlschwarz« geschildert, es würden aber vorzüglich in den Städten und an der Küste viele »mohammedanische Mohren« wohnen, welche »weniger schwarz und etwas brauner« seien. (I/48/20)

Der Herausgeber französischer Missionsberichte, H. Reichard, verweist darauf, daß in Indien die Mohammedaner »Mohren« genannt wurden (II/418/Bd. 3, 142) Ein anderer Schriftsteller, der

Herausgeber der Berichte der Königlich-Dänischen Mission, G. F.
Gerbett, setzte 1752 einen »Mohrischen« mit einem »mohammedanischen Kaufmann« gleich, erläuterte den einen Begriff mit dem
anderen. (II/260/206 f.)

Ein geographisches Werk aus der neueren Zeit über Arabien verweist auf das starke afrikanische Bevölkerungselement in den Oasen-
städten und an den südlichen Küstenrändern Arabiens (besonders
unter den Bauern [Fellachen] und Sklaven) sowie auf die alten indo-
afrikanischen Beziehungen, wie sie sich auch in den Kulturen des
Jemen und des Oman, den uralten Ländern der Sabäer und Minäer,
widerspiegeln. (II/184/112)

Dies und manch anderes läßt die Schlußfolgerung zu, daß das
afrikanische Bevölkerungselement nicht immer begrifflich exakt aus-
gewiesen wurde, da die Reisebuchautoren noch bis in das 18. Jahrhundert weniger aus Unkenntnis, sondern vor allem unbefangener als
in späterer Zeit den afro-asiatischen Beziehungen gegenüberstanden
und die Position der Afrikaner in diesem Austauschverhältnis als
mehr oder weniger gleichrangig ansahen.

Ibn Battuta verweist in seinem Reisebericht auf die Rolle der
»Äthiopier« für den militärischen Schutz der Handels- und Verkehrsverbindungen. (I/88/305) Aber auch islamische Kaufleute, Würdenträger, Richter und Prediger, deren Heimat zum Teil Afrika war und
die sich in Asien in fremdem Dienst befanden, finden bei ihm wiederholt Erwähnung. In Kalikut, einem im Mittelalter bedeutenden Hafen
von Malabar, begegnete er Kaufleuten aus verschiedenen Ländern,
aus China, Java, Ceylon, den Malediven und Jemen und einem
Richter und Prediger aus Oman. (Ebenda/302 f. und II/298/Bd. III/
313) In Colombo auf Ceylon — so teilte Ibn Battuta mit — residierte
ein Wesir und »Gouverneur des Meeres«, der in seinem Gefolge
etwa 500 »Äthiopier« hatte. (I/88/367) Auf den Malediven hatte er
eine Begegnung mit einem Gouverneur, der aus Mogadischu (afrikanische Somaliküste) stammte. (Ebenda/380) In Malabar traf Ibn
Battuta einen frommen Rechtsgelehrten aus Mogadischu, dessen
Manieren und Charakter er besonders lobte. Der Rechtsgelehrte
kannte Mekka und Medina und hatte verschiedene Reisen nach
Indien und China unternommen. (Ebenda/297) Aus der Hafenstadt Hili, die es in alter Zeit in Malabar gab, berichtete Ibn Battuta

vom hohen Ansehen der Mohammedaner, deren Hauptmoschee sich »großer himmlischer Gnaden« erfreute. »In dieser Moschee gibt es eine Anzahl Studenten, welche die Wissenschaft lernen und ihren Unterhalt aus dem Vermögen der Moschee beziehen. Sie hat eine Küche, in der Speisen für die Pilger und für die ersten Muslime der Stadt bereitet werden.« (Ebenda) Seit früher Zeit war das afrikanische Bevölkerungselement auch unter den Zugewanderten in Indien vertreten. »Araber und Parsen (Perser, H. L.) haben sich hauptsächlich an der Westküste, Armenier und Juden über die ganze Halbinsel verbreitet. Letztere teilt man hier in weiße, die ihren Ursprung aus der Zeit der babylonischen Gefangenschaft herschreiben, wo 20000 Familien in Indien eingewandert sein sollen, und schwarze, die von Negersklaven abstammen . . .« (II/437/87 f.)

Wie chinesische Quellen berichten, erschienen im Jahre 120 u. Z. in China Magier und Jongleure aus Alexandria. Bis dahin war in China die Jongleur- und Zauberkunst als öffentliche Schaustellung unbekannt. (II/485/137 f.) Das Auftreten der ersten Magier aus dem ptolemäischen Ägypten gab in China einen entscheidenden Anstoß für die Weiterentwicklung der frühen Form der chinesischen Theatervorstellungen. »Somit ist die Frage nach den ersten Magiern aus Alexandria eine der wichtigsten Fragen, die sich auf das Problem der kulturellen Beziehungen zwischen Afrika und China sowie auf den Einfluß der afrikanischen Kultur auf die Entwicklung einiger Aspekte der chinesischen Kultur beziehen.« (Ebenda/166)

Im afrikanisch-indischen Raum scheint die Tradition der Schauspieler und Gaukler nicht nur gleich alt zu sein, sondern sich in vielem zu ähneln, wie der von H. Reichard mitgeteilte Reisebericht von Poncet, einem in Alexandrien lebenden Apotheker und Arzt, der im Auftrage des Königs von Frankreich in den Jahren 1698 bis 1701 eine Gesandtschaftsreise an den Kaiserhof in Äthiopien geleitet und hierüber eine wertvolle Beschreibung hinterlassen hat (II/418/Bd. 1/313 ff.), und die von Leopold von Orlich beschriebene »Reise nach Ostindien in Briefen an Alexander von Humboldt und Carl Richter« belegen (I/93/Bd. 1/55 ff.): In beiden Berichten geht es um Schauspieler und Musiker, Tänzer und Zauberer, Jongleure und Magier.

In dem Indienbericht wird auch der Schlangenbeschwörer genannt. Inder »zähmen die giftigsten Schlangen und lehren sie nach den Melodien ihrer Instrumente tanzen«, heißt es in der »Vollständigen Völker-gallerie«. (II/437/Bd. 1/73)

In China gab es zahlreiche »Äthiopier«, ein vermutlich auch hier gebräuchlicher Sammelbegriff sowohl für wirkliche Äthiopier als auch Afrikaner aus Afrika südlich der Sahara. Die Zahl der Menschen negroiden Typs nahm vom 3. bis 6. Jahrhundert u. Z. in China zu. (II/198) Es wurden Afrikaner beschrieben, deren Heimatorte wahr-scheinlich an der ostafrikanischen Küste lagen. Im 9. Jahrhundert hat die große Zahl der fremden Händler in China und deren gelegent-liches Fehlverhalten offenbar ein solches Ausmaß angenommen, daß sich eine Ausländerfeindlichkeit entwickelte, die in einem Massaker gipfelte. (II/298/Bd. II/198)

»Äthiopier« befanden sich auch unter den Bewachungskräften der kaiserlichen Residenz in Peking. Ibn Battuta berichtete über sieben Tore, durch welche der Kaiserpalast zu betreten war, und über die Torhüter, Lanzen-, Schwert- und Schildträger. (I/88/440) Die chine-sischen Schiffe, viel größer und stärker bemannt als die vergleich-baren europäischen, hatten »Äthiopier« an Bord, die als tapfere Soldaten im Kampf gegen Piraten geschätzt waren. Sie bildeten fast immer einen Teil der Mannschaft, und sie nahmen ihre Frauen und Kinder mit auf das Schiff.

Bemerkenswert ist allerdings die Tatsache, daß die Existenz kop-tischer Kirchengemeinden in China nicht belegt werden kann, wie es etwa von den christlichen Armeniern bekannt ist, deren Gottes-häuser später auch teilweise von den Jesuitenmissionaren genutzt worden sind.

In besonderen Stadtvierteln fand Ibn Battuta, der im 14. Jahr-hundert China besuchte, Basare, wie sie in den Ländern des Islam eingerichtet waren. Sie hatten Moscheen und Gebetsausrufer. Ibn Battuta traf einen islamischen Kaufmann aus Ägypten, der sich großen Ansehens erfreute, reichlich die Fakire beschenkte, die Be-dürftigen unterstützte und ein Hospiz mit vielen frommen Stiftungen unterhielt. (Ebenda/432f.)

Aufschlußreich für die Vielfalt der Beziehungen ist eine Erzählung Ibn Battutas, wonach ein Imam in Alexandria ihm bei seiner ersten Reise Grüße aufgetragen habe, falls er unterwegs einen seiner Brüder sehen sollte, von denen einer in Indien, einer in Sind (Landschaft im Westen Vorderindiens am Arabischen Meer) und einer in China weilte. Im Innern Chinas hatte er einen Landsmann aus Ceuta namens al-Bushri getroffen, der es dort zu ansehnlichem Wohlstand gebracht hatte. »Er teilte mir mit, daß er etwa 50 Sklaven und ebensoviel Sklavinnen besitze, schenkte mir je zwei von ihnen und noch viele andere Geschenke.« (Ebenda/450f.) Auf seiner Reise 1352/53 fand er in Sidjilmasa, der Oasenstadt am nördlichen Rand der Sahara, südlich von Fes, dem Ausgangspunkt der westlichen Transsahararoute zum Nigerbogen, einen Bruder jenes al-Bushri vor und war in der Stadt sein Gast: »Seinen Bruder traf ich hernach im Negerlande. Welche Entfernung zwischen den Geschwistern!«, kommentierte Ibn Battuta sein Erlebnis. (Ebenda) Zur Zeit seines Aufenthaltes in Kalikut lagen im Hafen 13 Schiffe. Die größeren Fahrzeuge hatten bis zu 1000 Mann Besatzung, von denen 600 Matrosen und 400 Krieger waren, unter letzteren Bogenschützen, Schildträger und Armbrustschützen, die Naphtageschosse schleudern konnten. (Ebenda/ 303f.)

»Der Superkargo des Schiffes«, so Ibn Battuta, »gleicht einem großen Emir. Steigt er ans Land, so marschieren die Bogenschützen und Abyssinier mit Lanzen und Schwertern, Pauken, Hörnern und Trompeten vor ihm einher. Ist er bei dem Quartier angelangt, wo er seinen Aufenthalt nimmt, so pflanzen sie ihre Lanzen zu beiden Seiten seiner Pforte in den Boden und beobachten diese Zeremonien, solange er auf dem Lande weilt.« (Ebenda/304f.)

3. Die Priester-Johannes-Legende. Äthiopien als Reiseziel

Das christliche Äthiopien, das über Jahrhunderte von dem zum Zentrum christlicher Staatswesen aufgestiegenen Europa weitgehend isoliert war, erregte seit dem 12. Jahrhundert die Aufmerksamkeit des Papstes und europäischer Herrscher, wie die Suche nach dem legendären Priesterkönig Johannes zeigt.

Im Jahre 1145 erzählte der katholische Bischof von Gabala (Syrien) während einer Audienz beim Papst, daß vor einigen Jahren ein »gewisser König und Priester Johannes, der jenseits Persiens und Armeniens im äußersten Osten wohne und mit seinem Volke sich zur christlichen, aber nestorianischen Kirche bekenne, die königlichen Brüder der Perser und Meder, Samiarden genannt, mit Krieg überzogen und ihre Residenzstadt Ecbatana ... erobert habe. Besagte Könige seien ihm mit ihren persischen, medischen und assyrischen Truppen entgegengezogen. 3 Tage habe der Kampf gewährt, denn beide Parteien hätten den Tod der Flucht vorgezogen. Schließlich habe der Presbyter Johannes, denn so pflegt man ihn zu nennen, die Perser in die Flucht geschlagen und sei Sieger geblieben. Nach diesem Siege, berichtete der Bischof weiter, habe der erwähnte Johannes der jerusalemischen Kirche zu Hilfe eilen wollen, aber das Heer, als er an den Tigris gekommen, aus Mangel an Fahrzeugen nicht hinüberführen können, nun sei er nach Norden gezogen, da man ihm gemeldet, daß der Fluß dort mit Eis bedeckt sei. Hier habe er sodann mehrere Jahre verweilt, um die Kälte abzuwarten, aber die Witterung sei fortdauernd seinen Plänen ungünstig geblieben; das ungewohnte Klima habe indessen viele Soldaten weggerafft, und so sei er endlich zur Rückkehr in sein Reich gezwungen worden. Jener König soll nämlich aus dem alten Geschlechte der vom Evangelium erwähnten Mager stammen und über dieselben Völker, denen die Mager einst geboten, herrschen; auch sei sein Ruhm und sein Reichtum so groß, daß er sich nur eines smaragdenen Szepters bediene. Das Beispiel seiner Ahnen, welche, um Christus in der Wiege anzubeten, sich auf die Wandrung begaben, bewog ihn zum Zuge nach Jerusalem, doch habe der angegebene Umstand die Ausführung verhindert.« (II/396/ 14f.)

1177 sandte Papst Alexander III. »seinem geliebten Sohn in Christi, Johannes, dem ruhmreichen und großen Könige der Inder,« eine Botschaft.

In Europa wurde der Glaube an einen Priester Johannes, der »im fernen Indien« residiere, immer fester. Zugleich widersprachen sich die christlichen Reisenden, welche um genauere Nachrichten über den sagenhaften Priesterkönig bemüht waren, in ihren Erzählungen. Der berühmte Marco Polo hielt ihn im 13. Jahrhundert noch für einen asiatischen, gegen die Mongolen kämpfenden Fürsten. (Ebenda/ 6)

Asien wurde häufiger das Ziel europäischer Reisender, und da das christliche Reich des Priesters Johannes nirgends aufzufinden war, bezog man die Priester-Johannes-Legende immer mehr auf Äthiopien. Wahrscheinlich wurden in der zweiten Hälfte des 13. Jahrhunderts zwischen dem päpstlichen Stuhl und dem äthiopischen Reiche Beziehungen angeknüpft. 1329 erfolgte eine Missionsreise nach Äthiopien. Martin Behaim vermerkte 1492 auf seinem »Erdapfel« zu diesem nordostafrikanischen Land: »In diesem Lande wohnt der großmächtige Kaiser, genannt Meister (!) Johann, der als ein Verweser gestellt ist über das Königreich der drei heiligen Könige Kaspar, Balthasar und Melchior im Mohrenland, und seine Nachkommen sind gute Christen.« (II/298/Bd. II/458)

Die Reiche der drei heiligen Könige Kaspar, Balthasar und Melchior wurden mit den drei Indien (vgl. S. 50) sowie mit Nubien, Saba und Tarsa identifiziert, letzteres in Asien gelegen. Besonders auffällig in einer volkstümlichen Erzählung war, daß ausgerechnet Kaspar ein Mohr genannt wurde, da seine Kollegen auf diese Eigenschaft ebensoviel Anspruch hätten haben müssen. (II/396/16)

Im 16. Jahrhundert setzte sich immer mehr der Gedanke durch, daß nicht Asien, sondern Afrika die Heimat des Priesters Johannes sei und daß das Reich des legendären Priesters nicht in Asien, sondern »mitten in Africa« liege.

Das Reich Aksum bzw. Äthiopien hatte wiederholt im Mittelalter Gesandte nach Europa geschickt. 1395 erschien bei der Erhebung Johann Geleazzos zum Herzog von Mailand ein Bote des äthiopischen Königs. (Ebenda/6) 1450 traf wiederum eine äthiopische Gesandtschaft in Rom ein. 1452, 1488 und 1509 bzw. 1510 weilten auch am portugiesischen Hof in Lissabon nacheinander äthiopische Gesandte und Geistliche. (II/298/Bd. IV/356f.) Einer der ersten Europäer, wahrscheinlich ein Spanier, kam 1407 nach Äthiopien, ihm folgten 1432 ein Neapolitaner, ein Franzose, ein Spanier und »namhafte Italiener«, wie es in dem Reisebericht von Battista d'Imola heißt: » ›Was wolltet Ihr in diesem fremden Land?‹, so fragte ich diese Leute. — ›Kleinodien und Edelsteine finden‹, erwiderten sie, ›aber da uns der König nicht heimkehren läßt, sind wir alle unzufrieden, wenn er uns auch gut behandelt, jeden nach seiner Stellung. Er liebt es, mit uns politische Gespräche zu führen ...‹« (Ebenda/350) 1482/83 befand sich eine Franziskanergesandtschaft des Papstes in

Äthiopien und traf in der Residenz des Kaisers zahlreiche Europäer an.

Es war im 15. Jahrhundert Brauch, die Fremden im Äthiopischen Reich gastfrei aufzunehmen, aber sie daran zu hindern, das Land wieder zu verlassen.

1487 bis 1493 unternahm Pedro de Covilhão mit seinem Gefährten Alfonso de Payva im Auftrag des portugiesischen Königs Johann II. eine Reise, um auf dem Landweg das Reich des legendären Priesterkönigs zu erreichen und den Weg nach Indien und zu den orientalischen Märkten zu erkunden. Zur gleichen Zeit sollte der Weg nach Indien auf dem Seewege um Südafrika erkundet werden. Zu diesem Zwecke brach 1487 eine Flotte unter Bartolomeu Diaz auf. Das Ziel wurde erreicht, aber nur Diaz kehrte glücklich nach Portugal zurück. Alfonso de Payva starb, bevor er sein Reiseziel Äthiopien erreicht hatte.

Pedro de Covilhão gelangte nach Äthiopien und wurde am Kaiserhof freundlich empfangen, aber die Rückkehr blieb ihm nach Landessitte verschlossen. Er lebte dort noch 1520 mit Frau und Kind und war zu Reichtum und Würden gelangt. In einem Brief um das Jahr 1491 sandte er dem portugiesischen König einen Bericht, in dem er auf die Erreichbarkeit Ostindiens auf dem Seewege hinwies und als Anlage sogar eine indische Karte beifügte, auf der das Südkap Afrikas mitsamt den umliegenden Küsten und Orten eingezeichnet war. (Ebenda/419)

1520 gelangte eine portugiesische Gesandtschaft nach Äthiopien, der der Geistliche Francisco Alvarez angehörte. Der 1540 erstmals veröffentlichte Bericht über seinen sechsjährigen Aufenthalt von 1520 bis 1526 ist eine wertvolle historische Quelle. Im 17. Jahrhundert gelang es einem spanischen Jesuiten, den äthiopischen Kaiser Susnyos (1607—1632) zur römisch-katholischen Kirche zu bekehren. Aber schon der Sohn des Kaisers, Fasilidas (1632—1667), vertrieb 1632 die Jesuiten wieder aus dem Land. Die Beziehungen zu Rom wurden abgebrochen. Es erging ein Gesetz, das Katholiken die Einreise verbot.

Einer der ersten bekannten Besuche aus Äthiopien in deutschen Landen fällt in die Zeit nach dem Dreißigjährigen Krieg. In Gotha, seit 1640 Haupt- und Residenzstadt des Herzogtums Sachsen-Gotha

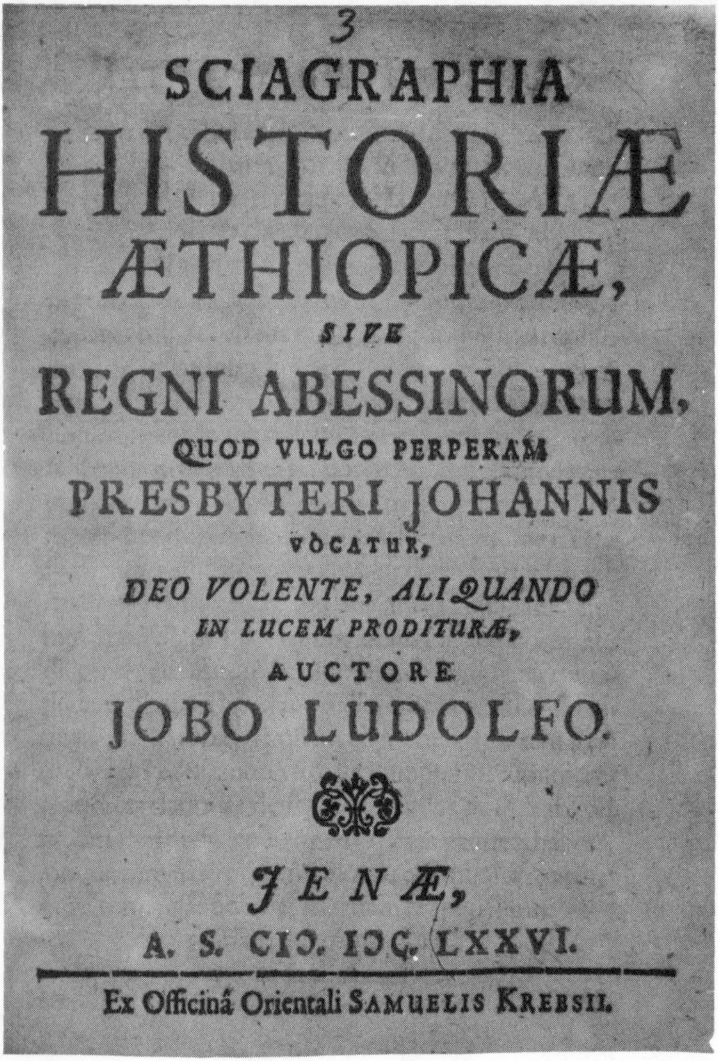

3

SCIAGRAPHIA
HISTORIÆ
ÆTHIOPICÆ,

SIVE

REGNI ABESSINORUM,

QUOD VULGO PERPERAM

PRESBYTERI JOHANNIS

VOCATUR,

DEO VOLENTE, ALIQUANDO
IN LUCEM PRODITURÆ,

AUCTORE

JOBO LUDOLFO.

JENÆ,
A. S. CIↃ. IↃC. LXXVI.

Ex Officinâ Orientali SAMUELIS KREBSII.

Abb. 7: Der Orientalist, Sprachwissenschaftler und Historiker Hiob Leutholt
Ludolf veröffentlichte in lateinischer Sprache ein bedeutendes Buch zur Geschichte
Äthiopiens, das Land und Leute in Nordostafrika vorurteilsfrei schilderte.

und Altenburg, hielt sich im Jahre 1652 auf Initiative des bekannten Orientalisten, Sprachwissenschaftlers und Historikers Hiob L. Ludolf (1624—1704) der afrikanische Abt Gregorius auf. Regent im Herzogtum war von 1640 bis 1688 (?) Herzog Ernst der Fromme. Gregorius (1600—1658) hatte 1647 Äthiopien verlassen. Er kam nach Rom und lernte hier 1649 Ludolf kennen, der ihn nach vorheriger Zustimmung des Herzogs 1651 zu einem Besuch nach Thüringen einlud. Während die portugiesischen Chronisten seit der Vertreibung der Jesuiten negativ über das Land des Priesters Johannes zu berichten begannen, trug der gelehrte Abt dazu bei, zahlreiche Vorurteile über seine Heimat zu beseitigen. Am 6. September 1652 verließ Gregorius die Stadt Gotha. Schon in Ägypten, kehrte er nochmals wegen der unsicheren Verhältnisse nach Europa zurück, hielt sich bis 1657 in Rom auf, um sich schließlich 1658 erneut auf die Reise über Ägypten nach Äthiopien zu begeben. Er kam während dieser Reise bei einem Schiffsunglück mit weiteren 21 Passagieren ums Leben.

Im Jahre 1632 unternahm der aus Lübeck stammende Peter Heyling eine Äthiopienreise. Er hatte das Gymnasium besucht und war »zu allen nützlichen Wissenschaften zeitig unterrichtet worden«. (I/35/6f.) Er war als Hauslehrer für die Kinder vornehmer Eltern tätig, ging 1628 für mehrere Jahre als Hofmeister nach Paris und reiste 1632 von Frankreich über Italien und Malta nach Alexandria, wo er 1633 eintraf. In Ägypten stieß er bei den katholischen Ordensleuten und Missionaren auf »bittern Haß und Feindseligkeiten« wegen seines evangelischen Glaubens, da diese besorgt waren, er möchte die morgenländischen Christen »von ihnen abwendig machen und die römisch-katholischen mit seiner Ketzerei« anstecken. Er erlernte die arabische Sprache und »endlich, als anno 1634 ein paar ethiopische Abgesandte nach Egypten gekommen, altem Gebrauch nach einen neuen Metropoliten nach Habessinien abzuholen, ist er, auf Recommendation des egyptischen Patriarchen mit denselben . . . nach Ethiopien fortgezogen«. (Ebenda/101)

Heyling gelangte 1634 oder 1635 nach Äthiopien. Nach diesem Zeitpunkt blieben die Briefe aus, die er gewöhnlich an seine Freunde in Lübeck gesandt hatte. Von seiner guten Ankunft in Äthiopien berichtete später Abt Gregorius. Auf der Reise nach Äthiopien, die er in Begleitung des neuerwählten Metropoliten durchführte, war es zwischen beiden wiederholt zu religiösen Disputen gekommen, und der Patriarch soll unter Seufzen beim Abschied gesagt haben: »Nun wird Habessinien vollends in die äußerste Ketzerei geraten, wenn dieser junge Doktor hineinkommt.« (Ebenda/175)

In Äthiopien brachte es Peter Heyling zu Ansehen und Würden und vermählte sich auf Geheiß des Königs mit einer Prinzessin. Im Jahre 1647 war Abt Gregorius Peter Heyling begegnet und hatte ihn bei guter Gesundheit gefunden. Er hatte davon 1652 in Gotha erzählt, obwohl ihm »in Italien hart untersagt wurde, von Peter Heylings hohem Wohlsein und Ehrenstande in Ethiopien« den Deutschen etwas zu vermelden. Peter Heyling, so berichtete Gregorius, habe das »Evangelium S. Johannis ins Amharische oder die im Reiche gewöhnlichste Landessprache übersetzt, welche Übersetzung von den Habessiniern mit allem Dank wohl aufgenommen und mit Vergnügen gelesen worden . . .« (Ebenda/177)

Die gleiche Nachricht über Peter Heyling überbrachte 1653 in Amsterdam ein junger Äthiopier, der durch seine Bekanntschaft mit dem »Doktor aus Lübeck« bewogen worden war, nach Europa zu fahren, weil er meinte, »wenn er nur nach Deutschland kommen sollte, so würde er daselbst lauter Peter Heylings oder doch viele seinesgleichen finden, von welchen er was Rechtes in den europäischen Sprachen und Wissenschaften lernen könnte«. (Ebenda/178) Er kam 1652 nach Rom (zu dieser Zeit war sein Landsmann Gregorius in Gotha), fuhr auf dem Seewege nach Amsterdam, wo er, nachdem er wegen seiner Sprachunkenntnis fast zu Tode kam, auf Kosten eines reichen Kaufmannes Sprachunterricht nahm und schließlich — ohne Gregorius oder Hiob L. Ludolf gesehen zu haben — 1654 über Deutschland und Italien wieder die Heimreise antrat.

Der Besuch des Abtes Gregorius am Hofe Herzogs Ernst des Frommen ließ in Gotha den Plan entstehen, eine Forschungsreise nach Äthiopien durchzuführen, mit der Johann Michael Wansleben, der Sohn eines Erfurter evangelisch-lutherischen Geistlichen und ein Schüler von Hiob L. Ludolf, 1663 beauftragt wurde. In der ihm übergebenen Reiseinstruktion war neben vielen anderen Aufträgen festgelegt, daß er »sich vor allem in Ägypten auch noch erkundigen« solle, »was mit Peter Heylingen aus Lübeck geschehen ist, was seine Verrichtung dort gewesen und wie es sich mit seiner Rückreise und den ausgesprengten Nachrichten verhält«. (II/165/162f.) Die Lübecker Freunde von Peter Heyling erfuhren jedoch nicht, ob dieser in Äthiopien geblieben, verstorben oder während seiner Heimreise, wie eine Quelle vermeldete, gar von Räubern überfallen und getötet worden war.

Die europäischen Reiseberichte über Äthiopien sind in ihrem Aussagewert sehr differenziert zu beurteilen. Einer der ersten Berichte ist der des erwähnten portugiesischen Geistlichen Francisco Alvarez, der sich 1520 bis 1526 in den nördlichen und mittleren Provinzen des heutigen Äthiopien aufhielt und positiv über den Ackerbau und die Viehwirtschaft berichtete. (I/15) In den folgenden Jahrhunderten sind die Berichte des französischen Apothekers und Arztes C. J. Poncet über seine Reise 1698 bis 1701 und des Schotten James Bruce über seine Reise 1769 bis 1771 hervorzuheben. Auf der Grundlage der dort gegebenen Beschreibungen lassen sich in vielen wichtigen Punkten im Zusammenhang mit anderen Fragestellungen Neubewertungen vornehmen, obgleich weder Poncet noch Bruce als Reisebuchautoren »Neuentdeckungen« darstellen.

C. J. Poncet schilderte die Eindrücke seiner Karawanenreise, die ihn zunächst von Kairo nach Sennar führte. Der König in Sennar »sprach mit uns über die Veranlassung unserer Reise, und schien für den Kaiser von Ethiopien viel Zuneigung und Ehrfurcht zu haben«. (II/418/Bd. 1/286) An Landesprodukten nannte Poncet Elefantenzähne, Tamarinden, Bisam, Tabak und Goldstaub. »Alle Tage ist Markt auf einem großen Platz mitten in der Stadt, wo alle Arten von Lebensmitteln und Waren zu verkaufen sind.« (Ebenda/289) Als Zahlungsmittel waren Münzen im Umlauf. Eingeführt wurden Gewürze, Papier, Messing, Eisen, Draht und vieles andere mehr. »Alle diese Waren gehen auch in Ethiopien . . . Die Kaufleute von Sennar treiben nach Osten zu einen starken Handel. Zur Zeit des Monsun gehn sie bei Suaguen am Roten Meer zu Schiffe. Die Perlenfischerei, die hier gehalten wird, und die ebengenannte Stadt gehören dem Großsultan. Von da gehn sie nach Mocha, einer Stadt im glücklichen Arabien, die dem König von Yemen gehört, und dann weiter nach Surata, wo sie Gold, Bisam und Elephantenzähne hinbringen, und dagegen Gewürze und andere indische Waren mit zurück nehmen. Sie bringen auf dieser Reise gewöhnlich zwei Jahre zu.« (Ebenda/291f.)

Mit der Karawane ging die Reise nach Gondar. Unterwegs wurden die Lasttiere, wie es üblich war, gewechselt; anstatt Kamele nahmen die Reisenden Pferde. »Wir fanden da eine Bedeckung von dreißig Mann, die uns der Kaiser von Ethiopien zu unserer Sicherheit entgegengeschickt hatte.« (Ebenda/299) In Gondar wurde Poncet in einem Teil des Palastes untergebracht und heilte während seines dortigen Aufenthaltes den Kaiser von einer Hautkrankheit.

»Gold und Salz sind die Münze, deren man sich hier bedient. Jenes hat kein Gepräge vom Landesherrn wie in Europa, es ist in Stangen, die man zerschneidet, wie Man's eben nötig hat, von einer Unze bis zu einer halben Drachme, die 30. S. nach unserer Münze gilt; und damit es nicht verfälscht werden möchte, sind überall Goldschmiede, die's nach der Probe untersuchen. Zur Scheidemünze braucht man Bergsalz. Dieses ist weiß wie Schnee, und hart wie Stein. Es wird aus dem Berge Lafte genommen, und in die kaiserlichen Magazine geschafft, wo man Täfelchen daraus macht, die Amuly genannt werden, oder halbe Täfelchen, die Karman heißen. Jedes Täfelchen ist ein Fuß lang und drei Zoll breit und dick. Zehn solche Täfelchen gelten drei französische Livres. Man bricht davon so viel ab, als man eben zur Zahlung nötig hat, und bedient sich dieses Salzes eben so gut zur Münze, als zum häuslichen Gebrauch.« (Ebenda/302 f.)

Die Entwicklungschancen einer Kultur werden außer von ihren eigenständigen Wurzeln auch von Verbindungen zu anderen kulturellen Systemen bestimmt. Fortschritte gediehen und entwickelten sich bevorzugt in Ländern, die zu wichtigen Regionen der Welt Handels- und Verkehrsverbindungen unterhielten. Äthiopien stand hierbei nicht zurück, wie die Verbindungen zu Ägypten und Arabien, aber auch zu Persien, Indien und China belegten.

Für die wechselvolle Geschichte Äthiopiens sind in der alten Zeit weder Abstand zur Außenwelt noch eine Abgeschlossenheit festzustellen. Äußere Einflüsse zeigen sich weder verspätet noch in abgeschwächter Form. Niemals verhielt sich das Land passiv, was auch auf militärischem Gebiet galt: Perioden der Verteidigung wechselten mit denen einer eigenen Expansionspolitik.

Die arabisch-islamische Expansion im 7. Jahrhundert traf die christliche Kirche in Ägypten und in Nordafrika schwer. Die anderen Äthiopien benachbarten christlichen Reiche, so Nubien, zerfielen im

Verlauf des 16. Jahrhunderts. Wenn auch die Veränderungen spürbar waren, so bedeutete das Vordringen des Islam nicht Stillstand des Handels oder des ethno-kulturellen Austausches. Mit der Ausbreitung des Islam wurde die Bevölkerung der Ebenen, die Äthiopien vom Roten Meer trennten, allmählich zu dem neuen Glauben bekehrt. Es entstanden vom Ende des 9. bis zum 13. Jahrhundert islamische Staatsgebilde, wie etwa Schoa, die sich zeitweilig gegen Ägypten zu behaupten vermochten. Andere islamische Gebiete, so Sennar, standen in Abhängigkeit von Äthiopien. Im 7. Jahrhundert wurde Adulis, der Umschlag- und Handelsplatz am Roten Meer, zerstört; islamisierte Stämme drangen in Eritrea ein. Äthiopische Häfen an der Somaliküste ersetzten diesen Verlust.

Die einschneidendste Veränderung trat 1557 ein. In diesem Jahr besetzten die Türken Massaua (Mitsiwa), den heute im Norden von Eritrea gelegenen Hafen und letzten Zugang Äthiopiens zum Meer. Poncet ist die Kenntnis zu verdanken, daß jedoch nicht nur die äthiopisch-ägyptischen, sondern auch die äthiopisch-asiatischen Beziehungen fortbestanden, und zwar auf dem alten Handelsweg, der von Äthiopien ausging und bis zu seinem Endpunkt am Roten Meer führte: der Hafenstadt Massaua. Folglich bestätigt Poncets Bericht die Vorstellung nicht, daß mit der Islamisierung die ethno-kulturellen Kontakte der Vergangenheit angehörten.

Äthiopien besaß noch zur Zeit der Reise Poncets trotz der Ereignisse von 1557 starken Einfluß auf den traditionellen Verbindungsweg zum Roten Meer bis hin zur Hafenstadt Massaua.

Dies zeigt der Reisebericht:

»Von Adula kamen wir in die Provinz Saravi, und von da endlich nach Duvarna, der Hauptstadt des Königreichs Tigra. Die Provinz stand unter zwei Gouverneurs ... Man nennt sie Barnagas, Meerkönige, vermutlich wegen der Nachbarschaft des Roten Meeres.« (Ebenda/316) Die Beschreibung der Stadt mit ihren Steinhäusern und den Dachterrassen, der Gastfreundschaft gegenüber Fremden, nennt besondere Wohngebiete für Christen und Mohammedaner. »Alles was nach Ägypten übers Rote Meer kommt, geht durch Duvarna. Diese Stadt, die ungefähr zwei Meilen im Umfang hat, ist gleichsam die allgemeine Niederlage für alle Waren aus Indien.« (Ebenda) Auf dem Weg nach Massaua erfreuten sich die Reisenden der Hilfe, die traditionell Durchreisenden gewährt wurde. »Die Einwohner des Landes, teils Christen, teils Mohammedaner, bringen den vorüberziehenden Karawanen Lebensmittel und was sie sonst nötig haben.« (Ebenda/321) In Massaua wurde Poncet zuvorkommend behandelt. »Der Bassa von Massaua empfing mich sehr höflich auf Empfehlung des Kaisers von Ethiopien, der dort sehr gefürchtet wird, und zwar mit Recht; denn die Ethiopier könnten sich dieses Ortes, der ihnen vormals gehörte, sehr leicht bemächtigen, wenn sie ihn aushungerten, und den Einwohnern das Wasser, welches sie von Arkova bekommen müssen . . ., abgeschnitten.« (Ebenda/322)

Die religiösen Dispute im 17. Jahrhundert, die 1632 mit dem Verzicht des Kaisers Susnyos auf den Thron endeten, führten in Europa zu der Meinung, das Land sei spätestens unter dem kaiserlichen Nachfolger Fasilidas in die Isolation geraten. Die koptisch-orthodoxe Kirche in Äthiopien wurde zu Unrecht zum Synonym für die Position eines afrikanischen Landes am »Rande der Welt«, obgleich Poncet noch Anfang des 18. Jahrhunderts auf zwei bedeutende Linien in den äußeren Beziehungen aufmerksam machte, die über die Jahrhunderte fortbestanden: die Verbindungen zu Ägypten (und damit zum Mittelmeer) und die zum Handelssystem des Indischen Ozeans. Der höchste Repräsentant der äthiopischen Kirche, der Metropolit, der als »Vater des Heils« verehrt wurde, war traditionsgemäß ein Ägypter.

Die frühe Widerlegung der alteingewurzelten Vorstellung einer jahrhundertelangen Abgeschlossenheit Äthiopiens von der übrigen Welt erfuhr in der wissenschaftlichen Literatur bisher nur eine unzureichende Würdigung.

Die gesellschaftlichen Verhältnisse
(Regierung, Sozialstruktur, Religion).
Äthiopien seit Beginn der Neuzeit

Die politische Herrschaft übten in Äthiopien auf der Ebene des Reiches der Kaiser als Zentralgewalt und auf der Ebene der Provinzen die mehr oder weniger selbständigen Fürsten und Feudalherren aus, die gewohnheitsmäßig der Oberhoheit des Kaisers unterstanden. Seit der ersten Hälfte des 16. Jahrhunderts begannen die Herrscher,

Land als Belohnung zu vergeben und dies in besonderen Listen zu registrieren, eine Praxis, die sich bis in das 19. Jahrhundert fortgesetzt hat.

Die Kirche war Träger der äthiopischen Kultur. Mönche waren Beamte am Hofe, sie waren auch die Gelehrten. Traditionsgemäß fand die Krönung der meisten Kaiser in der ältesten Kirche von Aksum statt. Kaiser und Metropoliten beschlossen gemeinsam kirchliche Angelegenheiten. Der Kaiser verkündete — nach vorangegangener Beratung mit seinen Rechtsgelehrten — Gesetze und Verordnungen. Er sprach Recht nach den Urteilen der Richter.

Die militärische Situation des christlichen Landes inmitten islamischer Staatsgebilde erforderte eine große Kriegsmacht, deren Kern aus freien, sich selbst versorgenden Bauernkriegern (Dienstkriegerstand) bestand, welche auf der Grundlage von Familienwirtschaften den Gemeindeboden bearbeiteten. »Der Kaiser von Ethiopien hält für beständig zwei stehende Armeen: die eine an den Grenzen des Königreichs Nerea, die andere an denen vom Königreich Goyama, wo die reichsten Goldgruben sind. Alles Gold aus diesen Gruben wird nach Gondar gebracht, gereinigt und in Stangen in den kaiserlichen Schatz geliefert, aus dem es zum Unterhalt der Truppen und des Hofs verwendet wird.« (Ebenda/306)

In den historischen Kernprovinzen des zentralen und nördlichen Hochlandes Äthiopiens — den heutigen Provinzen Eritrea, Begemdir, Gojam sowie in Teilen von Walo und Shewa — besaßen die Kleinfamilien der Bauern Besitz- und Nutzungsrechte, die sich aus der Zugehörigkeit zu einer Verwandtschaftsgruppe (Amhara) oder einer Territorialgemeinde ergaben. Das kollektive Eigentum an Grund und Boden wurde meist als Rist bezeichnet. Mehrere Rist-Gebiete wurden zu Gult-Bezirken zusammengefaßt. Diese Bezirke hatten Tribute (Abgaben und Leistungen) zu entrichten. Der Kaiser galt als der von Gott eingesetzte Obereigentümer von Grund und Boden. Fürsten, Feudalherren und andere Würdenträger (Gultenjas) erhielten Gult-Rechte verliehen. Dabei war ein die Sozialstruktur kennzeichnendes dynamisches Element vorherrschend, weil die Rechte immer wieder, von Generation zu Generation, aufs neue »verdient« werden mußten.

Über die Sozialstruktur heißt es im Bericht von C. J. Poncet:

»Die große Macht des Kaisers rührt daher, daß er unumschränkter Herr über alles Vermögen seiner Untertanen ist. Er nimmt und gibt wie's ihm gefällt. Wenn das Haupt einer Familie stirbt, so zieht er alle dessen unbeweglichen Güter ein, von denen er den Kindern oder Erben zwei Dritteile läßt. Das übrige Dritteil vergibt er an einen andern, der dadurch sein Vasall und ihm verbunden wird, ihn im Krieg auf seine Kosten zu dienen und ihm nach Verhältnis der überlassenen Güter Soldaten zu stellen. Daher kann dieser Fürst, der eine fast unendliche Menge von Vasallen hat, in kurzer Zeit und mit geringen Kosten sehr zahlreiche Armeen aufbringen.

In allen Provinzen werden ganze Register über alle Güter geführt, die durch den Tod ihrer Besitzer an den Kaiser zurückfallen, der sie hernach wieder an andere vergibt. Die Art der Belehnung ist diese. Er schickt demjenigen, den er zum Vasallen gewählt hat, eine Binde von Taffet, auf der mit goldenen Buchstaben geschrieben steht: Jesus, Kaiser von Ethiopien, aus dem Stamme Juda, der immer über seine Feinde siegte. Der Überbringer bindet selbst feierlich diese Binde dem neuen Lehnsmann um die Stirne, und setzt ihn darauf, unterm Schall von Trompeten, Pauken und andern Instrumenten in den Besitz der verliehenen Güter ein.« (Ebenda/306 f.)

Mit der Ausweitung und Verlagerung des Zentrums des äthiopischen Reiches nach dem Süden verlor allmählich das Rist-Gult-System seine frühere Dominanz.

Seit der Entstehung von Bodenbau und Viehzucht beschäftigte sich der überwiegende Teil der Menschheit bis zum 19. und 20. Jahrhundert mit diesen beiden Zweigen der Landwirtschaft. Bis in die Gegenwart bestimmt die bäuerliche Bevölkerung das Alltagsbild auch in Äthiopien. »Äthiopien ist ein urtümliches Bauernland, dem die meisten Züge fehlen, die als kennzeichnend für das Wesen einer Hochkultur gelten, weshalb es auch in Afrika den Kulturen des Westens (den alten Reichen Mali und Ghana zum Beispiel) einen höheren Rang einräumen muß.« (II/281/19 f.)

Diese an und für sich zutreffende Charakteristik durch E. Haberland bedarf für die Antike, das Mittelalter und die frühe Neuzeit einer Präzisierung, vielleicht sogar einer gewissen Korrektur. Äthiopien war Bauernland, aber auch ein Handels- und Warentransitland.

Nach einer über die Jahrhunderte andauernden Teilung der Arbeit zwischen Stadt und Land gab es Bauern, Händler, Weber und andere Handwerker. Die städtische und nicht landwirtschaftlich tätige dörfliche Bevölkerung war allerdings in der Minderzahl. Aus der Oberschicht kamen die Führer des kaiserlichen Heeres. Politische Ämter waren im allgemeinen mit militärischen identisch. Erst im 18. Jahrhundert begann eine Entwicklung, die geeignet ist, Äthiopien im Vergleich zu Westafrika tatsächlich als ein »rückständiges« Land einzuordnen.

Seit der Mitte des 18. Jahrhunderts hatte sich auf der Grundlage der zunehmenden wirtschaftlichen Selbständigkeit der Territorialherrscher das bislang bestehende machtpolitische Gleichgewicht zu deren Gunsten verändert. Es begann die »Periode der Fürsten«. So gab es im Jahre 1788 gleichzeitig vier Kaiser und noch mehr regionale Zentren in Äthiopien. Es waren nicht fehlende Verbindungen nach außen, sondern innere Prozesse, durch die das Land in seiner geschichtlichen Entwicklung einen Rückschlag erlitt.

Die koptische Kirche blieb von der Auseinandersetzung zwischen Zentralgewalt und Provinzherrschern nicht unberührt. Sie spaltete sich in zwei religiöse Parteien, die sich in verschiedenen Gebieten des zentralen Hochlandes konzentrierten und auf Konzilen gegeneinander stritten. Äußerlich war das kirchliche Leben beeindruckend. Poncet hatte berichtet, daß es allein in der Stadt Gondar ungefähr hundert Kirchen gab. »Die Mohammedaner werden in Gondar geduldet, aber im untern Teile der Stadt, in einem abgesonderten Viertel.« (II/418/Bd. 1/305)

Das Christentum mit neuen kulturellen Elementen, neuem Mythos, moralischen Normen, religiöser Praxis, Sitten und Bräuchen ging in Äthiopien mit den traditionellen Religionen, die für die Beständigkeit der geistigen Kultur, den Volkscharakter und die gesellschaftliche Psyche in einer langen Reihe einander ablösender Generationen meist eine positive Rolle spielten, eine Verbindung ein. Der Synkretismus erwies sich in Äthiopien für den ethno-kulturellen Zusammenschluß der Stämme und Gruppen als eine Form des faszinierenden Mechanismus in den Wechselbeziehungen zwischen verschiedenen kulturellen Elementen auf gleichem Territorium, was im sakralen Königtum und im Alltag seinen Ausdruck fand.

In Äthiopien, später auch in anderen afrikanischen Regionen, vor allem in West-, Zentral- und Südafrika, fand der christliche Synkretismus historisch günstige Bedingungen vor. Afrikanische Institutionen, die im Laufe von vielen Jahrhunderten entstanden waren und eng mit urgemeinschaftlichen Religionsformen zusammenhingen, ließen sich weder ignorieren noch konnte ein Prozeß abgebrochen werden, der in der Geschichte des Landes nicht nur die Verhaltens- und Umgangsformen prägte, sondern sich auch in der ganzen Lebensweise widerspiegelte.

Die christliche Staatsreligion in Äthiopien hat zahlreiche Elemente des afrikanischen Kulturerbes in sich aufgenommen — Äthiopien, dessen staatliche Traditionen bis in das 3. Jahrtausend v. u. Z. zurückreichen und wo die christliche Religion seit dem 4. Jahrhundert u. Z. Träger der Reichsidee und des Königtums war, ist geradezu ein klassisches Beispiel für diese Entwicklung. Christentum und Synkretismus sind keine spezifisch afrikanischen Erscheinungen: Synkretismus ist auch in den europäischen Kirchen zu finden. Der Synkretismus, in diesem Falle die Anpassung der christlichen Religion an die jeweilige historische Entwicklungsstufe, und die Übernahme von Elementen der jeweiligen Volkskultur, Religion, Sitten und Bräuche, trugen wesentlich zur raschen Ausbreitung der christlichen Religion bei.

Der Vorgang der Adoption und Adaption, der Aufnahme und Übernahme der ursprünglichen afrikanischen Kultur und die Anpassung an die lokalen Gegebenheiten bilden einen Großteil der Faszination und Originalität der alten äthiopischen Kultur. Im Kerngebiet des alten Reiches, im nördlichen Hochland, befinden sich Kirchenbauten mit zahlreichen synkretistischen Elementen, in denen sich christliche Bautraditionen mit den Regeln des christlich-byzantinischen Kirchenbaus verbanden, bei vorherrschend rechteckigem Grundriß. Auf Resten der altäthiopischen Bauten des 4. bis 7. Jahrhunderts entstand etwa in Aksum im 16. Jahrhundert die Zionskirche.

Zahlreiche Untersuchungen haben sich mit den Sakralbauten im nördlichen Hochland befaßt und die Einzigartigkeit z. B. der berühmten Kirchen im Fels herausgestellt — Gotteshäuser, die in mühseliger Arbeit aus dem Felsgestein herausgeschlagen worden sind und oft

Abb. 8: Die Zionskirche in Aksum (Äthiopien), im 16. Jahrhundert auf den Ruinen eines alten Bauwerkes aus dem 4.—7. Jahrhundert errichtet. Südliche Terrassenmauer mit Risalitresten (Quader) altäthiopischer Bauweise

als Weltwunder bezeichnet werden. Andere sind in Felshöhlen versteckt oder stehen hoch oben auf steil emporragenden Gebirgskuppen und Klippen. Die Blüte der Felsenkirchenkultur fiel in das 13. und 14. Jahrhundert.

Die Rundkirchen im Süden sind einer jüngeren Zeit zuzuordnen. Vor allem in den Jahren 1784 bis 1855, der »Periode der Fürsten«, als es zu einem Niedergang der kaiserlichen Gewalt in Äthiopien sowie zu einer staatlichen Zersplitterung kam und der Süden über lange Zeit in das »Heidentum« zurückfiel, beherrschten die traditionellen Elemente der altafrikanischen Architektur die sakrale Bauweise. Die Rundkirchen — Lehmgebäude mit einem Durchmesser

Abb. 9: Die Westfassade der Zionskirche, Nahansicht

von 20 Metern und mehr, mit mehreren Eingängen versehen und nach dem Vorbild der meisten dörflichen Bauten in Ost- und Zentralafrika, den kreisförmig geschützten Wohnstätten (der sogenannte Kraal) von einer Mauer aus unbehauenen Steinen umgeben, die durch Lehmmörtel verbunden sind, — drücken in origineller Weise die Züge der afrikanischen Wohnstätten, die Hüttenbauweise, aus. Unter dem christlich-biblischen Kreuz auf dem Dach blieben die typischen Kennzeichen traditioneller Bauweise erhalten: Neben dem meist runden Grundriß war es die besondere Form der Deckenkonstruktion, wobei das konische, strohgedeckte Dach unmittelbar von den Ringmauern gestützt wurde. Die Rundkirchen im Süden sind Zeugnis für Lebenskraft und kreatives Schöpfertum des ursprünglichen Volksbewußtseins. Sie belegen eindrucksvoll, daß die sakrale Architektur in ihrem Gesamtcharakter afrikanisch blieb. Rundkirchen gehörten aber auch zum Bild der Sakralbauten im Norden, wie die beiden Städte Aksum und Adua beweisen.

In Aksum war es die Kirche der Vier Tiere, die in typischem Rundbau, umgeben von einer Ringmauer, ausgeführt wurde. Die Dachbekrönung bestand aus einem stilisierten Bronzekreuz mit Straußeneiern. Weitere Kirchen in und bei Aksum entsprachen dieser Stilrichtung oder bestanden aus eingeschossigen Rundhäusern und zweigeschossigen, quadratischen Häusern (z. B. die Kirche Abba Pantaleon bei Aksum).

In Adua hoben sich die Kirche des Erlösers der Welt und der zugehörige Kirchenbezirk, umgeben von einer doppelten ringförmigen Mauer, scheinbar deutlich von der außerhalb anzutreffenden Rundhüttenbauweise der Stadtbewohner ab. Nach der Straßenseite fielen nur die quadratischen äußeren Torhäuser, mit je einem Christuskreuz gekrönt, in den Blick. Aber die inneren Torhäuser und die Kirche selbst (z. B. der Sängerraum) waren Rundbauten. Bei der inneren Decke in der Vorhalle der Kirche des Erlösers der Welt in Adua trat deutlich die traditionelle afrikanische Bauweise hervor.

Im Hauptverbreitungsgebiet der Rundkirchen, im Süden, nahm das orthodoxe Christentum eine einzigartige Form an, die nicht ihresgleichen aufzuweisen hatte. »Es gibt in Abyssinien vielleicht mehr Kirchen, als in irgend sonst einem Teile der christlichen Welt«, so registriert der Engländer W. C. Harris in seinem Bericht »Gesandtschaftsreise nach Schoa und Aufenthalt in Südabyssinien 1841—1843« (Bericht über eine aus dem damaligen Britisch-Indien nach Äthiopien geschickte regierungsamtliche britische Gesandtschaft), »und der eine baute, der meint damit jede Sünde gesühnt zu haben ... Kreisrund in Gestalt mit einer Tür nach jeder der vier Himmelsgegenden hat jedes Kirchlein oben auf seinem kegelförmigen Strohdach ein messingenes Kreuz ... Schellentrommeln und Krückstücke hängen in malerischer Verwirrung von den Dachbalken herab ...« (I/33/Teil II/167)

Im 19. Jahrhundert erhoben viele gebildete Afrikaner in West- und in Südafrika — also auf dem traditionellen Boden des Missionschristentums — historischen Anspruch auf Äthiopien, das ihnen neben dem alten Ägypten ein Unterpfand für ihren Glauben an den

Wiederaufstieg Afrikas schien. Interessant ist die Tatsache, daß im Zusammenhang mit religiösen Oppositionsbewegungen im Missionschristentum eine Rückkehr zu altafrikanischen Traditionen im Kirchenbau zu beobachten war. In Westafrika gab es in den Dörfern in Verbindung mit dem Ahnenkult die »Häuser der Ahnen«, die Heiligtümer der Sippe oder der Dorfgemeinde waren. Meist waren es nur gewöhnliche Hütten, in denen sich die Schädel oder figürlichen Nachbildungen der Ahnen befanden. Christliche Prophetenbewegungen und die aus ihnen hervorgegangenen unabhängigen afrikanischen Kirchen im 20. Jahrhundert knüpften an die Tradition der sakralen Architektur der polytheistischen Religionen an. Die übertriebene »Einfachheit« in der Bauweise der Gotteshäuser, wie sie den unabhängigen Kirchen eigen war, lieferte aber mehr Argumente für den Irrtum, der Synkretismus sei ein partieller Rückfall in das »Heidentum«, als zu verdeutlichen, daß dies alles tief in die Geschichte zurückreichende Wurzeln hatte und die Weiterführung einer originär afrikanischen Religionslinie war. Es bleibt die Tatsache, daß auf dem Boden der Missionskirchen sich Kultur und Architektur unter solchen Einflüssen entwickelten und Elemente der afrikanischen Architekturtradition auch im Sakralbau Aufnahme fanden. Es ist daran zu erinnern, daß heute das Vorurteil endgültig der Vergangenheit angehört, aus den verschiedenen Glaubensinhalten der Religionen auf deren Wert oder gar auf die »Primitivität« ganzer Gesellschaften und Kulturen zu schließen und zu behaupten, daß »alles Afrikanische böse sei und deshalb völlig zerstört werden müßte«. Für Kreativität und Schöpfertum der Afrikaner liefert auch die Geschichte der afrikanischen Architektur ein unerschöpfliches Reservoir von Beispielen.

Äthiopien ist ein afrikanisches Land, das seit Beginn der Neuzeit beim europäischen Leser gut bekannt war, während andere Gebiete in Afrika (bis 1840 etwa 80 Prozent des afrikanischen Territoriums!) überhaupt noch nicht von europäischen Reisenden besucht worden waren. Vor allem das 18. und das frühe 19. Jahrhundert brachten einen Erkenntnisgewinn. Aber auch in Äthiopien wirkte sich die geographische Einengung des jeweiligen Beobachtungsfeldes ungünstig aus. Hinzu kam, daß hier, wie überall sonst, der Reisende die afrikanische Realität gleichsam durch einen nichtafrikanischen

Filter sah. Die Aufnahme und Bewertung der Lebensformen, Sitten, Bräuche und Gewohnheiten in Äthiopien verlief — wie im übrigen Afrika südlich der Sahara — im Rahmen der zeitbedingten Erkenntnis und Interpretationsfähigkeit. Die Auswahl von Berichtenswertem wurde vom gesellschaftlichen Anliegen und von der Publikumswirksamkeit der Bücher bestimmt. Die Autoren schilderten, was aus der Perspektive ihrer Zeit interessant war. Die Kunde von der Religion und Kultur in fremden Ländern bestärkte im Aufklärungszeitalter den Gedanken der Universalität und das Toleranzmotiv. Die Tendenz der Aufklärung, religiöse Themen zum Allgemeinmenschlichen hin zu erweitern, ließ die Behandlung von Sitten und Bräuchen in der damaligen Reiseliteratur zu einem Schwerpunkt werden. Die humanistische Strömung in der Reiseliteratur, die den Menschen in seinem Zusammenwirken mit der Natur darstellt, begründete erstmals die Einbindung des Afrikaners in die Weltgeschichte und belegte mit zahlreichen Fakten dessen Zugehörigkeit zur Weltkultur. Zugleich bietet sie Beispiele für die komplizierten Wechselbeziehungen zwischen regionaler und kontinentaler Komponente. »Die Informationsströme« haben sich nicht einseitig von Nord nach Süd bewegt — dies war eine Erkenntnis, zu der man schon im 18. Jahrhundert gelangt war.

Kapitel II

Reisebuchautoren
zu den Beziehungen zwischen
Afrika und Asien

1. Von Marco Polo bis Vasco da Gama.
Indien und China als Reiseziele

Europa und der afro-asiatische Raum.
Die Weltreise des Ibn Battuta

Die kostbaren und begehrten indischen und chinesischen Waren als
Boten einer unbekannten, fremden Welt verstärkten in Europa den
Wunsch, mit den Herkunftsländern direkt in Verbindung zu treten.

Seit dem 7. Jahrhundert hatten sich als Zwischenhändler und kulturelle Vermittler zwischen Indien, China und Europa die islamischen
Völker in den Vordergrund geschoben. Genua und Venedig, die
hauptsächlich die am Indien- und Chinahandel interessierten Handels-
kreise im europäischen Mittelalter repräsentierten, unterhielten Beziehungen nur über die Endpunkte des Fernhandels, der China, Indien
und Afrika mit Europa verband. Indische Waren gelangten mit
Schiffen über das Rote Meer und auf dem Karawanenweg bis nach
Kairo, von dort auf dem Nil nach Alexandrien. Die afrikanischen
Umschlag- und Stapelplätze spielten eine wichtige Rolle.

Einen anderen Endpunkt des Fernhandels, der für Venedig und
Genua von Bedeutung war, bildeten die Städte Syriens, die vorwiegend über den Landweg (ein wichtiger Zwischenumschlagplatz war
die Küstenstadt Trapezunt am südlichen Ufer des Schwarzen Meeres)
Waren aus Indien und China bezogen. Dieser Handelsweg wurde
mit der Eroberung Konstantinopels durch die Türken (1453) er-
schwert. Die Priester-Johannes-Legende entfachte den Reiseeifer
gleichermaßen für Asien wie für Afrika; für Asien zeitlich früher,
weil dort, wie bereits dargestellt, das geheimnisvolle christliche

Reich zuerst vermutet wurde — eine Vorstellung, die sich übrigens noch bis in das 19. Jahrhundert trotz des christlichen Äthiopien behauptet hatte, wie das 1864 in Berlin veröffentlichte Buch »Der Presbyter Johannes in Sage und Geschichte« von Gustav Oppert überzeugend belegt. Es ist daher von bemerkenswertem Interesse, daß über Jahrhunderte hinweg die Ansicht begründet wurde, der Priester Johannes habe in Asien residiert, und die Auffassung von einem asiatischen Priesterkönig nicht verstummte.

Erste europäische Reisende waren im 12. Jahrhundert auf arabischen Schiffen nach Indien gekommen. Europäische Reiseaktivitäten verbanden sich mit der Entdeckung einer fremden Welt, von deren Bedeutung bislang West- und Mitteleuropa ebensowenig ahnten wie von den uralten Beziehungen, welche zwischen Afrika, Indien und China bestanden und die den Raum des Indischen Ozeans bis zum Südchinesischen Meer als historisch-kulturelle Region prägten. »So sehen wir denn, als die Portugiesen den Schleier, der auf diesen Gebieten lag, endlich (1500) hoben, eine Reihe blühender Sultanate und reicher Städte an der Küste, von Sofala hinauf bis Malindi, in den Händen der Araber, und einen lebhaften Schiffsverkehr zwischen den Küsten Ostafrikas und Indiens.« (II/296/Bd. 2/428)

In den Tagen der mongolischen Weltreiche im 13. und 14. Jahrhundert gelangten Handelsreisende, Diplomaten, päpstliche Gesandte und Missionsboten in die verschiedensten asiatischen Kulturgebiete.

Aus jener Zeit stammen die Schilderungen des venezianischen Kaufmannes Marco Polo über den ungeheuren Reichtum und die hohe Kultur der fernen Länder. Er war von der Krim aus über die alten Handelsstraßen nach China gereist, wo er 1275 anlangte und 17 Jahre (bis 1292) blieb. Von ihm erhielt Europa durch das Buch »Die Beschreibung der Welt«, das nach seiner Rückkehr nach Europa 1298/99 entstand, erstmalig eine detaillierte Darstellung Chinas. Dieser Bericht, der als wertvollste europäische Quelle gilt, hat nicht nur China zum Gegenstand, sondern aus eigenem Augenschein oder vom Hörensagen zugleich Japan, Indien, Java, Sumatra, Ceylon, Madagaskar, Mogadischu und andere Gebiete. Die meisten dieser Informationen, die damals in Europa mit Erstaunen und Unglauben aufgenommen wurden, waren authentisch.

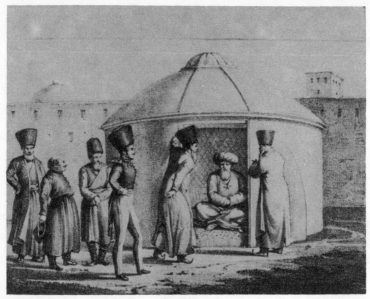

Abb. 10: Audienz einer russischen Gesandtschaft beim Khan von Chiwa (Zeichnung vom Anfang des 19. Jahrhunderts)

Über das alte China hatte Marco Polo ungewöhnliche Dinge zu berichten. Leute von Rang und Vermögen pflegten wenigstens dreimal in der Woche, und im Winter sogar jeden Tag, ein Bad zu besuchen, die Rede war von Geisteraustreibungen und Opfergaben bei Krankheit, aber auch von Ärzten und heilkundigen Astrologen, die nebenher auch Unterricht im Lesen und Schreiben erteilten. Berichtet wurde über wirkungsvolle Heilgetränke und in Europa fast unbekannte Arzneien und Gewürze, über die Fürsorge des Herrschers gegenüber Kranken und Alten und über die täglichen Gebete, bei denen die Chinesen »mit erhobenen Händen, das Gesicht dreimal auf den Boden schlagend«, ihren Gott »um Einsicht und Gesundheit des Leibes« anflehten. (I/139/an verschiedenen Stellen)

Es mischten sich aber auch einige sagenhafte Elemente in die Darstellung, von denen die Beschreibung zweier Inseln im Indischen Ozean, die angeblich nur von Männern oder nur von Frauen bewohnt waren, die bekannteste ist. »Die Männer besuchen die Inseln der Weiber und bleiben mit ihnen drei Monate lang zusammen, nämlich im März, April und Mai, ein jeder Mann in einer besonderen Wohnung mit seiner Frau. Dann kehren sie zur Männerinsel zurück, wo sie den übrigen Teil des Jahres bleiben, ohne Gesellschaft von Frauen ... Und das ist so eingeführt wegen der eigentümlichen Beschaffenheit des Klimas, welches den Männern nicht erlaubt, das ganze Jahr hindurch bei ihren Frauen zu bleiben, weil sie sonst sterben würden.« (II/298/Bd. III/106) In der Richtung und Entfernung, die Marco Polo angab, existierten überhaupt keine Inseln im Indischen Ozean. Die ganze Erzählung von der Männer- und der Weiberinsel, so die meisten älteren Autoren, sei nichts weiter als eine Legende, die unter den arabischen Seefahrern verbreitet war. Nach einer neueren Arbeit sollen sich die Angaben von Marco Polo auf kleinere Inseln in der Nähe des Kaps Guardafui (Osthorn Afrikas, Somalia) beziehen. Die legendären Teile des Reiseberichts schmälern jedoch das Verdienst des Verfassers in keiner Weise.

An Bedeutung wird Marco Polo in der wissenschaftlichen geographischen Literatur für die Welterkenntnis seiner Zeit dem großen Ptolemäus gleichgestellt. »Sein Werk war für die damalige Christenheit eine Sensation allerersten Ranges und hat den denkbar größten Einfluß auf die erdkundlichen Vorstellungen der nachfolgenden Jahrhunderte bis auf Columbus ausgeübt . . .« (Ebenda/94)

Im Orient gab es eine ungebrochene Tradition der Welterkenntnis und des wachsenden geographischen Wissens, was sich sowohl auf Afrika, Indien und China als auch auf andere kulturelle Zentren bezog. »Im Morgenlande war die Kenntnis Indiens im 15. Jahrhundert vollständiger und geordneter, weil die Verbindungen des Handels und der Schiffahrt unmittelbare waren, welche ebenso wie die Reiseberichte schon seit geraumer Zeit in die wissenschaftliche Bearbeitung der Erdkunde aufgenommen und in systematischen Werken verzeichnet waren.« (II/347/33 f.)

Von dem umfassenden Weltbild der Araber legt der Bericht des Marokkaners Ibn Battuta über seine Weltreise beredtes Zeugnis ab. Er hatte im 14. Jahrhundert nahezu die ganze bekannte nichtchristliche Welt bereist und galt als der größte Weltreisende, den das Altertum und das Mittelalter hervorgebracht haben. Sein Reisewerk, oft als das wertvollste des ganzen Mittelalters bezeichnet, von dem aber lange nur wenige und seltene Bruchstücke in Europa beachtet worden waren, ist im Jahre 1818 erstmals durch eine Dissertation bekannt geworden. (II/298/Bd. III/216)

Ibn Battuta hat in Afrika und Asien dreimal so viele Länder wie Marco Polo gesehen, und da er alle Gegenden besuchte, in denen der Islam verbreitet war und es mohammedanische Gemeinden gab — andere Gebiete mied er strikt —, ist sein Bericht eine unentbehrliche Quelle für die islamische Welt. Über die erste, 24 Jahre dauernde Hauptreise von Ibn Battuta hat R. Hennig einen chronologischen Ablauf zusammengestellt, in dem alle bereisten Orte genannt werden, wodurch zugleich eine Vorstellung vom damaligen Ausbreitungsgebiet des Islam vermittelt wird:

»Aufbruch aus Tanger am 14. Juni 1325;

Durch Nordafrika nach Alexandrien, Kairo, nilaufwärts bis Assuan, ans Rote Meer;

Rückkehr nach Unterägypten, da infolge kriegerischer Wirren die Erreichung Arabiens auf dem Roten Meer unmöglich ist, und über Palästina nach Medina und Mekka;

Durch Nordarabien nach Basra und Persien, über Mossul und Diarbekr zum 2. Mal nach Mekka; Aufenthalt in Mekka 1328—1330;

Über Yemen nach Ostafrika, südwärts bis Kilwa;

Rückkehr nach Arabien, von NO-Arabien 3. Pilgerfahrt nach Mekka;

Über Ägypten, Syrien und Kleinasien zur Krim;

Nach Astrachan und auf dem Eise der Wolga nach Sarai:

Abstecher nach Konstantinopel, Rückkehr nach Sarai und wolgaaufwärts bis Bulgar;

Plan einer Handelsfahrt in die hochnordischen Pelzgebiete um die Petschora, der jedoch aufgegeben wird;

Über die untere Wolga nördlich am Kaspischen Meer und Aralsee vorbei nach Chiwa, Ferghana, Buchara;

Über Chorassan und Afghanistan nach Indien; Ankunft daselbst am 12. September 1333;

Reise nach Delhi, daselbst mehrjähriger Aufenthalt;

Abreise von Delhi am 22. Juli 1342 nach China als Gesandter des Sultans Mohammed;

Gefangennahme durch »heidnische« (buddhistische) Inder, Flucht unter abenteuerlichen Umständen;

Über die Bucht von Cambay zu Schiff nach Goa, Onore, Malabar, Kalikut;

Einschiffung nach China, doch Schiffbruch, während Ibn Battuta noch auf dem Lande weilt, und Verlust aller seiner Habe;

Über Kaulem und Kalikut zum Sultan von Hinaut, Teilnahme an dessen Eroberung von Singapur;

Nach manchen Kreuz- und Querzügen von Kalikut nach den Malediven; daselbst $1^1/_2$jähriges Wirken als Kadi;

Fahrt nach Ceylon, Besteigung des Adamspik;

Rückkehr zur Malabarküste, neuer Schiffbruch, längerer Aufenthalt in Madura und Kaulem;

Ausplünderung durch Seeräuber bei der Pigeon-Insel, Rückkehr nach Kalikut und nochmals zu den Malediven;

$1^1/_2$monatige Seefahrt nach Bengalen;

Abstecher in die Khasi-Berge bis zur Grenze Chinas;

Rückkehr nach Bengalen, zu Schiff nach Sumatra;

Seefahrt auf einer Dschunke nach China, möglichenfalls unter Berührung von Siam, in 3—4 Monaten, Ankunft in Zaitun;

Fahrt nach Kanton, Rückkehr nach Zaitun, über Hangtschou nach Peking;

Rückkehr auf Binnenschiffen nach Zaitun;

Seereise nach Sumatra; 2monatiger Aufenthalt daselbst;

Seefahrt über Kalikut nach Zhofar in NO-Arabien; Ankunft daselbst im Frühjahr 1347;

Durch Persien, Mesopotamien, Syrien, Palästina nach Ägypten;

4. Pilgerfahrt nach Mekka;

Seefahrt durchs Mittelmeer nach Sardinien;

Heimkehr nach Marokko, Ankunft in Fes zu Anfang November 1349.« (Ebenda/214ff.)

Eine letzte Reise führte Ibn Battuta 1352/53 in das Nigergebiet.

In den großen Städten am Niger traf er auf Christen, die dort Gasthäuser unterhielten und Nazareni genannt wurden. Ibn Battuta verweilte sieben Monate in Timbuktu, der heute nur noch knapp 6000 Einwohner zählenden Provinzhauptstadt Mali, die — gegründet 1087 — einst eine reiche Handelsmetropole und ein islamisches Zentrum der Gelehrsamkeit war. Um 1480 zählte Timbuktu etwa 60 000 Einwohner und über 10 000 Studenten, die sogar aus Bagdad kamen, um an der größten islamischen Universität zu studieren. Die Stadt besaß eine prächtige Moschee und zum Schutz eine wehrhafte Stadtmauer. Ibn Battuta berichtete von gläubigen dunkelhäutigen Moslems und vom guten Gedeihen der Wissenschaften. Neben Händlern ließen sich in Timbuktu auch »zugezogene« Elfenbeinschnitzer, Goldschmiede, Lederverarbeiter und andere Handwerker nieder. Ihnen folgten Gelehrte und islamische Geistliche aus Nord- und Nordostafrika.

Auf den Routen quer durch die Sahara kamen arabische Kaufleute aus Marokko, Tripolitanien, Ägypten und Nordostafrika, brachten Stoffe und Salz, das ihre Geschäftspartner im westlichen Sudan mit purem Gold aufwogen. Wenn auch die allmähliche Austrocknung der Sahara, die seit dem 4. Jahrtausend v. u. Z. langsam zur Wüste wurde, im Mittelalter weiter anhielt, so war ihre Durchquerung damals wahrscheinlich noch nicht so schwierig.

Die verschiedenen Wege des Kulturaustausches führten über Verbindungs- und Handelsstraßen, die sich in Jahrhunderten herausgebildet hatten. Östlich von Suez wechselten die Land- und Seewege, wobei beide sich ergänzten, was eine zunehmende Dominanz der Schiffahrt einschloß. Einen Einblick in die Gefahren der Schiffsreisen ermöglicht eine Schilderung des Osmanen Kjatibi Rumi (Sidi Aly, Sohn Husseins), die aus der Zeit Sultan Suleimans (Regierungszeit 1519—1566) stammt. Er war Krieger, Geschäftsmann und Dichter und hatte sich auch als Seemann einen Namen gemacht. Dies bewog den Kaiser im Jahre 1553, Kjatibi Rumi zum Admiral von Ägypten zu ernennen und ihm den Auftrag zu erteilen, die im Hafen von Basra liegende Galeerenflotte durch den Persischen Golf in das Rote Meer und nach Suez zu führen. In der »Beschreibung der Begebenheiten, die sich im Ozean von Indien ereignet haben«, wird von einem Sturm berichtet, wogegen im Mittelmeer vorkommende Stürme »nur ein Stäubchen und die Wellen des erstern gleich kleinen Bergen waren gegen ihn nicht für ein Tröpfchen zu rechnen. Da unsere Schiffe äußerst schwach waren: so ward alles, was sich von schwerem Gerät vorfand ins Meer geworfen . . . Auf solche Art herrschten zehn Tage lang im Ozean von Indien heftige Stürme und grenzenlose Regen, wir sahen keinen einzigen heitern Tag.« (II/218/166)

Bis zum 15. Jahrhundert und den Entdeckungsfahrten der Portugiesen besaß die historisch-kulturelle Region des Indischen Ozeans mit seiner östlichen Verlängerung, dem Südchinesischen Meer, eine welthistorische Bedeutung, die als große Epoche in der Geschichte der Völker von der Ostküste Afrikas bis China und Japan bezeichnet werden kann. Obwohl die Völker dieser Region — wie an anderer Stelle schon ausgeführt — sich im Niveau und in der Richtung ihrer jeweiligen sozialökonomischen Entwicklung, in Sprache und Rassemerkmalen unterschieden, waren sie durch Wanderungen, Handelskontakte und Kulturaustausch real miteinander verbunden.

Portugal, das im 15. Jahrhundert neben Spanien die entwickeltste Seemacht Europas war, hatte mit seiner spätfeudal-frühkapitalistischen Kolonialexpansion die Kolonialperiode eröffnet. Raubhandel und Piraterie, Eroberung und Ausplünderung waren die Begleiter der großen geographischen Entdeckungen und der Schaffung der frühen Kolonialreiche. Während die erste Etappe der spanischen Übersee-Expansion mit den vier Reisen von Kolumbus (1492—1503) eröffnet wurde, hatte Portugal, das seit 1415 eine Pionierrolle übernommen hatte, mit der Expedition Vasco da Gamas 1497/98 das Vordringen auf dem Seewege in die Indikregion eingeleitet.

Die portugiesischen Entdeckungsfahrer und die Reiseschriftsteller des 15. bis 18. Jahrhunderts unterschieden in der historisch-kulturellen Region zwischen mohammedanischen und nichtmohammedanischen (»heidnischen«) Gebieten. In der »Geschichte der Entdeckungen und Eroberungen der Portugiesen im Orient vom Jahr 1415 bis 1533« (Braunschweig 1821), deren Autor Dietrich Wilhelm Soltau sich vorwiegend auf portugiesische Reiseschriftsteller stützt, heißt es z. B.: »Die Völker, mit welchen die Portugiesen in Asien zu kämpfen hatten, waren teils Mauren oder Mohammedaner, teils heidnische Indier. Alle Küstenländer in Norden und in Westen von den Antscheiven waren den Mauren untertan; was aber gegen Osten liegt, gehörte heidnischen Fürsten, mit Ausnahme von Malakka, einem Teile der Küsten von Sumatra, und einigen Häfen auf den Malukkischen Inseln, welche gleichfalls von den Mauren beherrscht wurden.« (II/452/1. Teil, 6. Buch/263) Die Ostküste Afrikas, die von den Persern und den Arabern den Namen »Sangebar« erhalten hatte und deren Bewohner »Sangim« genannt wurden, war islamisch. »Die ersten Fremdlinge, die nach Sangebar kamen, waren Araber, welche wegen Religionsspaltungen ihre Heimat verlassen mußten. In der Folge kamen Mohammedaner und gründeten Mogadischu, Kilwa und andere bedeutende Niederlassungen.« (II/463/81 f.)

Der gesamte Handel mit Indien und Ostasien hatte bis zur Portugiesenzeit vorwiegend in den Händen islamischer Kaufleute gelegen. Die Waren gelangten von dort über den Landweg mit den Zwischenstationen Alexandria, Genua und Venedig zu den Handelsplätzen Europas. Die zahllosen Zölle und Abgaben, die auf diesem Wege an örtliche Herrscher zu entrichten waren, oft auch hohe Geldsummen, die die Kaufleute aufzubringen hatten, um sich von Piraten und Räubern freizukaufen, verursachten auf den europäischen Märkten enorme Preise.

Mit seinen Entdeckungen und Eroberungen stellte Portugal eine unmittelbare Verbindung zu den Ursprungsländern der Gewürze und Luxusartikel her. Die Ausschaltung des oberitalienischen, vorderasiatischen, arabischen und zum Teil auch des indischen Zwischenhandels ließ Lissabon zeitweilig zu einem Hauptumschlagplatz des europäischen Orienthandels werden. Die begehrten Waren des Orients waren Gold und Silber, Edelsteine und Perlen, Elfenbein, kostbare Stoffe und Waffen, aromatische Öle und seltene Gewürze. Die Spezereien aus Indonesien, Ceylon und Indien, wie Pfeffer, Muskat, Zimt und Nelken, wurden in Europa teuer gehandelt. Den Portugiesen ging es bei ihrem Versuch, am Handel im und rund um den Indischen Ozean, ja bis zum Chinesischen Meer, teilzunehmen, in erster Linie um den erhofften Gewinn, wenn es auch an anderen Beweggründen nicht mangelte. »Sie stützten sich zuvörderst auf die Pflicht, den Mauren und Heiden das Evangelium zu predigen ... Sie schilderten zugleich die großen Vorteile, welche der Indische Handel bereits gewährt hätte . . ., daß das angelegte Geld wenigstens fünffältig, und zum Teil 20, 30 und 50fältig gewuchert hatte.« (II/429/165)

In dem frühen portugiesischen Kolonialreich, das durch ein System von Stützpunkten an den Küsten Afrikas, im Nahen Osten, in Persien, in Indien, auf den Molukken, auf Ceylon, in China, in Japan,

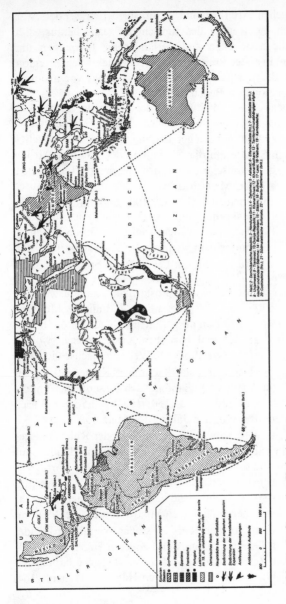

Abb. 11: Anfänge der Kolonialexpansion

auf dem Malaiischen Archipel und in Brasilien repräsentiert war, hob sich deutlich die Region des Indischen Ozeans heraus, d. h. Ostafrika und die asiatischen Anliegerländer bis Indonesien und Japan, mit Indien, in erster Linie Goa, als Kernstück — eine Region, die im Komplex des portugiesischen Kolonialreiches vor allem im 18. Jahrhundert besondere Bedeutung hatte.

Auf seiner ersten Reise 1497/98, auf der Vasco da Gama (1469 bis 1524) den langgesuchten Seeweg nach Indien (Malabarküste) fand und von der er 1498 mit reicher Ladung zurückkehrte, segelten die portugiesischen Schiffe um das Südkap an der Ostküste Afrikas entlang. Für die ostafrikanische Küste wird von den dort ansässigen »Mauren«, den »farbigen Menschen, welche Mestizen von Mauren und Negern zu sein scheinen«, (Ebenda/100) und ihren Diensten bei der Lebensmittelversorgung und bei Informationen über die traditionellen Schiffahrtsrouten auf dem Indischen Ozean berichtet. Ein maurischer Lotse mit einem »schwarzen Schiffsjunge(n)« und »Abessinier«, die an Bord kamen und Lebensmittel brachten, fanden Erwähnung. (Ebenda/103 f.)

Vasco da Gama suchte verschiedene ostafrikanische Küstenplätze auf, bis dann die 23tägige Fahrt quer über das Indische Meer mit Hilfe eines einheimischen Lotsen ausgeführt und Kalikut, der bedeutende Handelshafen an der malabarischen Küste, erreicht worden war. Die Rückreise erfolgte in ähnlicher Weise: zunächst die Fahrt nach Mogadischu und an der ostafrikanischen Küste entlang bis zum Südkap und von dort nach Lissabon. Nach Reisen seiner Landsleute Cabral (1500/1501) und Nova (1501/1502) unternahm Vasco da Gama eine zweite Reise in den Jahren 1502 und 1503.

Schon auf der ersten Reise war ihm in Kalikut der Ruf vorausgegangen, daß er ein »Seeräuber« sei. Die einheimischen Händler auf und rund um den Indischen Ozean sahen in den ersten portugiesischen Seefahrern nichts weiter als »Freibeuter, die auf der See räuberten«, (Ebenda/105) und ein »heidnischer« Fürst hielt es nicht für ratsam, sich mit ihnen einzulassen »und dadurch die Mauren, deren Feinde sie wären, vor den Kopf zu stoßen, von deren Handel nach Mekka, Aden, Dshidda, Ormus und anderen Häfen die Wohlfahrt seines ganzen Reiches abhinge«. (Ebenda/117) Sie hatten den »ganzen Gewürzhandel von Indien in ihren Händen«. (Ebenda/164)

Über die zweite Reise liegt der authentische Bericht eines Antwerpener Seemanns vor, der an dieser Fahrt teilgenommen hat. Danach besuchten sie im Juni 1502 Sofala an der Sofalaküste, die sich bis zur Sambesimündung erstreckte. Handelsgeschäfte wurden den Portugiesen hier nicht erlaubt. (I/75/9) Die Portugiesen erfuhren vom Binnenreich Monomotapa, das »von Mauern eingeschlossen« sei. (Ebenda/32) »Ein Mauren (eine Mauer, H. L.) wird daselbsten gefunden, 25 Spannen breit: von welcher Landleute halten, daß sie der Teufel gebaut habe: erstreckt sich von Cefala, in die 510 kleine Meyln, der rechten Liny nach. — Diß orts soll unvermeldet nicht bleiben, daß in Africa, und auff der Indianischen Meerseitten, die alte Gebäuwe so wunderbarlich, so herrlich und so statlich sich sehen lassen, daß sie den Römischen Gebäuwen leichtlich zu, wa nicht vor thund.« (Ebenda/33) Die Portugiesen erfuhren auch von den Goldminen. Schon auf der ersten Reise wurde Vasco da Gama mit der Insel Moçambique, 200 Meilen von Sofala (nicht mit dem gleichnamigen Festland Moçambique zu verwechseln!) bekannt und bewunderte mit Erstaunen große arabische Schiffe, die mit Kompaß, Quadranten und Seekarten versehen waren.

Als Vasco da Gama nach Indien gelangte, versuchte er, für den König von Portugal ein Handelsmonopol für Spezereien zu erlangen. »Aber wir konnten's nicht durchsetzen.« (Ebenda/16) Um jeden Preis sollte der Bezug von Gewürznelken, Muskatnüssen, Pfeffer, Ingwer und anderem künftig über das Südkap statt durch das Rote Meer geleitet werden. Es galt daher, die portugiesische Seemacht zu entfalten und Angst und Schrecken zu verbreiten. »Aber um dieselbe Zeit nahmen wir ein Schiff von Mekka, da waren 380 Männer drin und viele Frauen und Kinder. Und wir nahmen daraus wohl 12 000 Dukaten und wohl noch 10 000 an Kaufmannswaren. Und wir verbrannten das Schiff und all das Volk zu Pulver am 1. Oktober.« (Ebenda) Das Schiff hatte dem Sultan von Ägypten gehört, war von Mekka gekommen und steuerte auf Kalikut, um dort eine Anzahl islamischer Pilger ans Land zu setzen. (Auf der Fahrt nach Kalikut wurden Geiseln genommen und später getötet.) In Kalikut kämpften die Einheimischen »vor der Stadt mit unsrer Macht und (wir) kämpften mit ihnen 3 Tage und fingen viel Volks und hängten sie an die Schiffsrahen und nahmen sie wieder und schlugen ihnen Hände und

Füße und den Kopf ab und nahmen eines von ihren Schiffen und warfen die Hände und Füße und Köpfe da hinein und schrieben einen Brief und setzten den auf eine Stange und ließen das Schiff ans Land treiben. Wir nahmen da ein Schiff und legten Feuer daran und verbrannten viele von des Königs Untertanen.« (Ebenda/17)

1503 fiel Sansibar, das Seetor Ostafrikas, in die Hände der Portugiesen. 1505 wurde die Stadt Mombasa an der afrikanischen Ostküste das Opfer portugiesischen Machtstrebens, und 1507 mußte sich Hormuz im Südosten Arabiens einer portugiesischen Kriegsflotte beugen. 1510 entbrannten Kämpfe um den Besitz von Kalikut an der indischen Malabarküste.

Als die Portugiesen die Küste von Malabar, die »Pfefferküste« des südwestlichen Indien, erstmals betraten, war Indien in verschiedene größere und kleinere Reiche geteilt, und selbst das Küstenland Malabar mit den Städten Kalikut, Goa, Kotschin und Moroin (Comorin) zerfiel wieder in kleine politische Herrschaftsgebiete. Der Handel lag meist in den Händen von Arabern und Persern.

Der Herrscher von Kalikut, der mächtigste von allen, war der »Samorin«. Unter seinem Schutz war Kalikut der Hauptausfuhrhafen für Zimt. Nelken und Muskat. Als ersten Verbündeten gewann der portugiesische »indische Vizekönig« die mit Kalikut verfeindete Stadt Kotschin. In der Folgezeit sanken die Bedeutung und der Wohlstand von Kalikut, das seine einstige Vormachtstellung allmählich verlor. 1510 nahmen die Portugiesen die stark befestigte Hafenstadt Goa ein. Das zentral gelegene »Goldene Goa« stieg zur Hauptstadt und Residenz des Vizekönigs auf.

Im Jahre 1511 eroberten die Portugiesen Malakka. Die Halbinsel Malakka mit ihrem gleichnamigen Hafen, in welchem es nach Auffassung der Portugiesen keine Stürme gab und nie ein Schiff zugrunde ging, bildet den schmalen südostasiatischen Festlandsausläufer, der heute zu Burma, Thailand, Malaysia und Singapur gehört. Die Hafenstadt Malakka war einer der berühmtesten Märkte und Handelsplätze im südostasiatischen Raum. Neben Aden und Hormuz war sie einer jener drei Knotenpunkte des Indienhandels, von denen die Portugiesen sagten, daß derjenige, der sie besitze, sich Herr der Welt nennen könne, denn mit diesen »drei Schlüsseln« vermöge er alle Pforten zu den Reichtümern der Erde zu öffnen.

Seit 1511 legten die Portugiesen im Malaiischen Archipel zahlreiche befestigte Plätze an, unter anderem auch auf Timor, der mit 32 300 Quadratkilometern größten der Kleinen Sundainseln. 1514 begann die Expansion in Indonesien. 1518 eroberten die Portugiesen Colombo, die Hauptstadt von Ceylon.

Als die Portugiesen nahezu ununterbrochen in kleinen und größeren bewaffneten Konflikten das Handelsprivileg im Indischen Ozean durchzusetzen und zu behaupten suchten, kam ihnen die Zwietracht der Küstenstädte und -herrschaften zugute.

Nicht wenige Staaten Asiens und Afrikas waren in Kriege und Konflikte verwickelt und häufig durch innenpolitische Schwierigkeiten geschwächt. Südindien wurde von mohammedanischen Sultanen und hindustanischen Eroberern beherrscht. Das Osmanische Reich führte Krieg in Europa. Das Mamlukenreich in Ägypten fiel unter den Schlägen der Türken. Rivalisierende Städte und Stadtstaaten wurden gegeneinander ausgespielt, mit Feuer und Schwert, aber auch durch die Politik des Teilens und Herrschens. Die unaufhörliche Rivalität zwischen den Stadtstaaten an der ostafrikanischen Küste und die Unterstützung der Portugiesen durch den Sultan von Malindi, der aus Feindschaft zu Mombasa über hundert Jahre ihr treuester Vasall war, erklären die portugiesischen Erfolge in diesem Raum. Innerhalb von zehn Jahren konnte die gesamte Küste südlich des heutigen Somalia unter Kontrolle gebracht werden. Es gab aber von Anfang an eine starke Gegentendenz. So gelang es nicht, die mohammedanischen Scheichtümer am Roten Meer zu unterwerfen, obwohl Aden, die Hafenstadt und Festung, Hüterin des Seeweges nach Indien am Ausgang des Roten Meeres, mehrmals den Angriffen portugiesischer Kriegsschiffe ausgesetzt war. Die vom portugiesischen König geforderte Zerstörung von Mekka und Suez und die Ausdehnung des portugiesischen Herrschaftsbereiches auf die Somalihalbinsel, die in ferner Zeit als Land der Milch (Somal), des Weihrauches und der Myrrhe bekannt war, glückte nicht. Die Stadt Aden, der durch die Portugiesen schwere Wunden zugefügt worden waren, fiel im 16. Jahrhundert der fast völligen Zerstörung durch die Türken anheim.

Bald erwuchs den Portugiesen ernsthafte Konkurrenz durch andere europäische Mächte. Gegen Ende des 16. Jahrhunderts verloren sie ihre Vormachtstellung; die Niederlande, England und Frankreich, die den kapitalistischen Weg konsequenter beschritten, brachen die Weltmachtstellung Portugals.

Die Kolonialexpansion im Indischen Ozean vom 16. bis 18. Jahrhundert verursachte eine Deformierung der sozialen Entwicklung der betroffenen Länder, in deren Folge eine »feudale Stabilisierung« stattfand.

Herrschaftsanspruch und Wirklichkeit

Die seitherige Geschichtsschreibung über das Auftreten der Portugiesen steht meist im Banne des Aufstiegs Portugals zu einer Kolonialmacht und der Schaffung eines riesigen Kolonialreiches, ohne den tatsächlichen Einfluß kolonialer Kräfte auf die Indikregion ausreichend zu differenzieren. Die üblichen historischen Darstellungen lassen sich, kurz zusammengefaßt, auf folgenden Nenner bringen: Mit Waffengewalt wurden die historisch gewachsenen engen wirtschaftlichen und kulturellen Verbindungen, die jahrhundertelang zwischen Ostafrika und Asien bestanden, zerstört und die arabischen Händler verjagt. An die Stelle des durch Araber vermittelten Landverkehrs trat die direkte Seeverbindung mit den Anliegerländern des Indischen Ozeans. Portugal erlangte mit der Kontrolle über die wichtigsten Handelswege, die Europa mit Asien verbanden, politische, wirtschaftliche und militärstrategische Vorteile, die das Kräftegleichgewicht in Europa und im Nahen und Mittleren Osten wesentlich veränderten. Die Bedeutung des Mittelmeeres, in dem sich bisher die Handelsstraßen der Welt kreuzten, sank nun auf die eines Binnenmeeres herab. Venedig, Genua und Alexandria, Städte, die auf der Grundlage des Orienthandels eine gewaltige Machtstellung besessen hatten, verloren an Gewicht. Die ostafrikanische Küste wurde im Verlaufe zahlreicher Kriege Zwischenstation auf dem Weg europäischer Schiffe nach Indien und China. Mit dem Stillstand des traditionellen Handels zwischen Afrika und Asien ging eine bedeutende Phase stadtstaatlicher und kultureller Entwicklung in Ostafrika zu Ende. Die islamischen Völker, seit dem 7. Jahrhundert Zwischenhändler und kulturelle Vermittler zwischen Asien, Afrika und Europa, wurden ausgeschaltet. Eine jahrhundertelange Periode friedlicher Handelsentwicklung auf dem Indischen Ozean fand ihren Abschluß. Die Auswirkungen reichten bis nach China. Die europäische Herrschaft in der Indikregion und der Grad ihrer Wirksamkeit vom 16. bis zum 18. Jahrhundert sollte heute in der wissenschaftlichen Forschung eine differenziertere Einschätzung erfahren. Die Bewohner der Region waren keine passiven Opfer, sondern selbständig handelnde Subjekte, die ihrem sozialen und kulturellen Leben trotz der Fremdeingriffe auch weiterhin nach eigenen Vorstellungen Form und Inhalt gaben. Die Portugiesen mußten sich mehr in das System des Fernhandels im Indischen Ozean einfügen, als der Blick auf den Aufstieg ihres Kolonialreiches erkennen läßt. Wie sich die traditionellen Positionen der einheimischen Konkurrenz trotz neuer Handelsrivalen, wie Holland im 17. Jahrhundert, zu behaupten vermochten und wie erst die beginnende Eroberung Indiens durch England ab 1757 eine Wende einleitete, widerspiegeln die Reiseberichte, vornehmlich jene des 18. Jahrhunderts.

Die Berichte zeichnen ein breites Panorama der historischen Ereignisse, beginnend mit den großen Entdeckungen und Eroberungen im 15. und 16. Jahrhundert, über den kolonialen Einfluß der Portugiesen, Niederländer, Franzosen und Engländer bis zu den vergeblichen Versuchen des portugiesischen Kolonialismus, der zeitweise auf vier Kontinenten zwischen Brasilien und Ostindien herrschte und der in seiner Geschichte mit so ziemlich jeder vorstellbaren kolonialen Herrschaftsform experimentierte, um seine Macht zu vergrößern.

Das äthiopische Kaiserreich hatte 1513 dem portugiesischen König ein Bündnis angeboten, um der Dominanz islamischer Nachbarn im Bereich des Roten Meeres entgegenzuwirken. 1529 kam es zu dem seit langem erwarteten Konflikt zwischen Äthiopien und angrenzenden islamischen Gebieten. Eine Hilfeleistung von seiten Portugals war nicht in Sicht. Nach anfänglichen Niederlagen, so im Jahre 1531, konnten die äthiopischen Soldaten aus eigener Kraft eine Wende herbeiführen. Erst als der Krieg faktisch schon zugunsten Äthiopiens entschieden war, landete am 9. Juli 1541 eine mit Kanonen ausgerüstete 400 Mann starke portugiesische Einheit und rückte in das Innere des Landes vor. 1543 erkämpften die äthiopisch-portugiesischen Truppen den Sieg in einer entscheidenden Schlacht. Der

Krieg wurde nach dreißig Jahren 1559 beendet, ohne grundlegend das Kräfteverhältnis zwischen beiden Seiten zu verändern.

Erneute Versuche Äthiopiens Ende des 16. Jahrhunderts, Hilfe von Europa zu erhalten, blieben erfolglos. »Die Herrscher, die mit einer Verwirklichung ihrer politischen Pläne rechneten, d. h. auf eine Verbindung der äthiopisch-europäischen Interessen auf der Grundlage gleichberechtigter Partnerschaft, die Herrscher also, die bereit waren, der römischen Kirche beizutreten, um die wirtschaftlichen und politischen Bande zwischen beiden Seiten zu festigen, wobei sie sich über die Bedeutung im klaren waren, die das Rote Meer in türkischer Hand für den europäischen Handel mit dem Fernen Osten haben mußte, waren von vornherein zum Scheitern verurteilt. Sie begingen in ihren politischen Überlegungen einen tragischen Fehler. Die politische Konzeption einer äthiopisch-europäischen Koalition ... lief der europäischen Konzeption der Kolonisierung der Gebiete Afrikas und Asiens entgegen ... Ihnen wurde ... die von Europa erwartete Hilfe nicht zuteil, da diese den Interessen der kolonisierenden Mächte widersprach.« (II/156/Teil 1/ 160 f.)

Vergeblich waren auch die Bemühungen Portugals, sich in den Besitz der Schätze des Goldlandes im oberen Sambesi- und Sabigebiet zu setzen. Zwischen dem 6. und 8. Jahrhundert hatte sich hier die Simbabwe-Kultur entwickelt, deren steinerne Überreste noch heute bewundert werden. Seitdem hatte der Abbau der Gold- und Kupfervorkommen begonnen. Mehr als 1 000 Bergwerke wurden entdeckt, deren Schächte 15 bis 30 Meter tief waren. Die Fördermethoden waren die gleichen, wie sie aus dem Süden Indiens seit dem 3. Jahrhundert u. Z. bekannt sind. Seit dem 10. Jahrhundert war das Gold als Gegenleistung für Baumwollgewebe und Glaserzeugnisse nach Indien exportiert worden. »Bauten, die denen von Simbabwe ähneln, sind noch in einer Reihe von anderen Orten Südafrikas zu finden.« (II/298/Bd. II/479)

An der islamischen Ostküste Afrikas kam es seit dem 17. Jahrhundert zur Zurückdrängung des portugiesischen Herrschaftsanspruchs. Sansibar und die Gebiete nördlich Moçambiques gingen verloren. Das einzige Ergebnis der jahrhundertelangen Versuche, an der ostafrikanischen Küste Fuß zu fassen, bestand wahrscheinlich darin, daß die Handelswege — die von der Küste des Indischen Ozeans in das Innere des Kontinents führten und die ursprünglich weiter im Süden lagen — sich nach Norden verlagerten.

1652 hatte die Niederländisch-Ostindische Kompanie beschlossen, am Kap der Guten Hoffnung eine Zwischenstation für die nach Indien fahrenden Schiffe zu gründen. Europäische Siedler (Buren) kamen in das Land, ihre Zahl war bis 1795 auf 20000 gestiegen. 1795 bis 1803, endgültig dann im Jahr 1806, ging die Kapkolonie in britischen Besitz über.

Die durch das Auftreten der Portugiesen in den Regionen von Afrika bis China ausgelösten Veränderungen wirkten sich nicht sofort aus, und die Herrschafts- und Eroberungsansprüche Portugals bedeuteten noch nicht die plötzliche Ausschaltung der einheimischen Konkurrenz und ihrer traditionellen Positionen. Selbst nachdem die Portugiesen eine nominelle Kontrolle durch ein Netz von Stützpunkten an strategisch wichtigen Stellen (Meer- und Landengen) errichtet hatten, vermochten sie lediglich einen Monopolanspruch für den den Indischen Ozean verlassenden Fernhandel nach Europa durchzusetzen, und auch dies nur so lange, wie es ihnen ihre nachdrängenden europäischen Rivalen gestatteten.

Für die tatsächlichen Kräfteverhältnisse im Indischen Ozean, wie sie bis weit in die zweite Hälfte des 18. Jahrhunderts bestehen blieben, und den Widerstandswillen der einheimischen Konkurrenz gibt eine der seltenen osmanischen Reisebeschreibungen des bereits genannten Kjatibi Rumi aus der Anfangszeit der portugiesischen Indienfahrten ein realistisches Bild. Kaum war dieser 1553 im Auftrage Sultan Suleimans I. durch den Persischen Golf an der Insel Hormuz vorbeigesegelt, begegnete er einer portugiesischen Flotte von fünfundzwanzig Schiffen und lieferte ihr mit seinen fünfzehn Galeeren eine kühne Schlacht. Trotz der weit geringeren Zahl seiner Schiffe sah man ihn siegend aus diesem Kampf hervorgehen und seine Reise längs der Küste von Arabien fortsetzen, obgleich seine Galeeren stark gelitten hatten. Ähnliches ereignete sich nach siebzehn Tagen, als er von einer neuen portugiesischen Flotte mit insgesamt vierunddreißig Schiffen angegriffen wurde; er sah sich gezwungen, an der arabischen Küste vor Anker zu gehen, um in dieser nachteiligen Stellung den Kampf aufzunehmen. Es gelang ihm jedoch, den portugiesischen Admiral bei Anbruch der Nacht zum Abdrehen zu veranlassen. Sechs Galeeren waren in dem ungleichen Kampf verloren gegangen. Mit den übrigen stach Kjatibi Rumi erneut in See. Durch Winde von der arabischen Küste abgetrieben, fuhr er unsicher umher und geriet in Richtung der Küsten von Persien und Indien. Er erreichte die indische Westküste, und auf der Weiterfahrt nach Surat wurde er zum dritten Mal von Portugiesen angegriffen. Mit seinen unbrauchbaren Schiffen ohne Geschütze konnte er zwar seinen Feinden nicht mehr entgegentreten, allein er floh auch nicht, sondern verschanzte sich mit seinen wenigen Leuten auf der Küste, um den neuen Angriff zu erwarten, und setzte dann seine Reise zu Lande fort. (II/218/134ff.)

Wie die einheimische Konkurrenz vorging, zeigt beispielsweise ein Bericht über Sumatra. »Als die Chinesen noch Besitzungen in Indien hatten, brachten sie selbst ihre Waren dahin und holten dafür Gewürze. Nach ihnen hatten die Mauren sich des ganzen Handels, vom Persischen Meerbusen gegen Osten bis nach China, und gegen Westen nach allen Ländern bemächtigt, und hatten die letzteren mit allen Erzeugnissen des Morgenlandes versehen. Nachdem aber ihr Handel durch die Portugiesen gestört worden, vermieden sie die malabarische Küste, und gingen durch die maledivialen Inseln, um sich mit Pfeffer, und zugleich mit andern Gewürzen, die aus Malakka nach Passeng und Pedio gebracht wurden, zu versehen. Wie die Portugiesen ihnen auch dort hinderlich wurden, nahmen sie zum Teil ihren Weg um die Insel Sumatra hinum nach Sunda, um ihre Bedürfnisse von den Javanern zu holen.« (II/429/35)

Die erste portugiesische Expedition an der Küste von Sumatra entging nur mit Mühe der Vernichtung, als sie im Hafen von Malakka ankerte. Im allgemeinen war es für Indonesien schon damals klar, daß die Portugiesen unmöglich imstande sein würden, das neuentdeckte riesige Ländergebiet auszunutzen oder gar zu kolonisieren. Von einer wirklichen Unterwerfung auch nur der Küstenländer der größeren Inseln ist nie die Rede gewesen. Was für Indonesien galt, traf auf alle portugiesischen Einfluß- und beanspruchten Kolonialgebiete in der Indikregion zu. Erst recht galt es für die Versuche der kolonialen Einflußnahme im Südchinesischen Meer, wie noch zu sehen sein wird. Die erforderlichen Korrekturen an der Einschätzung der Wechselbeziehungen zwischen den Staaten Europas und den Ländern des Indischen Ozeans können sich auf die Reiseberichte des 16. bis 18. Jahrhunderts und ihre Neuinterpretation stützen, die sich auch in dieser Frage als wertvolle Quelle erweisen. Langsamer als bisher vermutet und nur gegen heftigen Widerstand vermochte sich die koloniale Komponente durchzusetzen.

Die Stabilität des »Welthandelssystems« zwischen Ostafrika und China konnte auf Traditionen aufbauen, die bis in das Altertum zurückreichten, und noch im 18. Jahrhundert wurde der Seehandel im Indischen Ozean von den Europäern de facto nicht beherrscht. Der Reisebericht des Johann Wilhelm Vogel aus dem Jahre 1678 zeigt das sehr deutlich.

2. Der Reisebericht des Johann Wilhelm Vogel

Unter den Reisenden, die im Gefolge der portugiesischen, später der niederländischen, englischen und französischen Handels- und Kolonialunternehmen zum Indischen Ozean und seinen Anliegerländern aufbrachen, befand sich 1678 Johann Wilhelm Vogel (1657 bis 1723). Der »zu Ernstroda im Amte Reinhardsbrunn am 14. März 1657, also unter der Regierung Herzogs Ernst des Frommen, des über sein Zeitalter erhabenen, unvergleichbaren Fürsten« (I/74/4), in eher bescheidenen Verhältnissen geborene Johann Wilhelm Vogel war der Sohn eines Schreibers im Amte Reinhardsbrunn. Mit fünf Jahren begann er seinen Schulbesuch in Ernstroda, wo ihm »das Lesen, Schreiben, Rechnen und das Christentum aus Luthers Katechismus, nebst den Psalmen Davids und andern Hauptstücken der Evangelisch-Lutherischen Religion« beigebracht wurden. (Ebenda/5) Seit 1665 besuchte er in Waltershausen die »Trivialschule«, lernte Latein und verließ im Jahre 1671 nach bestandener Prüfung diese Schule, um im gleichen Jahr in Gotha das Gymnasium zu besuchen. Die Mittel seiner Eltern erlaubten es nicht, ein Studium aufzunehmen, weshalb er 1674 eine Schreiberstelle bei der Herzoglichen Kammer übernahm, wo »er sowohl in Rechnungs- als Bergwerks- und Münzsachen, vornehmlich aber in der Probierkunst (Analyse von Erzproben, H. L.), mit welchen letzteren Dingen der Kammerschreiber viel zu tun hatte, indem Herzog Ernst und Herzog Friedrich zu Sachsen-Gotha ihn öfters zu solchen Verrichtungen brauchten, täglich mehr lernen konnte«. (Ebenda/10)

Johann Wilhelm Vogel verfügte bald über genügend Einkünfte, auch durch Nebenarbeiten, »indem ihn weder Tag noch Nacht Mühe und Arbeit verdroß« (Ebenda/11) so daß er seine Eltern unterstützen und sich außerdem noch in seiner freien Zeit mit der »Probierkunst« befassen konnte, die für den Betrieb des Bergbaus unentbehrlich war.

Sein Lebensziel war auf Reisen nach fremden Ländern gerichtet, wozu ihn ein Freund aus seiner nächsten Umgebung ermutigte. »Unter anderen befand sich damals ein Kanzlist in der geheimen Kanzlei, namens Caspar Schmalkalden, welcher in seiner Jugend die Reise nach Ost- und Westindien getan und glücklich vollendet hatte: Derselbe pflegte öfters von seinen Reisen eines und das andere zu erzählen und die Verschiedenheit der Landesart und der Nationen mit den kostbaren Waren und den anderen Schätzen Indiens hinreißend darzustellen.« (Ebenda/12)

Vogel reiste 1678 nach Amsterdam und wurde nach »geschehener Prüfung und Probe« von der Niederländisch-Ostindischen Kompanie als »Probierer« unter einen fünfjährigen Vertrag genommen. Als Prüfungsaufgabe erhielt er im Labor des Bürgermeisters Erzproben aus Sumatra, die er zu bestimmen hatte. Im Dezember 1678 liefen die Schiffe aus, mit denen Johann Wilhelm Vogel nach Sumatra fahren und seine Arbeit in einem niederländischen Bergwerk aufnehmen sollte. Zu diesem Zeitpunkt konnte er noch nicht voraussehen, daß sein dortiger Aufenthalt sich aus unterschiedlichen Gründen auf zehn Jahre ausdehnen sollte.

Von seinen Erlebnissen gab Johann Wilhelm Vogel einen umfangreichen Bericht, der unter dem Titel »Zehen-Jährige Ost-Indianische Reise-Beschreibung« 1704 in Altenburg erschien. In der Forschungsbibliothek in Gotha existiert eine handschriftliche Erstfassung, die Vogel unmittelbar nach seiner Rückkehr nach Thüringen geschrieben hatte. Sie trägt das Datum vom 23. April 1689, wurde von ihrem Verfasser persönlich dem Herzog von Sachsen-Gotha und Altenburg überreicht und war Grundlage für eine erste Veröffentlichung im

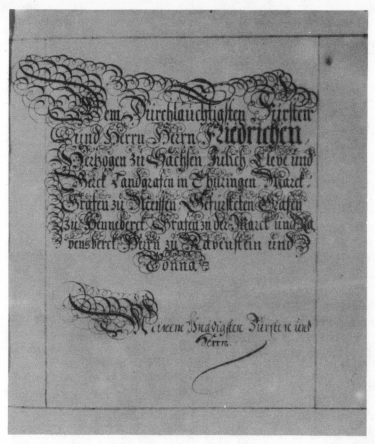

Abb. 12—17 auf den Seiten 95—101: Der Reisende Johann Wilhelm Vogel aus Thüringen (1657—1723) verbrachte die Jahre 1679 bis 1689 im Dienste der Niederländisch-Ostindischen Kompanie. Seine 1704 in Altenburg erschienene Reisebeschreibung (2. revidierte und vermehrte Auflage 1716) hatte eine erste Fassung, die Vogel persönlich dem Herzog von Sachsen-Gotha und Altenburg überreichte. Anschreiben an den Herzog und die ersten Seiten des Reiseberichtes

95

Jahre 1690. Vogel setzte damit eine Tradition in der Residenz des Herzogtums fort, die mit den äthiopischen Studien von Hiob L. Ludolf und der Reise von dessen Schüler Johann Michael Wansleben im Jahre 1663 nach Afrika begonnen hatte (vgl. S. 57 ff.).

Im Gegensatz zu anderen Reiseberichten geriet das Buch von Johann Wilhelm Vogel wohl bald wieder in Vergessenheit, aus der es nur noch einmal, im Jahre 1812, durch seinen Urenkel J. H. M. Ernesti, hervorgeholt wurde, der in Gotha mit dem Lebenslauf

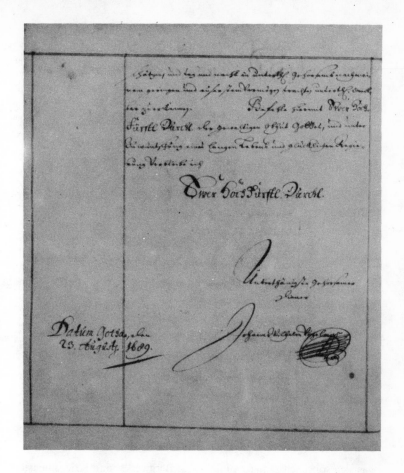

auch eine gedrängte Zusammenfassung der Reise seines Urgroß-
vaters veröffentlichte. (I/74)

Ernesti gab auch eine Übersicht über die Schriften von Vogel:

»(1) Journal seiner Reise nach Holland und Ostindien, Frankfurt
und Leipzig, bei Friedrich Groschuff 1690. 12. 1696. 12. Es erschien
auf Verlangen. Da aber in demselben nur die Hin- und Rückreise,
nebst einer kurzen Beschreibung der vornehmsten Reiche und Länder
in Indien, nichts von anderen Merkwürdigkeiten, oder von dem,

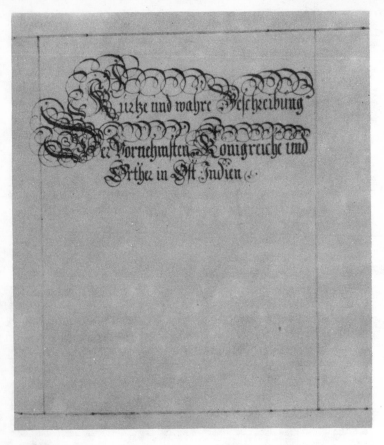

Kurtze und wahre Beschreibung
Der Vornehmsten Königreiche und
Örther in Ost-Indien.

was sich sonst seit seiner neunjährigen Bergwerks- und Kriegsdienste zugetragen hat, vorkommt; überdies auch die Exemplare gänzlich vergriffen waren: so nahm er, auf Anraten vornehmer Personen, und auf vielfältiges Bitten mehrerer guter Freunde, im Jahr 1704, ungeachtet seiner damaligen, mühsamen Rechnungsverrichtungen. in welchen ihm wenige müßige Stunden gelassen wurden, das Werk aufs Neue vor, übersah es fleißig und trug aus seinen Manuskripten, was an Staats- und Kriegssachen, auch sonst vorgefallen war, treulich nach. Da auch diese Exemplare völlig vergriffen waren und häufig

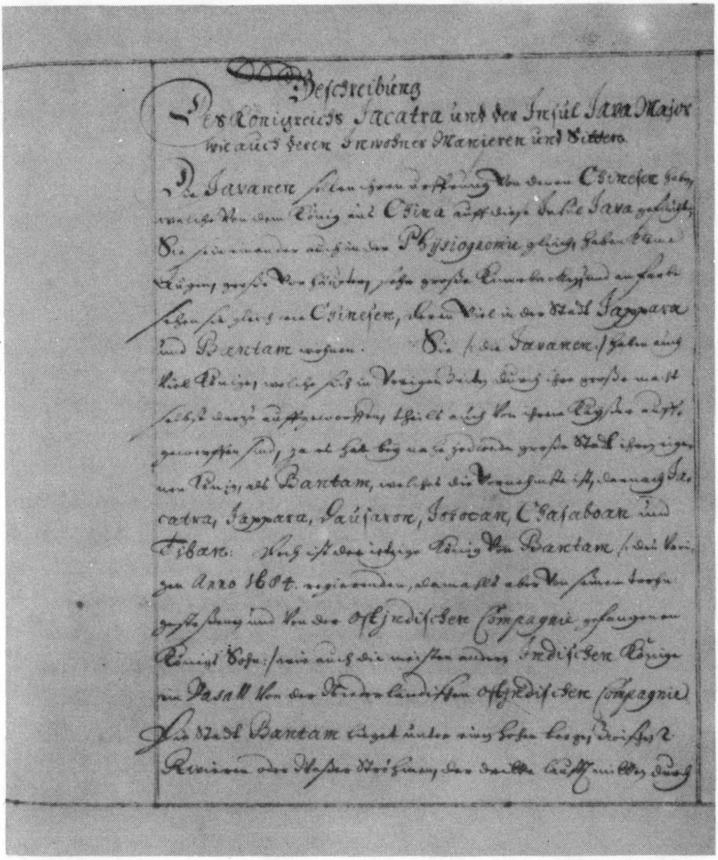
Beschreibung
Des Königreichs Jacatra und der Insul Java Major
wie auch deren Inwohner Manieren und Sitten.

nach Vogels Reisebeschreibung gefragt wurde, mit dem Wunsche, daß sie doch wieder aufgelegt werden möchte: so erfolgte von dem Verfasser selbst die dritte auf verschiedene Art vermehrte Ausgabe. Daher (2) Johann Wilhelm Vogel etc. zehnjährige, jetzt aufs Neue revidierte und vermehrte Ost-Indianische Reisebeschreibung, in drei Teile abgeteilt. Davon der erste des Autors Abreise nach Holland und Ostindien, nebst einem Bericht von unterschiedlichen Örtern und deren merkwürdige Sachen in sich begreift. Der andere des Autors in Indien verrichtete Dienste und die meisten Gewächse, Tiere, Früchte, Bergwerke etc. beschreibt. Der dritte und letzte aber die Rückreise nach Holland und Deutschland, und wenn er wieder in Gotha bei den Seinigen angelangt, vorstellt. Nebst einem Anhange oder kurzen Beschreibung der vornehmsten Länder und Königreiche in Indien, derselben Zustand und Gewohnheiten, samt deren Einwohner, Lebensart und Sitten etc. Altenburg, Druck und Verlag Joh. Ludwig Richters, 1716. 8. Der Vorbericht ist an diejenigen, welche zu Lande oder zur See eine Reise vornehmen, was sie auf solchen Reisen zu beobachten und wovor sie sich zu hüten haben;

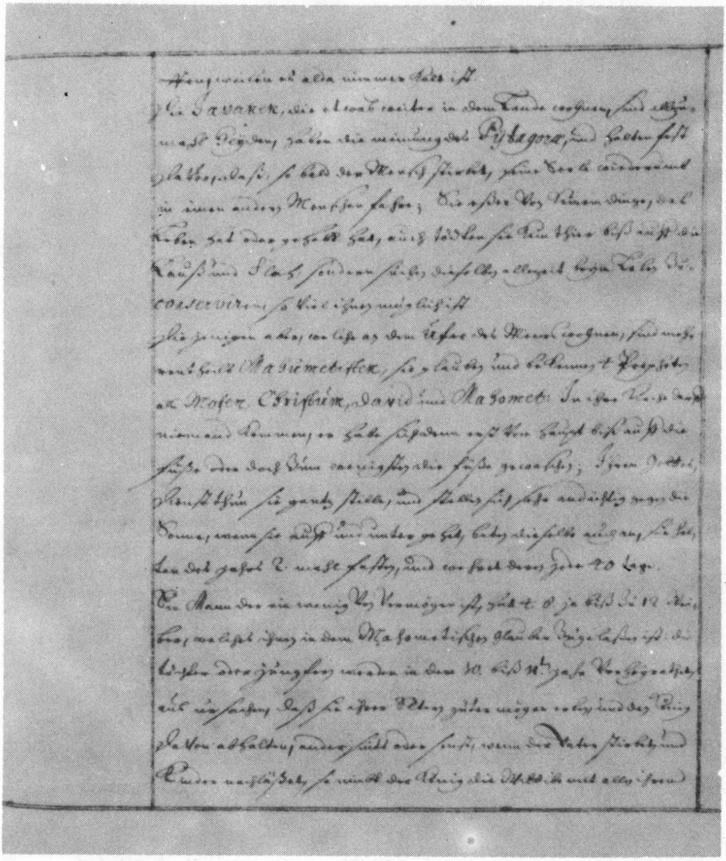

nebst einer kurzen Erzählung vom Schiffsleben, wie es auf den Schiffen zugehe, und wie die Missetäter gestraft werden. Der Urenkel besitzt sein eigenes Exemplar mit den Abbildungen, nicht in Kupfer, sondern gemalt, und mit seiner Hand dazu geschrieben. Von der Güte des Werks siehe auch Grundriß einer Geschichte der Menschheit von C. Meiners.

(3) Der vollständige und zu allerhand vorfallenden Rechnungen geschickte und fertige Rechenknecht. In vier Teile abgeteilt. Davon der erste 1) den Zinsknecht auf 4, 5 und 6 von 100, und 2) die Ein-

wehr aufs Getreide und Getränk, der andere 1) den Kaufmannsdiener auf Waren, so nach dem Zentner und Stein verkauft werden, 2) den Getreidehändler, 3) den Wein- und Bierschenken, 4) den Holz- und Dielenfaktor, wie auch den Leinwandhändler; der dritte 1) den fertigen Schichtmeister auf Zubuß und Ausbeut, 2) den Hütten- oder Erzprobierer, 3) den fertigen Guardein auf die Feine aus Gold und Silber, Pagament (Bruchsilber), 4) den Gold- und Silberlieferant; der vierte 1) die Kaufmanns-Börse oder Resolvierung unterschiedlicher aus- und inländischer Münzen, 2) die fertigen Proviantmeister, oder Resolvierung aller Getreidegemäß, vorstellt und in sich beschließt. Mit großem Fleiß sowohl auf Reichstaler, als Meißnische Gulden, von der kleinsten bis auf die größte Sorte aufs genaueste ausgerechnet, und nebst einem Anhange, worin zu finden, 1) der Lehnknecht, 2) unterschiedliche bei fürstlichen Amts- und anderen Rechnungen vorfallende Taxe in Gewicht etc., 3) der Ziegelhüttenknecht 4) der Vorwerksverwalter. Allen Rechnungsbeamten, Kauf- und Handelsleuten, wie auch Bergwerks-, Hütten-, Münz- und Kriegsbedienten und sonst jedermänniglich zu sonderbarem Nutzen zum Druck befördert. Von Johann Wilhelm Vogel, Fürstlich-Sächsischen Berg-Insepektor zu Gotha und Saalfeld. Gedruckt zu Gotha bei Christoph Reyhern, Fürstl. Sächs. Hofbuchdrucker 1694. Der ausführliche Titel spricht für die Wichtigkeit. Außer den bekannten gedruckten Schriften mehrere Manuskriptbände, die ein widriges Schicksal hatten. Einige wurden noch erhalten. Drei große Folianten, worin die Landesverfassung der drei Fürstentümer Sachsen-Gotha, Sachsen-Coburg und Sachsen-Meiningen zu sehen ist, und worauf der Verfasser, auch wegen der unsäglichen Mühe und Arbeit, und sein einziger Sohn, als Erbe, mit Recht großen Wert legten, sind durch Vorspiegelungen eines Mannes (aber keines Coburgers), der sein Interesse dabei hatte, ohne Vergeltung (was dem Durchlauchtigsten Hause verborgen blieb) in das Coburgische geheime Archiv gekommen. Siehe die autobiographischen Fragmente. Zwei Folianten von Münzwesen sind an einen Minister verborgt und nicht wieder zurückgegeben worden.« (Ebenda/58 ff.)

Johann Wilhelm Vogel vermittelte ein umfangreiches Bild von Afrika und Asien, wobei das Schwergewicht auf Asien lag. Bevor im folgenden auf einige Beobachtungen eingegangen wird (die sprachliche Gestaltung bleibt in ihrem stilistischen Charakter gewahrt, soweit es die Verständlichkeit zuläßt), ist zunächst die Situation in der Indikregion in der zweiten Hälfte des 17. Jahrhunderts zu skizzieren.

Die Niederländer, die Engländer und die Franzosen begannen, das Monopol der Portugiesen für den Handel zwischen Indik und Europa zu brechen. 1622 unterstützten englische Kriegsschiffe den Schah von Persien bei der Eroberung der Festung Hormuz. Nach dem Fall von Hormuz ging es mit Portugal unaufhaltsam bergab. 1641 mußte es Malakka räumen. Auf Ceylon begann 1638 die Eroberung portugiesischer Plätze durch die Niederländer. Holländische Truppen belagerten 1655 und 1656 die Hauptstadt der Insel, Colombo. Die Portugiesen verloren mehr als 7000 Mann und wurden zum Abzug gezwungen. 1661 nahm die Niederländisch-Ostindische Kompanie eine Reihe von portugiesischen Stützpunkten an der Küste von Malabar (Südindien) ein.

Vom portugiesischen Kolonialreich in Asien, besser gesagt, von dem portugiesischen Netz von Stützpunkten an strategisch wichtigen Stellen, von denen die Kontrolle über den nach Europa gehenden Warenstrom ausging, waren Ende des 18. Jahrhunderts nur noch Bruchstücke übriggeblieben: in Indien die kleinen Gebiete von Goa, Daman und Diu, in Indonesien ein Teil der Insel Timor und — wie noch zu behandeln ist — Macao an der südchinesichen Küste.

An der afrikanischen Ostküste kam es im 17. Jahrhundert zu zahlreichen Aufständen, in deren Ergebnis die Portugiesen bis zum ersten Drittel des 18. Jahrhunderts alle Plätze nördlich von Mocambique verloren.

Zu folgenreichen Kämpfen kam es im Reich Monomotapa, das sich auf dem Gebiet des heutigen Simbabwe befand. Zeitgenössische Berichte bezeichneten das Land mit dem Namen seines mächtigen Herrschers, der in steinernen Schlössern residierte. Infolge von Thronstreitigkeiten innerhalb der herrschenden Dynastie von Monomotapa war es den Portugiesen einst gelungen, durch Unterstützung einer der Parteien seit 1607 Einfluß auf die Minen zur Förderung von Gold, Kupfer, Eisen und Zinn zu gewinnen. Aufbegehrende Afrikaner zerstörten Ende des 17. Jahrhunderts die Goldminen. Später mußten sich die Portugiesen an den Unterlauf des Sambesi, also in das Gebiet der Kolonie Moçambique, zurückziehen. Nur dort vermochten sie sich zu halten. Als Portugal im Raum des Indischen Ozeans verloren hatte, vollzog sich ein Umschwung in seiner Kolonialpolitik, deren Schwergewicht sich auf Westafrika und Brasilien verlagerte. Niederländer und Engländer traten in der Indikregion an die Stelle der Portugiesen und bemächtigten sich deren Erbe.

Johann Wilhelm Vogel erreichte mit den holländischen Schiffen im Mai 1679 das Kap der Guten Hoffnung. Hier beginnen die für unsere Thematik interessanten Nachrichten seiner Reisebeschreibung. Das Land oder Küste von Afrika sei sehr goldreich (I/104/64): Nach Surat (Indien, damals Stadt im Mogulreich) sei einst ein Gesandter des »Königs von Abessinien« gekommen und habe unter anderen Geschenken dem großen Mogul einen »Baum ganz von Gold« (Ebenda) mitgebracht. »Ingleichen findet man in dem Königreich Monomotapa und insonderheit in der Landschaft Mouckara in verschiedenen Flüssen viele Goldkörner, welches aber nicht so gut als das andere: So kommen auch zu gewissen Zeiten einige Caffren aus dem Lande Saba, welches weit von der Provinz Mouckara gelegen, und bringen ihr Gold, in dergleichen Stücken, wie das von Monomotapa besteht, zu Markt nach Sofala, auch nach Cairo in Egypten, daß sie es auf hohen Bergen finden und nicht über zehn oder zwölf Schuh aus der Erden graben dürften . . .« (Ebenda) Über die »Hottentotten« (die Nama-Stämme) teilte er vom Hörensagen mit: »Dieses ist nur ein sehr wüstes und rohes Volk . . . Zuweilen streifen sie landwärts ein nach der Provinz Monomotapa . . .« (Ebenda/69 f.) Den Indischen Ozean beschrieb Vogel als gefährlich, vor allem bei heftigen Orkanen. Er vermerkte über die auf fremde Schiffsbesuche eingestellten kleinen Händler: »In der Straße Sunda und um diese Gegend kamen viele Javanen mit kleinen Fahrzeugen an unser Schiff und brachten allerhand Erfrischungen an Hühnern, Eiern, Pisang, Kokos-Nüssen, Ananas und dergleichen mit, welches wir erhandelten, und ihnen dagegen Messer, Nadeln und dergleichen geringe Waren wiederum an Zahlung statt gaben.« (Ebenda/91)

Im Juli 1679 gelangte Vogel nach Batavia (Djakarta) auf der Insel Djawa (Java), dem damaligen Mataram-Reich. Aus seinem Reisebericht geht hervor, daß er Java und Sumatra am besten kennenlernte.

Im Anhang des Reiseberichts gibt Johann Wilhelm Vogel »Eine kurze Beschreibung der vornehmsten Länder und Königreiche in Indien« (Ebenda/575ff.), auf deren Grundlage der Frage nachzugehen ist, ob und in welchem Maße Portugal und später dessen Rivalen Holland, England und Frankreich sich in das traditionelle System des Fernhandels in der Indikregion einfügten oder ob es schon früh zu einer Zerstörung der traditionellen Handels- und Wirtschaftsstrukturen kam. Das grundlegende Kriterium für eine solche Beurteilung ist natürlich, inwieweit die jeweilige Zentralgewalt in den verschiedenen Ländern weiterhin die Kontrolle über den Fernhandel, vor allem über die Küstenplätze behielt.

Über das »glückselige Arabien« heißt es bei Johann Wilhelm Vogel, es sei dem »türkischen Reich unterworfen und dessen Befehlen gehorsam«. (Ebenda/679) In Aden betrieben die Kaufleute, Araber, Armenier, Türken, Perser und andere, einen »großen Handel« mit Ägypten. Mekka sei »wegen der vielen Kaufmannschaft ebenfalls, besonders aber wegen Mohammeds Grab, welches Tausende fremde Pilger jährlich besuchen und dahin Wallfahrten gehen, sehr berühmt«. (Ebenda) Die Einwohner seien Beduinen, die »in keinen Städten wohnen, sondern in Einöden und wüsten Örter suchen, woselbst sie sich in schlechten Hütten behelfen, die von einer Stadt zur andern mit ihren Büffeln ziehen und Milch verkaufen«, oder die sich vom Feldbau ernähren. (Ebenda/680) Erwähnt werden Leute, die sich dem Kriegsdienst oder dem Raub verschrieben hatten: »Ihre Waffen sind Pfeil und Bogen, Säbel und Spieße . . .« (Ebenda) In der Wüste hielten sich »Räuber und Mörder auf, so auf die Karawanen und Kaufleute lauern, und dieselbe des ihren berauben. Durch dieses wüste Arabien reisen in verschiedenen Straßen jährlich die Kaufleute von Constantinopel, Smirna, Aleppo usw. nach Balsore . . .« (Ebenda/681) Der Karawanenverkehr ging in Arabien in alter Weise seinen Gang. »Alle Jahre gehen zwei große Landzüge von 5 bis 6000 Kaufleuten, welche man Karawanen nennt, die kommen aus der großen Stadt Aleppo aus Syrien, drei Tage-Reisen von der Stadt Tripoli, welche am Ufer des Mittelländischen Meeres liegt. Diese Karawanen durchziehen die vornehmsten Städte, und geschieht solche Reise . . . auf folgende Weise: Sie legen alle ihre Güter auf Kamele und Dromedare und reisen damit etliche 100 Meilen durch die fremden Länder ... Diese Kaufleute müssen zehn bis vierzehn Tage reisen, ehe sie durch diese Sandsee kommen, und bedienen sich auf dieser Reise keiner anderen Tiere als Kamele und Dromedare.« (Ebenda/677f.)

Das Königreich Persien als Anliegerstaat des Indischen Ozeans stellte sich im 17. Jahrhundert nahezu unbeeinflußt von den Aktivitäten der europäischen Kolonialmächte als Teil der traditionellen Handels- und Wirtschaftsstruktur dar. »Der König ist wegen seines Reichtums, Macht und Herrlichkeit einer der mächtigsten Potentaten in der Welt, folgt der Lehre des Ali, eines Sohnes Mohammeds, nimmt so viele Weiber als ihm beliebt. An dem Seestrande liegt eine Stadt genannt Gameron, welche von den Persern und Türken bewohnt, und sehr schlecht mit Häusern auch ohne Mauern aufgebaut ist, die Gassen sind nicht gepflastert, sondern voller Sand. In dieser Stadt haben die Holländer, Franzosen und Engländer eine Logie oder Kaufhaus ... Die Perser sind durchgehend gute Soldaten ..., ihr Gewehr ist Pfeil und Bogen, Säbel und Lanzen.« (Ebenda/671f.) Alljährlich reisten die Vertreter der europäischen Kaufmannschaft zur zentral im Innern des Landes gelegenen Herrscherresidenz Isfahan, wo der König Hof hielt, und — wenn auch von Johann Wilhelm Vogel nicht beschrieben — der Höhepunkt solcher Reisen war wahrscheinlich, wie in anderen Ländern auch, für fremde Kaufleute mit einer Audienz beim König, der Übergabe von Geschenken und der zeremoniellen Unterwerfung unter die im Lande herrschenden Normen und Regeln verbunden. (Ebenda/676)

Isfahan war eine für damalige Verhältnisse große Stadt, umgeben von Vorstädten, und Sitz zahlreicher fremder Kaufleute: Engländer und Niederländer, Spanier, Italiener, Portugiesen, Armenier, Türken, Inder und anderer. »Das königliche Schloß ist sehr prächtig gebaut, hat einen Vorhof über 600 Schritt lang und über 200 breit, in welchem man rundum Krämerbuden mit allerhand Waren sieht und antrifft. So ist auch außerhalb dieses Vorhofs eine schöne Allee längs einem Wassergraben, mit den seltensten Bäumen, die in Persien zu finden, und spazieren täglich viele tausende in selbigen hin und her.« (Ebenda/

Die Beschreibung der verschiedenen Teile von Indien in dem Reisebericht beansprucht ganz besondere Aufmerksamkeit. Indien stellte sich zwischen dem 16. und 18. Jahrhundert als ein Subkontinent mit einem florierenden Handelsverkehr dar, von dem nach wie vor entscheidende Impulse ausgingen. Die Hauptstadt Ahmedabad des im Westen Indiens gelegenen Königreiches Gudscherat war befestigt, mit einer starken Mauer umgeben, und im Schloß hielt »der Gouverneur des großen Mogul« seinen Hof. (Ebenda/656) Gudscherat erkannte die Oberherrschaft des Moguls an, der in Delhi seine Residenz besaß. »Dieser König ist der großmächtigste Potentat von Reichtum über alle Kaiser und Könige in ganz Orient, sein Reichtum besteht mehrenteils in Juwelen. Er hat lange Jahre mit dem Könige von Persien große Kriege geführt und tut es noch bis auf diesen Tag.« (Ebenda/657)

Unter den reichen Städten des Landes befand sich die am arabischen Meer gelegene Hafenstadt Surat, die im Fernhandel eine bedeutende Rolle spielte. Die Kaufleute, unter ihnen Holländer und Engländer, entrichteten »3 bis 4 pro Centum dem Mogol zum Zoll«. (Ebenda/656) Ein Kastell, das mit einer starken Garnison besetzt und mit über 40 Kanonen ausgerüstet war, schützte die Stadt mit ihren zahlreichen Kaufmannshäusern und Lagerschuppen.

Johann Wilhelm Vogel berichtete von vielen Hafenstädten an der Malabar- und der Südostküste des indischen Subkontinents, in denen es ebenfalls zahlreiche Kaufleute gab. Die Städte besaßen meist einen königlichen Oberherrn, der nur in seltenen Fällen seine Aufsichtsrechte über den Fernhandel in einem Küstenort an einen europäischen Repräsentanten abgetreten hatte.

Johann Wilhelm Vogel erwähnte mehrmals Mohren auf dem indischen Subkontinent: in der Stadt Nagapattinam (Ebenda/650), in Surat (Ebenda/662) und in der Gegend von Ahmedabad (Ebenda/668). Mit den Mohren, der veralteten Bezeichnung für Afrikaner, waren aber nicht immer Menschen gemeint, deren Herkunft Afrika südlich der Sahara gewesen ist. Dunkelbraune Hautfarbe gibt es auch bei den Ureinwohnern Südindiens und bei anderen Völkern. Dieses charakteristische Merkmal, die intensiv pigmentierte Haut, die vor einer zu starken Wirkung des Sonnenlichtes schützt, hatten die alten negroiden und australiden Populationen im tropischen Afrika und in Südasien gemeinsam.

Vogel führt auch eine Anekdote an, die von der Art und Weise,

107

wie die Portugiesen auf der Insel Ceylon billig Grundbesitz zu erwerben suchten, erzählt. »Die Portugiesen sollen, wie man sagt, als sie die Insel vor mehr als 200 Jahren betraten, den Kaiser von Ceylon oder König von Candy gebeten haben, ihnen so viel Land einzuräumen, als sie mit einer Ochsenhaut bedecken könnten. Da ihnen nun der König solches bewilligte, sollen sie die Haut in subtile Riemen zerschnitten, damit ein sehr großes Stück Land umzogen ober belegt, und alsbald die Stadt Columbo zu bauen angefangen haben ... Es haben aber die Einwohner, da sie diesen Betrug gesehen, von solcher Zeit an jederzeit blutige Kriege mit ihnen geführt, bis endlich die Holländer mit ins Spiel gekommen und die Portugiesen gänzlich von der Insel vertrieben, und darnach waren die Holländer Meister und Herren von den Strandländern, während das übrige der Kaiser von Ceylon oder König von Candy regiert und beherrscht, der in der Stadt Candy seine Residenz hat und prächtig Hof hält.« (Ebenda/637) Auch auf der Insel Ceylon vermochten Europäer, hier die Niederländisch-Ostindische Kompanie, bestenfalls ihren Einfluß an den Küstenplätzen geltend zu machen. Aber das ging nicht ohne Reibungen. »Dieser König und die Niederländer haben öfters miteinander Mißverständnis, und müssen diejenigen so von denen Holl- oder Niederländern in Ambassade an ihn nach Candy geschickt werden, insgeheim daselbst in Arrest bleiben, in welchem auch die meisten sterben ...« (Ebenda/637f.) Die Bewohner der Insel Ceylon wurden ähnlich wie die Malabaren Südindiens beschrieben: Sie »sind aber nicht so schwarz, daneben sind sie sehr verständig in Gold, Silber und Eisen zu arbeiten, sie machen die schönsten Rohrmusketen und Pistolenläufe von ganz Indien, haben eine sehr manierliche Tracht oder Kleidung ...« (Ebenda/638) Der König kontrollierte die Edelerzgewinnung. »Auf dieser Insel gibt es viel Gold- und Silbergruben, aber der König will nicht gestatten, daß man dieselben suchen oder öffnen soll. So findet man auch noch andere Metalle, nämlich Kupfer, Zinn und Eisen.« (Ebenda/640) Die nicht selten vorkommenden Edelsteine »mögen ohne Erlaubnis des Königs nicht gesucht werden ...« (Ebenda)

Abb. 18—30 auf den Seiten 109—171: Zeichnungen aus dem 1688 veröffentlichten »Thessaurus Exoticorum oder Schatz-Kammer außländischer Raritäten und Geschichten«

Das Königreich Bengalen, das durch den Ganges nahezu durchschnitten wurde, besaß zahlreiche Handelsstädte. »Der Kaufhandel, welchen die Ostindische Compagnie mit den Bewohnern des Landes treibt, besteht in Katunen, Zeug und Leinwand, welche fast an keinem Orte besser zu bekommen, auch gibt es dort schöne Seide, mit welcher ganze Schiffe beladen und nach Europa gesandt werden ... Die Einwohner, Mohren, Benjanen und Jentiven sind schwarzbraun von Farbe ...« (Ebenda/632)

Über den bedeutenden See- und Handelsplatz Malakka schrieb Johann Wilhelm Vogel, diese Stadt sei, »als die Portugiesen sich deren bemächtigten, eine der größten Kauf- und Handelsstädte in ganz Indien gewesen (Indien hier als Begriff über den eigentlichen Subkontinent Indien hinausgehend, H. L.), sie ist auch von ihnen erweitert, mit schönen Gebäuden, Klöstern, Kirchen und einem festen Schloß versehen, denselben aber nachmals durch die Holländer Anno 1641 nach einer beinahe halbjährigen Belagerung eingenommen, und damals fast ganz destruiert worden, so daß nunmehr gegen vorige Zeiten zu rechnen, wenig Kaufmannsschaft allda getrieben wird. Und gleichwie diese Stadt nicht allein ein Beschirmplatz und Zuflucht der Portugiesen von ganz Indien, sondern auch bequem und sehr gelegen gewesen, um Handel zu treiben, also ist dieselbe von unterschiedlichen Nationen, nämlich denen Chinesen, Einwohnern von Moluckes, Banda, Sumatra, Siam und Bengalen in vorigen Zeiten sehr fleißig besucht worden. Zwischen der Stadt mit dem Schloß fließt ein starker Strom vorbei, über welchen eine Brücke geschlagen, und liegen auf besagtem Strom wie auch in dem Hafen von der Stadt, viele Schiffe von vorbenannten Nationen. Mehrbesagte Stadt Malacca liegt auf der festen Küste von India oder Malleya 2 Grad 30 Minuten unter der Mittagslinien am Seestrande auf einem Hügel, ist mit starken Wällen und Mauren nach jetziger Festungsbauart fortifiziert, die Inwohner heißt man Malleyer, sie sind schwarzbraun von Farbe, glauben den Alcaron, haben Kleidung wie die Javanen, sind denenselben auch in Umgang, Sitten, Handel und Wandel gleich, und reden sehr gut Malleyisch, welches eine sehr liebliche Sprache, und vor die beste in ganz Orient gehalten wird.« (Ebenda/622f.)

Auf Sumatra gab es »sehr widerspenstige Leute«; (Ebenda/607) an mehreren Plätzen bewiesen sie gegenüber der Niederländisch-Ostindischen Kompanie »Untreu und Handelsbruch«, bevorzugten die »protection der Engländer« (Ebenda/620) und mußten »mit Kriegsmacht überzogen, abgestraft und wiederum unter devotion der Niederländischen Ostindischen Compagnie gebracht« werden. (Ebenda/618) Die einheimische Obrigkeit schirmte sorgfältig die Goldbergwerke ab und setzte hierzu bewaffnete Kräfte ein. »Und um diesen allem besser vorzukommen, und allen Betrügereien zu wehren, muß der Panglima (Feldherr) dieses Orts mit seiner Garnison, die ungefähr aus 100 bis 120 Mann besteht, und mit zwei bis drei leichten Stücken, auch einigen Musketen und Rohren versehen, an dem Munde dieses Flusses in einem mit Pallisaden besetzt und nach ihrer Art ein wenig fortifizierten Orte bleiben, gute Aufsicht und Wacht halten.« (Ebenda/615) Nur durch Einmischungen in die lokalen Regierungsgewalten und Waffenlieferungen an diesen oder jenen der miteinander rivalisierenden Distrikte sowie erzwungene Bündnisse vermochten sich die Niederländer zu behaupten.

Auch die Beobachtungen des Johann Wilhelm Vogel in Indochina, in den Königreichen Arakan, Pegu und Siam, bestätigen das für das 17. Jahrhundert skizzierte Gesamtbild: Nirgendwo ging europäische Macht über die Küstenplätze hinaus. (Ebenda/623 f.) Der europäische Einfluß, so zeigt sich, konzentrierte sich im wesentlichen auf die Hafenstädte, über die zudem meist noch die einheimischen Herrscher ihre Macht behielten. Von einer kolonialen Unterwerfung des Hinterlandes war für die Zeit vom 16. bis zur Mitte des 18. Jahrhunderts noch nicht die Rede. Die traditionelle Handels- und Wirtschaftsstruktur blieb trotz einer von Batavia (Djakarta) ab 1619 ausgehenden neuen Entwicklungstendenz erhalten, wie noch zu sehen sein wird. Die Hafenstädte und Küstenplätze so der Reisebericht aus den Jahren 1678 bis 1688, waren geprägt vom zeitweiligen oder ständigen Aufenthalt zahlreicher fremder Kaufleute, aber der nichteuropäische Anteil überwog eindeutig. Die Bevölkerung der vom Fernhandel lebenden Städte war nach ihrer Herkunft bunt gemischt. Bei den verschiedenen Gruppen städtischer Bevölkerung hatten sich Besonderheiten in der Lebensweise herausgebildet, welche sie vom 16. bis zum 18. Jahrhundert deutlich von den Landbewohnern unterschied. Allerdings ist es problematisch, die städtische Bevölkerung völlig von dem ländlichen Umfeld zu trennen, wie es bei Tscheboksarows geschieht: »Jeder Stamm oder jede Gruppe verwandter Stämme gehörte in der Regel zu dem einen oder anderen wirtschaftlich-kulturellen Typ und zum Bestand eines bestimmten historisch-ethnographischen Gebietes ... Stadtbevölkerungen in frühen Klassengesellschaften gehören weder zum Bestand wirtschaftlich-kultureller Typen noch zu historisch-ethnographischen Gebieten.« (II/477/122)

Die Entstehung der Städte, und das galt auch für die Plätze an der Küste, hing in beträchtlichem Grade von der Entwicklung der Zentralgewalt, der sozialen Differenzierung und der wirtschaftlichen Spezialisierung ab, blieb aber in die allgemeinen Entwicklungsmöglichkeiten eingebunden. Zwischen Stadt und Land vollzog sich ein Handels-, aber auch ein Kulturaustausch. Die Übergänge zwischen Stadt und Land waren fließend, was sich meist schon im äußeren Bild, der Architektur, widerspiegelte. In den meisten Fällen kontrollierte die jeweilige zentrale Autorität auch im 16., 17. und 18. Jahrhundert den Fernhandel, natürlich auch das Kriegswesen, die Speicherung von Vorräten, die Verteilung von Lebensmitteln, Rohstoffen und Manufakturerzeugnissen. Das europäische Stützpunkt- und Handelssystem, wie es im wesentlichen bis Mitte des 18. Jahrhunderts, abgesehen von Batavia, ohne große Veränderung bestand, wurde Teil des einheimischen traditionellen Fernhandelssystems und fügte sich in die städtischen Zivilisationen und in die dort vorhandene komplizierte Struktur der Klassengesellschaft ein. Die Portugiesen mit ihren schwachen Kräften an Schiffen und Personal, aber auch die Holländer, Franzosen und Engländer erlangten ökonomische und politische Macht nur im Rahmen der für Ausländer geltenden Vorschriften, vermochten jedoch in der Regel nicht, das Hinterland herrschaftlich zu beeinflussen. Mit einer Ausnahme: Die Insel Djawa (Java), das Mataram-Reich, stieg im 17. Jahrhundert zum Ausgangspunkt niederländischer kolonialer Machtentfaltung auf, die zur Entstehung eines niederländischen Kolonialreiches auf Java, Borneo, Celebes und Ceylon führte.

Die im 16. Jahrhundert im Mataram-Reich erschienenen Portugiesen waren bald durch die Holländer verdrängt worden. Nur ein Teil der Insel Timor blieb portugiesisch. 1610 erfolgte die erste Niederlassung der Niederländisch-Ostindischen Kompanie in Djakarta, das seit 1619 Batavia genannt wurde und im Laufe des 17. Jahrhunderts als Stadt zur »Königin des Ostens« aufblühte. Von Batavia aus bildete sich eine neue Entwicklungslinie, die auf die Zerstörung der traditionellen Handels- und Wirtschaftsstruktur mit weitreichenden Auswirkungen auf das Hinterland abzielte, sich aber erst ab 1757 mit der beginnenden Eroberung Indiens durch England durchsetzte und im modernen Kolonialsystem endete. Als sich 1798 die Niederländisch-Ostindische Kompanie auflöste, kamen die Inseln als Kolonien unter direkte Herrschaft der Niederlande (1816).

Johann Wilhelm Vogel schildert die Anfänge der niederländischen Kolonie auf der Hauptinsel Java, deren politische Lage verworren war. »Sie haben viel Könige, welche sich in vorigen Zeiten durch ihre große Macht selbst dazu aufgeworfen, teils auch von ihrem Kaiser, dem großen Matteran, aufgeworfen sind, ja, es hat beinahe jedwede große Stadt ihren eigenen König . . . Der Kaiser oder große Matteran als Oberregent von Java besitzt den gegen Osten gelegenen Teil dieser Insel, hält in der Stadt Matteran, . . . sehr prächtig Hof . . .« (I/104/577) Im westlichen Teil von Java herrschte der König von Bantam. Er war »ein Vasall von der Niederländischen Ostindischen Compagnie und mit seinem Lande derselben unterworfen«. (Ebenda/ 581)

»Die Stadt Bantam liegt unter einem hohen Berge, zwischen zwei Wasserströmen, der dritte läuft mitten durch die Stadt, dieselbe ist ziemlich groß, die Ringmauer ist auf der einen Seite, nämlich gegen den Hafen zu, von roten Backstein aufgeführt, auf der andern Seite aber gegen das Gebirge ist keine Mauer, sondern nur eine Brustwehr. Auch stehet Geschütz um die Stadt her, welches sie vor diesem nicht mit Vorteil nicht haben wissen zu gebrauchen, bis durch die Engländer und Franzosen ihnen selbiges gewiesen worden, die Tore sind vor diesem auch sehr schwach und ohne Eisenwerk gewesen, aber nunmehro und seit dem Jahr 1684, da diese Stadt nebst dem größten zu diesem Königreich gehörigen Strich Landes durch der Niederländisch-Ostindischen Compagnie Waffen unter deroselben Subjection gebracht worden (ist), wird so wohl die Stadt auch die Tore nach holländischer Manier fortitiziert und gebauet, auch ein Kastell darin angelegt, so mit holländischer Garnison besetzt. Über dieses hat diese Stadt einen geräumigen Hafen, worin große und kleine Schiffe sicher wider die Sturmwinde vor Anker liegen können, ist demnach zum Kaufhandel sehr wohl gelegen und bequem, und wird von allerhand Indianisch- (indischen, H. L.) wie auch der englischen und französischen Nation Handlung daselbst gepflogen, wiewohl denen beiden letztern dieselbe nunmehro ziemlich umschränkt ist, und sie nicht die Hälfte der Freiheit haben, die sie vor diesem, ehe die Stadt unter der Holländer Jurisdiction gekommen, gehabt haben.« (Ebenda/581f.)

Besonders aufschlußreich ist, was Johann Wilhelm Vogel aus eigenem Erleben von der Stadt Batavia berichtete, etwa über die von den Holländern praktizierte Justiz, deren Härte natürlich im Zusammenhang mit den Kolonialplänen stand: »In der Mitte der Stadt steht das Rathaus, ein schönes Gebäude, vor welchem ein schöner geraumer Platz, daselbst werden diejenigen Missetäter, so unter der Stadt Jurisdiction gehören, justifiziert, und zu dem Ende jedesmal ein Schafott aufgebaut. Weil aber öfters geschieht, daß bei Hinrichtung der Missetäter, zumal wenn Indianer (Inder, H. L.) unter denenselben begriffen, Aufruhr erreget wird, so sind in dem Rathause auf jeder Seite des Tors, wo man hinein geht, zwei Kanonen mit Kartätschen oder Hagel geladen, gepflanzet, und Konstabel ... dabei gestellt, das Schafott aber mit etlichen Compagnien Europäer-Soldaten, die einen Kreis schließen, umgeben. Sobald man nun Aufrührer unter den Zuschauern vermerkt, wird gleich darnach getrachtet, selbige zu greifen oder aus dem Wege zu räumen, dieselben verkriechen sich aber insgeheim unter das andere Volk ... Die Justiz wird aufs strengste mit Spießen, Vierteilen, Rädern, Hängen, Köpfen und dergleichen administriert und exequiret, welcher Rigor höchstnötig, um das unbändige und aus allerhand Nationen bestehende Volk zu zähmen und unter Furcht zu erhalten.« (Ebenda/102f.)

Die Bevölkerung der Stadt Batavia setzte sich aus ethnisch ganz unterschiedlichen Gruppen zusammen, wobei an allen Handelsplätzen offenbar die Anwesenheit einer größeren oder kleineren Anzahl von Ausländern eng mit der Handelsbedeutung dieser Orte zusammenhing. »In und außerhalb der Stadt Batavia, in den Vorstädten und auf etliche Stunden weit darvon liegenden Außenposten und Gärten wohnen Europäer und allerhand Indianische (indische,

H. L.) Nationen, nämlich: Javanen, Macassaren, Bougissen, Ambo-nesen, Bandanesen, Chinesen, Balier und dergleichen untereinander, doch die Indianer (Inder, H. L.) mehrenteils in den Vorstädten, Außenposten, Gärten und Feldern, weil man sie in großer Anzahl in der Stadt wohnen zu lassen, aus Beisorge, daß sie leichtlich Aufruhr erregen könnten, Bedenken trägt. Mir ist von einem Buchhalter aus dem General-Comtoir zu Batavia vor die gewisse Wahrheit erzählet worden, daß in- und außerhalb gedachter Stadt Batavia sich allein in 70000 Chinesen, welche der Ostindischen Compagnie Kopfgeld geben müssen, andere Nationen nicht gerechnet, befunden.« (Ebenda/106)

Die Angaben über den chinesischen Bevölkerungsteil sind sehr detailliert. Die Chinesen hatten einen Kapitän, der gebrochen holländisch sprach, »ein Mann von gutem Verstand und höflichen Umgangs, mit diesem wird alles, was seine Nation angehet, beratschlaget, und das was beschlossen, durch ihn seinen Landsleuten vorgetragen und exequiret«. (Ebenda/106f.) Die »Vermögensten unter ihnen treiben Kaufhandel, in Porzellan, Zucker, Tee, Lackwerk und vielerhand andern Waren«. (Ebenda/107) Die Chinesen präsentierten nicht nur ihr Warenangebot, sondern auch ihre Kunst und ihre Kultur, so wenn »die Vornehmsten vor ihren Häusern Theatras, welche mit abscheulichen Gemälden und Fratzen-Gesichtern ausgezieret sind, aufbauen, und auf denselben allerhand Historien von ihren Vorfahren und Kaisern auf der Art der Komödien zu spielen. Diese Komödianten sind oft gar wunderlich, zu Zeiten gleich den Unholden, zu Zeiten aber zierlich gekleidet, und wissen wunderliche Aufzüge mit allerhand Gaukelspiel zu machen, ja ihr Gaukelwerk ist zuweilen so seltsam, daß man urteilet, es gehe die größte Zauberei dabei vor. Sie wissen, wie mir unterschiedliche Personen erzählet, die es selbsten nur etliche Jahr vor meiner Ankunft mit angesehen, an einem Bambusrohr, das acht, zehn oder mehr Ellen hoch ist, in die Höhe und auf dessen Spitze zu klettern, auf welche sie sich legen oder darauf treten, und allerhand Posituren, in welchen sie das Tempo das Equilibrii wohl in acht zu nehmen wissen, machen; anderer fast unglaublicher Gaukeleien mehr zu geschweigen«. (Ebenda/111f.) Des weiteren berichtete Vogel von der in Batavia hoch angesehenen chinesischen Heilkunst. Unter den Chinesen in Batavia

»findet man . . . auch treffliche Medicos, die insonderheit sich wohl auf den Puls verstehen, und nach Befindung desselben die Krankheit eines Patienten beurteilen und kurieren. Der Obermedicus Herr D. Andreas Kleyer, welcher fleißig mit solchen chinesischen Medicis conferiret, hat in Lateinischer Sprache ein trefflich Buch de circulatione sanguinis & motupulsus geschrieben, und mit Figuren illustriert, ob es aber in Druck, wie es gekommen, weiß ich nicht«. (Ebenda/107)

Der Reisebericht von Johann Wilhelm Vogel bestätigt, worauf Untersuchungen hinweisen: »Die Portugiesen wollten Einfluß auf Handelsströme, nicht globale Eroberung des Hinterlandes. Sowohl Indien als auch China hatten mit ihren Landmassen so viel politisches und wirtschaftliches Eigengewicht, daß die Ansiedlung von Ausländern an ihren Küsten sie wohl zeitweilig stören konnte, sie jedoch — noch — nicht im Lebensnerv trafen.« (II/211/97)

3. Kulturelle Wechselbeziehungen und die Religionen

3.1. Analogien in Kultur und Lebensweise

Weltgeschichtliches Denken und eine vergleichende Geschichtsforschung in afro-asiatischer Perspektive muß sich von dem alteingewurzelten Glauben an die Alleingültigkeit der Kultur des Mittelmeerkreises freimachen und islamisch-afrikanische und islamisch-arabische, buddhistisch-asiatische und hinduistische Kulturen vorurteilsfrei in ihre Betrachtung einbeziehen. Besonders interessant sind die seither noch wenig untersuchten Analogien in den Kulturen der Völker Nordost- und Ostafrikas, Südwest- und Südasiens sowie Südost- und Ostasiens. Kulturelle Wechselbeziehungen realisierten sich über den Handel, der sich über weite Entfernungen erstrecken konnte, über die Migrationen, die teilweise ungewöhnliche Ausmaße annahmen (Besiedlung Madagaskars), und die Ausbreitung der großen Religionen. Schon in alter Zeit dehnten sich die Kommunikationslinien im Raum des Indischen Ozeans aus; früher unzugängliche Gebiete wurden erschlossen. Wie der Islam, so adoptierten Buddhis-

mus und Hinduismus nicht selten kulturelle Ausdrucksformen, wie sie sich bereits vor der Entstehung dieser Religionen in der historisch-kulturellen Region von Afrika bis China herausgebildet hatten. »Heute wissen wir«, so ein Wissenschaftler im Jahre 1926, »weit über Herodots Standpunkt hinausgehend, daß die Circumcision, die Entfernung der Vorhaut des männlichen Geschlechtsteils, eine in allen Erdteilen vorkommende Sitte ist . . . Am stärksten verbreitet ist sie . . . bei den Hottentotten, (Nama, H. L.), am Kongo und Senegal, bei den Masai, in Nubien und schließlich bei allen Muselmanen dieses Erdteils . . . Auf (dem asiatischen Kontinent) findet sie sich in Kleinasien, Persien, Kurdistan, Afghanistan, Belutschistan, Indien, in der Tartarei (Westturkestan), der Mongolei und auf Japan . . . Es spricht viel dafür, daß die Beschneidung . . . eine einheimische afrikanische Sitte gewesen und aus dem oberen und mittleren Nilgebiet, wo sie sich noch heute findet, und einst von den alten Äthiopen geübt wurde, nach Norden gedrungen ist . . .« (II/472/128 f.)

Ähnliches wie bei der Beschneidung gilt auch für andere Sitten und Bräuche, die sich für verschiedene Teile Afrikas und Asiens schon seit alters her belegen lassen. Ein Beispiel ist der Brauch, Heuschrecken zu verspeisen. Er war im Altertum bei den libyschen Stämmen (in getrocknetem, zermahlenem Zustand auf Milch gestreut), später bei den Arabern (geröstet und nach den Vorschriften des Koran ohne Kopf, Flügel und Beine), in Persien (gesotten und gesalzen) sowie in Hinterindien (in gebratenem Zustand, mit gewiegtem Hackfleisch vermischt) verbreitet. »Schon im Altertum war Heuschreckennahrung in Afrika keineswegs auf das Gebiet der Nasamonen beschränkt. Ein griechischer Schriftsteller aus dem Anfang der römischen Kaiserzeit (Strabo von Amaseia) erzählt uns geradezu von einem Stamme der Akridophagen (Heuschreckenesser) im Lande der Äthiopen.« (Ebenda/132 f.) Kulturelle Entlehnungen gehen, wo sie stattfinden, nicht nur verschlungene Wege, sondern setzen auf beiden Seiten die allgemeinen Bedingungen und Verhältnisse voraus, die dies erst möglich machen. Die historisch-kulturelle Region von Afrika bis China bietet dem Historiker, Ethnographen und Religionswissenschaftler ein unerschöpfliches Untersuchungsmaterial, aus dem sich trotz aller Kontraste und kaum überschaubarer Vielfalt nicht nur gemeinsame kulturelle Züge für Asien *oder* für Afrika, sondern auch für *beide* Kontinente, und dies nicht nur an ihren unmittelbaren ethnisch-kulturellen Berührungspunkten, nachweisen lassen: Es gab Jäger und Sammler, Bodenbauern und Viehzüchter, Handwerker und Kaufleute; soziale Ungleichheit mit hierarchischen Strukturen, Altersklassen (Gruppierung der Menschen, besonders der Männer, nach Altersstufen innerhalb eines Stammes, eines Dorfes oder anderer Gemeinschaften) und Kastenwesen (abgeschlossene Gruppen, in denen eine bestimmte unveränderliche Rangfolge bestand); Gentilgesellschaften, frühe Klassengesellschaften, Gesellschaften mit Staatsaufbau und die vielfältigen Arten der traditionellen Machtausübung; religiöse Grundideen wie Dämonenglauben, Seelenwanderung, Opfer und Opferbräuche.

Boden- bzw. Ackerbau bildeten die ökonomische Basis der meisten Klassengesellschaften Afrikas und Asiens; landwirtschaftliche Tätigkeit kennzeichnete den vorherrschenden Typ der Anliegerländer des Indischen Ozeans. Diese historisch-kulturelle Region basierte auf den Besonderheiten, welche die Wirtschaft und Kultur dieser Völker sowie deren sozialökonomische Entwicklung einander näherbrachten und prägten.

Von besonderem Gewicht war die Stadtentwicklung. »Die sozialen und ökonomischen Faktoren, die für die Entstehung von Städten erforderlich sind, hängen in beträchtlichem Grade von der Entwicklung der Zentralgewalt, der sozialen Differenzierung und der wirtschaftlichen Spezialisierung ab. Diese drei Faktoren haben entscheidend zur Entstehung der städtischen Zivilisation beigetragen, und wo sie zusammenwirkten, dort formierte sich eine komplizierte Gesellschaft mit Klassenstruktur. Jene Individuen, die imstande waren, sich ein größeres Mehrprodukt anzueignen, erlangten auch größere Macht, nicht nur ökonomische, sondern auch politische gleichermaßen. Die zentrale Autorität kontrollierte den Fernhandel, das Kriegswesen, die Speicherung von Vorräten, die Verteilung von Lebensmitteln, Rohstoffen und Manufakturerzeugnissen.« (II/351/82)

Die mittelalterliche Urbanisierung, die sich von China über Zentralasien, Südostasien und den Vorderen Orient bis nach Europa erstreckte, schloß bedeutende Gebiete Afrikas in sich ein, die im 12. und frühen 13. Jahrhundert das Stadium der voll entfalteten mittelalterlichen Stadt erreichten. Im Einflußbereich des arabischen Kalifats vollzog sich bis zum 10. Jahrhundert die Islamisierung der nord-, nordost- und ostafrikanischen Stadtkultur. An der Küste Ost- und Südostafrikas war die Islamisierung im 18. Jahrhundert abgeschlossen.

Nach J. Strandes, der eine sorgfältige Auswertung der Quellen vornahm, lagen im Mittelalter und zu Beginn der Neuzeit längs der ganzen ostafrikanischen Küste »südlich von Kap Delgado spärlicher, nördlich davon in dichter Folge ... Ortschaften und Städte, als deren bedeutendste Kilwa, Mombasa und Mukdischu (Mogadischu, H. L.) genannt werden. Die Einwohnerschaft von Kilwa wurde auf 4000 Seelen und von Mombasa auf 10 000 Seelen geschätzt«. (II/463/91) Andere Berichte, so aus dem Jahre 1506, nennen für Kilwa eine Einwohnerzahl von 30 000, Mombasa sei noch bevölkerungsreicher gewesen. (Ebenda) »Die Häuser der Städte standen eng gedrängt. Die meisten Gebäude waren Lehmhütten, deren Palmblattbedachungen so dicht aneinanderstießen, daß die Straßen fast gedeckte Lauben waren. Doch auch zahlreiche Steinhäuser bis drei Stockwerke hoch waren vorhanden ... Die Häuser waren mit hübsch gearbeitetem Holzwerke verziert, worunter wohl die Schnitzereien der Türen und Fenster und Türrahmen zu verstehen sind. Auch von Bemalung der Häuser innen und außen wird berichtet ... Andeutungen überzeugen, daß man damals in Ostafrika ebenso wie auch in Indien und im Persischen Golfe wohl Feuerwaffen kannte, ihr Gebrauch aber eine seltene Ausnahme war.« (Ebenda/92) Das Bild Ostafrikas, wie es von den Portugiesen überliefert ist, erinnert an Beschreibungen der Küstengegenden von Asien. »Nahe den Städten waren Baumgärten. In Kilwa und Mombasa wurde, mangels fließenden Wassers, aus Brunnen bewässert. Die Kultur der Kokospalmen war sehr bedeutend. Erst bei ihrer Ankunft in Ostafrika lernten die Portugiesen diesen Baum kennen. Als Erzeugnisse des Landbaues werden Negerhirse, Bohnen, Reis und Zuckerrohr genannt. Die Herstellung von Zucker war nicht bekannt. Auch der Anteil von Tambussträuchern, deren Blätter ... mit Betelnuß gekaut werden, findet Erwähnung ... Der Reichtum ... an Großvieh, Ziegen, Fettschwanzschafen und Hühnern wird gerühmt. Ferner wird von Mombasa das Halten einzelner Kamele erwähnt. Auch wird von Kilwa berichtet, daß die Bienenzucht eifrig betrieben wurde.« (Ebenda/93)

Seit dem frühen Mittelalter erhöhte sich aus Asien das Angebot von Glas- und Glasschmuckwaren, von Bronze- und Silbergefäßen. Während für West-, Mittel- und Osteuropa bekannt ist, daß man dort seit dem 11. Jahrhundert selbst zur Glasherstellung überging, ist ein Datum für den Beginn dieser gewerblichen Tätigkeit in Ostafrika nicht bekannt. J. Strandes erwähnt im Zusammenhang mit der frühen Kultur und Lebensweise in den Städten Ostafrikas, daß in Mogadischu vollständige Einrichtungen für die Herstellung von Glasperlen (Schmelztiegel, farbige Glasflüsse, Glasstangen) und farbige Perlen gefunden worden sind. »Diese Perlen ähneln in der olivenartigen Form, Farbe und rohen Ausführung den noch heutzutage (Ende des 19. Jahrhunderts, H. L.) in Ostafrika in großen Mengen aus China über Indien eingeführten Sorten, die unter dem Namen Selan gehen.« (Ebenda/90) Weiter verweist er auf die in früheren Jahrhunderten entwickelte Baumwollherstellung in Mogadischu, deren Erzeugnisse in den Fernhandel eingingen und sich bis Ägypten eines großen Ansehens erfreuten.» Auch Patta hatte einen besonderen Ruf in der Herstellung feinerer, buntgewebter Zeuge. Hauptsächlich reichere Stoffe wurden hier gewebt, und die als Geschenke für die Landesfürsten verwendeten Gewebe wurden allgemein geradezu Patta-Stoffe genannt ... Daß Spinnerei und Weberei in alten Zeiten längs der ganzen Küste bis Sofala hinunter betrieben wurden, ist vielfach beglaubigt.« (Ebenda/91)

Seit dem 7. Jahrhundert bildete das arabische Kalifat den Rahmen für die Ausbreitung neuer Textilien wie Seide und Baumwolle. Was die Seide für China war, das waren die Baumwollstoffe für Ostafrika. In Afrika waren Flechtkunst und Weberei verbreitet.

Während in China selbständige Weber, die sich mit der Seidenherstellung befaßten, eher die Ausnahme waren — im Vordergrund stand die Produktion in staatlichen Manufakturen, und erst seit Kaiser Tai Zong (Regierungszeit 976—997) erhielten Bauern die Auflage, aus Rohseide unter Beachtung strenger Qualitätsvorschriften Gewebe zu erzeugen —, gab es solche einengenden Regeln in Afrika nicht.

Eine frühe kulturhistorische Quelle ersten Ranges für die Erschließung von Analogien im Bereich der geistigen Kultur in Afrika und Asien ist die bereits mehrfach genannte, im 14. Jahrhundert von Ibn

Battuta verfaßte Reisebeschreibung. Immer wieder verweist er auf Analogien zum islamisierten Ägypten. Analogien drängen sich aber auch zum christlichen Äthiopien auf, das von dem strenggläubigen Mohammedaner Battuta auf seinen Reisen nicht aufgesucht worden war: die Verleihung der Einnahmen aus Dörfern an Beamte und Würdenträger, die Art des Steueraufkommens, die Empfänge des Herrschers und die hierbei stets vorgenommene höchst interessante Umverteilung der königlichen Einnahmen zugunsten der Würdenträger, Diener und Bedürftigen. Die Audienzen beim Herrscher und die Zeremonienvorschriften in Delhi, beim »König von Indien und Sind«, dem Sultan Abu-l-Mujahid Mohammed San (1324/25—1351/52), glichen bis in Einzelheiten denen in Afrika.

Übrigens: Wie der Herrscher von Äthiopien pflegte auch der Sultan in Delhi hoch zu Pferd in sein Schloß und seine Privatgemächer zu reiten. (I/88/133)

Die Mutter des Herrschers spielte am Hofe in Indien eine ähnliche Rolle wie an vielen Herrschaftssitzen Afrikas. »Die Kaiserinmutter wird ›Herrin der Welt‹ genannt«, so Battuta über seine Erlebnisse am Sultanshof in Delhi. »Sie ist eine der tugendhaftesten Frauen, spendet viele Almosen und hat viele Einsiedeleien errichtet, in denen sie Pilgern Speise verabreichen läßt ... Ihr Sohn erweist ihr vor allen Leuten die meiste Ehrfurcht. — Ein Beispiel seines Respektes für sie ist folgendes: Er reiste einstmals mit ihr und kam einige Zeit vor ihr am Ziele an. Als sie nun eintraf, ging er ihr zum Empfange entgegen, stieg von seinem Rosse herunter und küßte ihr angesichts des ganzen Volkes den Fuß — sie aber befand sich in einer offenen Sänfte.« (Ebenda/203)

Ähnlich in Afrika. Die Völker vieler afrikanischer Länder bewahrten sich das Andenken an berühmte Herrscherinnen und Heerführerinnen, Mitregentinnen und Königsmütter. Auch hier spielte die Mutter des Königs oft eine bedeutende Rolle. Westafrika und der Kongo sind für die Vorrechte von Frauen an den Königshöfen besonders bekannt. In dem unter islamischem Einfluß 1650 gegründeten sudanesischen Staat Wadai übte die Königinmutter, die Magira, einen starken Einfluß auf die Politik aus. In Monomotapa, im Südwesten Afrikas, wurde die Königinmutter als »Mutter aller Könige« verehrt und verfügte über große Macht. Ein späteres Beispiel für die

122

Rolle der Königinmutter bildete das Zulu-Reich, das Anfang des 19. Jahrhunderts im Südosten Afrikas entstand.

Europäische Reisende berichteten im 17. und 18. Jahrhundert mit großer Verwunderung über die Teilhabe von Königinnen und Königsmüttern an der Staatsgewalt zahlreicher Gebiete in Afrika und die dortigen Amazonen, aber auch über Amazonen in Indien, im Pandschab-Gebiet, deren Funktion später in Verbindung mit der auch in Afrika bekannten »gastfreundlichen Prostitution« stand. »Endlich erschienen Bajaderen, einige von sehr gefälligem Äußern . . . Diese Bajaderen bildeten unter Rundgit Sing ein besonderes Amazonenkorps, nehmen jedoch heute wieder ihre ursprüngliche Stellung ein und werden zum Vergnügen vornehmer Fremden unterhalten. Sie sind gemeinhin das erste Geschenk, was Besuchern an diesem und einigen anderen indischen Höfen zugesandt wird. Als daher einer unserer Gefährten der Reize der einen laute Gerechtigkeit zollte, bat Shyr Sing, die Schöne ganz als Eigentum anzusehen.« (I/93/249) Auch in Siam gab es den Brauch der »gastfreundlichen Prostitution«, worunter die »eheliche Verdingung« während des Aufenthaltes eines Gastes zu verstehen war. (I/146/177)

Zahlreiche Reisende berichteten von den Vorrechten afrikanischer Prinzessinnen. Kein Mann durfte sich ihren Wünschen versagen. Auch in Indien besaßen die Prinzessinnen oft eine Reihe von Freiheiten. »Unterdessen gibt es einige kleine Königreiche in Indien, wo die Prinzessinnen große Vorrechte genießen.« (II/418/Bd. 3/173) Als in Indien im 13. Jahrhundert eine Frau zur Herrschaft gelangte, wurde ihr dennoch die Liebe zum Verhängnis. Auf dem Thron von Delhi saß damals ein König, der 1236 durch eine Palastrevolution gestürzt wurde. »An seiner Stelle gelangte seine Schwester Rezia Begum zur Herrschaft (1236—1239), ein mit allen Herrschertalenten ausgestattetes Weib: die einzige Mohammedanerin auf Hindostans Throne. Mit klarem, männlichem Geiste, mit Kraft und Gerechtigkeit, Mut und Tapferkeit erfüllte sie die schweren Pflichten und scheute sich nicht, in Männerkleidung auf ihren Kriegselefanten in die Schlacht zu reiten. Aber . . . ihr einziger Fehler war, daß sie ein Weib war; ihre Liebe zu einem abessinischen Sklaven machte sie beim Volk ungeliebt, und mehrere Aufstände führten schließlich zu ihrem Sturz.« (II/296/Bd. 1/413)

Wie in Afrika gab es auch in Indien Polygamie und Brautpreis. In Indien vermählte man »nicht selten schon Kinder miteinander«, ohne daß jedoch die Ehe schon tatsächlich vollzogen wurde. (II/437/69) »Mehrere Frauen zu nehmen, ist zwar erlaubt, allein nur Reiche und Vornehme machen von dieser Erlaubnis Gebrauch . . .« (Ebenda/67) Die Eheverhältnisse der Könige in Malabar wurden als Matriarchat geschildert. (II/452/Teil 1/269) Ein katholischer Priester erhielt Anfang des 18. Jahrhunderts auf seinen Einwand, daß die Väter und Mütter bei der Heirat ihrer Töchter einen Vorteil erhalten, folgende Antwort: »Die Summe, sagten sie, welche der neue Ehemann seinem Schwiegervater auszahlt, geht fast ganz in Ankauf der Juwelen für die Braut auf. Es werden Ohrgehänge, silberne Armspangen, Halsbänder mit Korallen und Goldkörnern, und goldene und silberne Ringe angeschafft, so wie es der Rang und Adel der Kaste erfordert . . . Was von dem Geld übrig bleibt, wird angewendet, die Hochzeit auszurichten, und oft kommt es dem Vater der Töchter höher zu stehn, als was er empfangen hat. Wer anders handelt, setzt sich der allgemeinen Verachtung aus.« (II/418/Bd. 3/171 f.)

Die bei den Hindus herrschende Sitte, daß sich die Witwen zugleich mit dem Leichnam des Gatten lebendig verbrennen lassen, galt vorwiegend für die Witwen der beiden obersten Kasten und dann auch nur, sofern sie keine kleinen Kinder hatten. »Selten trifft man Beispiele davon in den niedrigen Kasten, und selbst in der Kaste der Brahmanen an. Sie sind weit häufiger in der Kaste der Rejahs, die sich aus dem königlichen Geblüte der alten Beherrscher Indiens abzustammen rühmen.« (Ebenda/106 f.) Auch in Afrika beschränkte sich der Brauch, wie er in früherer Zeit in einigen Gebieten geübt wurde, Frauen mit in das Grab zu geben, auf die Witwen der Könige und Häuptlinge, also die Frauen der privilegierten Schicht.

Ebenso wie in den afrikanischen basierten auch in den asiatischen Ländern die traditionellen Gesellschaften auf den Kategorien des Geschlechts und des Alters, auf der Großfamilie und auf Verwandtschaftsstrukturen. Sie fanden sich nicht nur in Asien, sondern auch in Afrika (Senegal, Mali) und stimmten partiell mit denen in Indien überein. Die Kaste (portugiesisch: Geschlecht, Zunft) bestimmt bis in die Gegenwart das soziale Leben in Indien. »Der Mittelpunkt

HV fic

und das Hauptergebnis der ältesten indischen Geschichte ist die Kasteneinteilung, nach welcher die Kinder ... von der Lebensweise der Eltern nicht abweichen und Menschen aus verschiedenen Abteilungen sich nicht heiraten dürfen. Abteilungen der Art nach Stämmen sind auch in andern Gegenden die einfachste Einrichtung der menschlichen Gesellschaft gewesen: sie wollte hierin der Natur folgen, welche wie den Baum in Äste, so das Volk in Stämme und Familien einteilt. So war auch die Einrichtung in Ägypten, und daß hier wie in Indien der Stamm der Priester sich zum ersten hinaufsetzte, sehen wir bei weit mehrern Nationen. Weisheit ist immer über Stärke gegangen, und in alten Zeiten hatte das Priestertum fast alle politische Weisheit sich zugeeignet.« (II/437/44) In Afrika und Indien diente als Gegengewicht zur geschlechts- und altersbedingten Einteilung oder zur Kaste die kollektive Macht der demokratischen Dorfgemeinschaft, die sich seit alter Zeit immer wieder durchsetzte und deren Bedeutung nicht hoch genug eingeschätzt werden kann.

Charakteristisch für traditionelle Beziehungen der Abhängigkeit waren in vorkapitalistischen Gesellschaften — und das nicht nur in Asien und Afrika — das Geschenk, das Gastmahl und der zeremonielle Austausch von Dingen und Diensten. »Die Mitglieder der Gesellschaft traten in unmittelbare Beziehungen zueinander: Diese Beziehungen gründeten sich auf die Gemeinsamkeit der Herkunft oder auf Eheverbindungen, auf Nachbarschaft und Zugehörigkeit zur Dorf- und Stadtgemeinde oder auf Protektion, Abhängigkeit und Untertänigkeit. Wie unterschiedlich diese Beziehungen auch gewesen sein mögen, in jedem Fall äußerten sie sich in direkten Verbindungen zwischen den Individuen — im Gegensatz zu den Beziehungen, die der bürgerlichen Gesellschaft eigen sind, in der sich diese ›vergegenständlichen‹ und fetischisieren, in ›Warenbeziehungen‹.« (II/279/365)

Schon Ibn Battuta gab der Beschreibung der Gastgeschenke am Hofe von Delhi breiten Raum. Die sozialen Beziehungen kamen in Ehebündnissen und der Zahl der Frauen, in Geschenken und Gegengeschenken zum Ausdruck. Auch Frauen verschenkte der Herrscher an verdienstvolle Personen. Bei K. E. Müller, »Menschenbilder früher Gesellschaften« (1983) finden sich solche bemerkenswerten Aussagen über Afrika, daß z. B. das sakrale Königtum im alten Königreich

Der grosse Mogol.

Kongo und seine Merkmale, »die große Polygynie der afrikanischen Häuptlinge und Könige, ... weniger mit der Fruchtbarkeit als vielmehr mit der Allianzpolitik und·dem Sozialprestige der Herrscher zu tun« hatten und bei den Bauern Westafrikas bis heute »vor allem zwei Bereiche ... die Gedankenwelt beherrschen: die Zusammenhänge in der Natur aus bäuerlicher Sicht und das Leben und Wesen des einzelnen Menschen«. (II/385/380 u. 204)

Die gesellschaftlichen Gruppen wurden nach zwischen ihnen bestehenden Beziehungen der Abhängigkeit häufig mit den europäischen gleichgesetzt, ohne daß dies immer dem Wesen dieser Gruppen entsprach, wie es vor allem bei der Verwendung des Begriffes »Sklave« deutlich wird. Es gab »Aristokraten« und den Adel im Dienst der Macht, Freie (Boden- und Ackerbauern, Handwerker und Händler) und Abhängige bzw. »Diener«, letztere wurden fälschlich oft als »Sklaven« bezeichnet.

In den alten Reiseberichten wird für Afrika auf die Sicherheit der Reisenden und analog für Asien auf die Unterbringung in Quartieren hingewiesen, die als »Freistätten, heilige Orte« galten, »wo man weder Beleidigungen noch Diebstahl besorgen darf.« (II/418/ Bd. 1/326 f.)

Ähnlichkeiten und Übereinstimmungen ließen bereits in der Reisebuchliteratur des 18. Jahrhunderts die Vermutung eines frühen Zusammenhangs zwischen Afrika und Indien entstehen. Die »alte Nachricht: es sei in frühester Zeit vom Indus her eine Kolonie nach Ägypten eingewandert, wird durch die Bilder und Figuren an den altägyptischen Ruinen und manche andere Ähnlichkeit beider Völker auffallend bestätigt. Farbe der Haut, Tracht baumwollener Kleider, die geschorenen Köpfe, die Heiligkeit des Flusses, die Prozessionen längs seinen Ufern, die Verehrung des Stieres, die Lehre von einer Seelenwanderung, die Verfassung eines Priesterstaates (Theokratie), Unterschied reiner und unreiner Kasten — alles dies fand sich bei den alten Ägyptern, wie es sich heute noch bei den Indern findet«. (II/437/44)

Analogien waren auch in der Architektur augenfällig. So gab es in Indien sakrale Bauten, für die gleich den meisterhaften »Kirchen im Fels« in Äthiopien das natürliche Felsgestein genutzt wurde. »In den lebendigen Felsen gehauen, finden sich hier (in Indien,

H. L.) unterirdische Felsentempel, Höhlenpaläste, Grottenwohnungen für Tausende von Priestern und Pilgern, ausgeschmückt mit Säulengängen, Vorhöfen, Kapellen, freien Plätzen, inneren Zellen, Brücken, Treppen, Teichen ... Hauptpunkte, auf welchen solche Riesenwerke sich finden, sind die kleinen Inseln Elephanta und Salseete unweit Bombai. Auf erster ... befindet sich ein unterirdischer, 130 Fuß langer, 123 Fuß breiter, auf 26 Säulen und 16 Pfeilern ruhender Haupttempel des Schiva mit vielen Nebengebäuden ...« (Ebenda/76) Hochinteressant ist, daß nach Angaben von Ibn Battuta als kleinste Münze ein gemeinsames Zahlungsmittel von den Malediven über Bengalen und Jemen bis nach Afrika im Umlauf war: die Kauri, das weiße Gehäuse der Kaurischnecke, von der man mehr als hundert Arten zählte und die an Glanz und Schönheit dem Porzellan glich. Nach Ibn Battuta erhielt der Händler, der 9000 bis 10 000 Kauri auf den Malediven für eine indische Rupie einkaufte, in Bengalen dafür 3 bis 4 Rupien. Im Sudan kosteten 1150 Stück einen Golddinar. Die Kauris waren auch bei den Küstenbewohnern Guineas in Gebrauch. (Ebenda/326 f.)

Die Reisenden des 18. Jahrhunderts machten auf dem Gebiet von Schauspiel und Akrobatik einige interessante Beobachtungen, welche an Verbindungslinien unterschiedlicher Art erinnern: an das Auftreten ägyptischer Magier und Akrobaten in früher Zeit in China (vgl. S. 52), die Übernahme ihrer Kunst im »Reich der Mitte«, die die hier zu einer Perfektion von ungewöhnlichem Ausmaß gelangte, von der Johann Wilhelm Vogel im 17. Jahrhundert aus der Stadt Batavia und den dort ansässigen Chinesen berichtet hatte (vgl. S. 115). Andere Reisende schilderten in ähnlichen Bildern Schauspiel und Akrobatik in Äthiopien und Indien.

So wurde in der zweiten Hälfte des 18. Jahrhunderts aus Äthiopien berichtet: »Ich war auch in einer Art von Schauspiel. Die Spielenden singen Verse denjenigen, die sie belustigen wollen, zu Ehren. Einige tanzen Ballette nach kleinen Trommeln oder Pauken, und da sie sehr leicht und flüchtig sind, so machen sie im Tanz mancherlei seltsame Stellungen. Andere, mit einem bloßen Säbel in der einen, und einem Schild in der andern Hand, stellen tanzend Gefechte vor, und machen so wunderbare Sprünge, daß man's nicht glauben kann, wenn man's nicht gesehen hat. Einer von diesen Springern brachte mir einen Ring und sagte mir, ich sollte ihn verstecken oder von jemand verstecken lassen; er wollte mir bald sagen, wo er wäre. Ich nahm den Ring und versteckte ihn so gut, daß ich glaubte, es würde ihm unmöglich sein zu erraten, wo ich ihn verborgen hätte. Einen Augenblick hernach, kam zu meiner großen Verwunderung, der Springer immer nach dem Takte tanzend auf mich zu, und sagte mir leise ins Ohr, er hätte den Ring, und ich hätte ihn nicht so gut versteckt gehabt. Noch andere halten in der einen Hand eine Lanze, und in der andern ein volles Glas, und springen erstaunlich hoch, ohne einen Tropfen daraus zu verschütten.« (Ebenda/313 f.)

Aus Indien stammt der folgende Auszug aus einem Reisebericht: »Zuerst erschienen mehrere Männer, Frauen und Kinder in unserem Garten, ihre equilibristischen Künste zu produzieren. Von dieser Gewandtheit, Gliederverrenkung und Biegsamkeit des Körpers können Sie sich keine Vorstellung machen; unsere Seiltänzer würden beschämt davon gegangen sein ... Beinahe alle merkwürdigen Tiere wurden dargestellt, wobei oft mehrere Körper sich so in einander schlangen, daß man die einzelnen kaum davon zu sondern wußte, und ein Mann trug sechs andere, immer zwei übereinander, auf seinen Schultern. Nach ihnen trat eine Bande Jongleurs auf: ein alter bärtiger Mann, begleitet von drei Burschen und einigen Frauen. Zuerst zeigten sie mit abgerichteten Schlangen, unter denen sich die giftige Brillenschlange befand, verschiedene Kunststücke, indem die Tiere nach dem Ton einer Pfeife bald tanzten, bald sich zusammenlegten, bald verkrochen. Dann wurden allerhand ins Unerklärliche gehende Verwandlungen vorgenommen, so verstand ein großer fünfzehnjähriger Bursche sich in einem runden, noch nicht 2 Fuß hohen und 3 Fuß breiten Korbe zu verkriechen, daß, als der Korb geöffnet wurde, nichts von ihm zu sehen war; sehr geschickt hatte er sich gegen die uns zugekehrte Seite zu decken gewußt. In die Kehle gesteckte Dolche und aus dem Munde sprühende Flammen beschlossen die Vorstellung.« (I/93/Bd. 1/55 f.)

Aus der Reiseliteratur — vor allem in ihrer humanistischen Ausprägung — lassen sich viele Detailkenntnisse schöpfen. Der hohe Quellenwert vornehmlich der Reisebeschreibungen des 18. Jahrhunderts, ergibt sich nicht zuletzt aus der Tatsache, daß kulturelle Erscheinungen beschrieben werden, die weitgehend von kolonialen

Einflüssen unberührt geblieben waren. Das traf voll auf Indien zu, dem Ursprungsland des Buddhismus und des Hinduismus.

Die Portugiesen vermochten die Kultur Indiens bis in das 18. Jahrhundert nicht wirklich zu beeinflussen, ebenso wenig ihre erfolgreichen Konkurrenten: die Holländer, Engländer und Franzosen. Erst im 18. Jahrhundert vollzog sich allmählich ein Wandel, begann der Kolonialismus, der bis dahin vor allem das Bewußtsein der Kolonisatoren zu beherrschen und umzuformen begann, auch Einfluß in den fremden Ländern zu erlangen.

In Britisch-Indien entstand im 18.Jahrhundert ein neuer Typ der kolonialen Herrschaft, die sich nicht mehr nur mit Stützpunkten und bescheidenen Territorien begnügte. Zahlreiche Kriege wurden geführt, bis aus der britischen Herrschaft *in* Indien eine Herrschaft *über* Indien wurde. Der militärisch harte und langandauernde Kampf um die Unterwerfung des indischen Subkontinents währte etwa ein Jahrhundert und war mit der Annektion des letzten unabhängigen Staates Indiens, des Pandschab (des sogenannten Sikh-Staates) im Nordwesten, zwischen 1845 und 1849 abgeschlossen. Die ständigen Kriege hatten die indische Bevölkerung in eine für die damalige Welt beispiellose Verelendung und Notlage gestürzt.

Die Reiseberichte lassen die Wechselbeziehungen zwischen den Kulturen und die Stabilität des »Welthandelssystems« im Raum des Indischen Ozeans und der gesellschaftlichen Psyche der meist bäuerlichen Bevölkerung erkennen, in der die religiösen Vorstellungen ein charakteristischer Zug waren. In den Reiseberichten kommt zum Ausdruck, daß der ethnisch-kulturelle Kontakt längst nicht mehr zufälligen oder sporadischen Charakter besaß. Es gab örtliche und regionale Märkte. Der Fernhandel zur See oder mit Karawanen erfaßte den gesamten afro-asiatischen Raum. Der Austausch beschränkte sich nicht auf die einfache Übergabe der Erzeugnisse, sondern verband sich mit der Herstellung sozialer Beziehungen.

Die Völker Nordost- und Ostafrikas, Südwest- und Südasiens sowie Südost- und Ostasiens siedelten auf natürlich-geographisch unterschiedlichen Territorien — aber sie haben sich durch eine ähnliche sozialökonomische Entwicklung und durch langwährende Beziehungen gegenseitig beeinflußt, was zu bestimmten Parallelitäten in Kultur und Lebensweise führte. Dies ist in den Reiseberichten deutlich abzulesen. Wie in der materiellen Kultur (Behausung, Transportmittel, Nahrung und Hausrat, Bekleidung und Schmuck) traten Analogien in der geistigen Kultur auf, die mehr oder weniger mit Wirtschaft und Lebensweise verbunden waren, wie Sitten und Bräuche, Glaubensformen und Kulte, Zeremonielle bei den Herrschern. Formen der Arbeit, des Familienlebens und der Kindererziehung.

Für die Wirkung kultureller Neuerungen war es, abgesehen von ihrer unterschiedlichen zeitlichen Einführung, ohne Bedeutung, in welchem Land sie entstanden waren. Entscheidend war ihre *Anwendung*: so der Übergang vom einfachen Bodenbau zum Ackerbau, der Gebrauch des Rades bzw. des Wagens oder die Nutzung neuer Technologien, die den historischen Prozeß beschleunigten. Das Aufkommen kultureller Neuerungen förderte die wirtschaftliche Spezialisierung, erhöhte die Effektivität der Arbeit und ermöglichte die weitere Entwicklung der militärischen, rituellen, wissenschaftlichen und künstlerischen Tätigkeit. (II/351/79 f.)

Viele der kulturellen Erscheinungen, das beweisen archäologische, ethnographische und historische Untersuchungen, waren allen Menschen eigen, unabhängig von ihren Wohngebieten und wechselseitigen ethno-kulturellen Beziehungen. Hierunter fallen grundlegende Elemente der materiellen Kultur, angefangen von der Nahrungsbeschaffung und -zubereitung bis zu der Kleidung und der Wohnung sowie der geistigen Kultur, den Arbeitsfertigkeiten, dem medizinischen und anderen Wissen, den Sitten und Bräuchen, den Rechtsnormen, der Kunst und vielem anderen. So förderten die Afrikaner lange vor der Kolonialzeit Erze, stellten wertvolle Holzgefäße her, bearbeiteten Elfenbein, gerbten Felle und sammelten seltene Federn; der »Kupfergürtel« Zaïres und Sambias wurde bergbaulich erschlossen.

Von den »allgemeinen kulturellen Errungenschaften der Menschheit in allen ihren Entwicklungsetappen sind jene Erscheinungen zu unterscheiden, die — obwohl sie in der Gegenwart bei den verschiedensten Völkern weit verbreitet sind — dennoch nicht als allgemeingültig angesehen werden können, weil sie erst auf bestimmten Stufen der historischen Entwicklung entstanden und folglich nicht allen Gruppen der Art Homo sapiens von Anbeginn eigen sind«. (II/477/88)

Ein edler Indianer.

3.2. Der Islam

Für die geistige Kultur, die Herrschaftsformen, die Lebensauffassungen, die Sitten und Bräuche, die Eheformen und die Kindererziehung stellten die großen Religionen und der religiöse Synkretismus Faktoren von bedeutender kultureller Integrationskraft dar. Die Weltreligionen, auch der Islam, entstanden in einem bestimmten Gebiet und begannen sich von dort auszubreiten. Religiöse Vorstellungen waren allen alten Völkern eigen, aber für die Weltreligionen ist die weite Verbreitung charakteristisch. Die Religionen übten einen großen Einfluß auf die geistige und materielle Kultur aus, trugen zur Ausformung ethnisch- und historisch-kultureller Gebiete bei, waren Bestandteil kultureller Komplexe, und ihre Ausbreitung sprengte die Grenzen von ethnischen Siedlungsgebieten. Das Problem der Wechselbeziehungen zwischen den Kulturen verschiedener Völker erhält mit den Religionen einen faszinierenden Beurteilungsmaßstab.

Untersuchungen zur Bedeutung der Religionen im Raum des Indischen Ozeans sowie des Südchinesischen Meeres vermitteln ein Bild von den einzelnen kulturellen Zentren mit ihren historisch wechselnden Grenzen und heben besondere kulturelle Einflüsse hervor: Vorherrschendes Weltbild, Denken und Fühlen, Sitten und Bräuche belegen den Zusammenhang zwischen Afrika und Asien oft in überraschender Weise. In dem Reisebericht von Johann Wilhelm Vogel wird der Islam auf Java und auf anderen indonesischen Inseln, in Persien und Arabien angesprochen: »Die Javanen«, so heißt es, »die etwas tief im Lande wohnen, sind allemal Heiden ... Diejenigen aber, welche an den Ufern des Meeres wohnen, sind mehrenteils Mohametisten (Mohammedaner, H. L.) und hat bei ihnen um das Jahr 1560 der Mohametismus oder Alcoran bekannt zu werden angefangen, sie haben die Beschneidung, essen kein Schweinefleisch, glauben und bekennen vier Propheten als Mosen, Christum, David und Mahomet.

Ihren Sabat halten sie des Freitags mit größter devotion, und glauben, ihre Religion sei die beste, dahero sie alle anderen Religionen verfluchen, ihre Tempel halten sie in hohen Würden, und darf niemand hineinkommen, er habe sich denn erst vom Haupt bis auf die Füße, oder zum wenigsten die Füße gewaschen, ihre Pfaffen sind mehrenteils Ausländer, so insgemein von Mecha (Mekka, H. L.) und aus denen arabischen Ländern zu ihnen kommen.« (I/104/583)

An anderer Stelle heißt es in der für die damalige Zeit charakteristischen Diktion über die religiöse Situation auf der Insel Amboina: »Die meisten Einwohner haben die Mahometische Religion, teils opfern sie auch noch dem Teufel in den Wäldern, etliche wenige haben sich zum christlichen Glauben bekehret. Ehedessen pflegte die Niederländisch-Ostindische Compagnie denjenigen, so Christen wurden, einen neuen Hut zu schenken, und wurde dem Hut zu gefallen mancher ein Christ, es bestand aber solches Christentum nicht lange, denn wenn der Hut alt geworden, und sie an dessen Stelle keinen neuen bekamen, so warfen sie denselben weg und quittierten zugleich das Christentum.« (Ebenda/594)

Über den Islam in Persien wird berichtet: »Ihren Gottesdienst betreffend, so glauben sie zwar an einen Gott, der Himmel und Erden erschaffen, halten Christum und Mosen auch für große Propheten, ziehen aber denselben Mahomet und Aly weit vor, verehren nebst vielen anderen Göttern das Feuer, zelebrieren jährlich unterschiedliche Feste . . . Man findet unter den Persianern viele Geistliche, einige bringen ihre Zeit zu mit stetem Wallfahrtsgehen, andere wohnen in wüsten Einöden, leben in großer Armut und sind zufrieden mit dem, was man ihnen um Aly willen gibt und mitteilt, sie enthalten sich des Weins und aller starken Getränke.« (Ebenda/672)

Ein Zentrum des islamischen Einflusses bildeten die Anliegerstaaten im nordwestlichen Teil des Indischen Ozeans. Die Ausbreitung des Islam deckte sich partiell mit der historisch-kulturellen Region von Afrika bis China.

Der Islam entstand in der Mitte des 7. Jahrhunderts auf der Arabischen Halbinsel. In Arabien existierten Nomadenstämme, die noch in der Gentilordnung lebten, neben frühen Staatsgebilden, Königreichen, in denen die soziale Differenzierung fortgeschritten war. Ursprünglich waren die Bekenner des Islam Angehörige vor allem der mittleren und unteren Schichten der Bevölkerung von Mekka. Der Religionsstifter Mohammed (570—632) war in Mekka in einer Kaufmannsfamilie groß geworden. Der Fernhandel und Erzählungen von fremden Ländern und deren Sitten waren ihm von Kindheit an vertraut. »Denn da Mekka in einer sehr unfruchtbaren Gegend liegt, so wurden die Einwohner genötigt, sich des Handels zu befleißigen, welcher darin bestand, daß sie die ihnen aus Indien, Äthiopien und anderen südlichen Landen zugebrachten Waren wieder auf Kamelen nach Syrien, Persien und Ägypten abführten . . .« (II/301/26)

In seiner Geburtsstadt Mekka, einem alten Handelsplatz auf der Arabischen Halbinsel, einem Kultur- und Wirtschaftszentrum und einer vielbesuchten Pilgerstätte eines vorislamischen Kultes, kam Mohammed auch mit jüdischem und christlichem Gedankengut in Berührung.

Die neue Religion Islam (arabisch: »Hingabe« an Gott) entwickelte sich unter Aufnahme vieler volkstümlicher arabischer, jüdischer und christlicher Elemente.

Der Islam stellte sich — in Abgrenzung von Juden- und Christentum — als die wiederhergestellte reine Urreligion Abrahams dar, die von Christen und Juden verfälscht worden sei. Die Nachfolger Mohammeds traten als geistliche und weltliche Oberhäupter auf. Die Blütezeit der islamischen Kultur fällt in das 8. bis 13. Jahrhundert, als die islamische Kunst und Wissenschaft sowie die Staatskunst in der Welt einzigartig waren. Islamische Gelehrsamkeit und Kunst haben über mehr als ein Jahrtausend die Kultur vieler Länder zwischen Westeuropa und Südostasien mitgeformt; sie wirkten sich befruchtend auf Technik, Geistesleben, Naturwissenschaften, Medizin und Architektur vieler Völker aus.

Das Äthiopische Reich war Beobachter der Vorgänge zur Zeit Mohammeds auf der Arabischen Halbinsel. Über die engen Beziehungen zwischen Südarabien und Äthiopien wurde schon berichtet (vgl. S. 34ff.).

Äthiopier gehörten zur unmittelbaren Umgebung Mohammeds. In Äthiopien fanden Anhänger des Propheten aus Arabien Zuflucht, denn die Gegner des Religionsstifters »jagten seiner Partei einen solchen Schrecken ein, daß bei 100 Personen davon nach Äthiopien flüchteten«. (Ebenda/51) Als der Prophet im Jahre 622 aus Mekka fliehen mußte, vermochte er sich auf die Hilfe äthiopischer Krieger zu stützen. So wird von einem arabischen Schriftsteller erzählt, daß Mohammed »das Lanzenspiel der Abessinier in der hohen Prophetenmoschee in Gegenwart des hochgepriesenen Gottgesandten,

während er ihnen zusah, aus Freude über seine herrliche Ankunft«
(II/498/45) lobte.

Das arabische Kalifat

Seit der Mitte des 7. Jahrhunderts entstand das frühfeudale islamisch-arabische Kalifenreich. Seine Heere zerstörten den Staat der Sassaniden in Iran und Irak und entrissen Byzanz die Provinzen in Vorderasien und Nordafrika. 711 landeten die islamischen Truppen in Spanien, 720 drangen sie über die Pyrenäen nach Gallien vor. 712 eroberten sie Samarkand, und es begann der Vorstoß nach Indien. In der Mitte des 8. Jahrhunderts, als das Kalifat seine größte Ausdehnung erreicht hatte, war es neben dem chinesischen Tang-Imperium das mächtigste Weltreich. Es erstreckte sich von Mittelasien im Osten bis zum Frankenreich im Westen und im Norden bis nach Byzanz. Beide Weltreiche, das Kalifat und China, überschatteten Byzanz, dessen Bedeutung weiter abnahm, und das Frankenreich. Im Kalifat lebten zahlreiche Völker auf unterschiedlichen Stufen der gesellschaftlichen· Entwicklung — von der Stammesordnung bis zum frühen Feudalismus orientalischer Prägung. Sie hatten ihre eigenen Kulturen, Religionen und Sprachen.

Die Völker des islamisch-arabischen Kalifats übten in Landwirtschaft, Handwerk und Handel, im Städtebau und auf geistig-kulturellem Gebiet einen fortschrittlichen Einfluß auf die europäische mittelalterliche Kultur aus und zeigen deutlich das Entwicklungsgefälle, das vom Orient zum Okzident verlief.

Ihrerseits nahmen die Völker des Kalifats auch fremdes Kulturgut auf. So haben sie die Papierherstellung von den Chinesen erlernt: Im Jahre 751 machten die Araber bei Talas chinesische Kriegsgefangene, unter denen sich auch einige Papiermacher befanden, die sich durch die Ausübung ihres Handwerks (in Samarkand) freikaufen konnten. Im Jahre 794 wurde in Bagdad die erste Papiermühle gebaut. (Zum Vergleich: Die erste deutsche Papiermühle entstand 1390 in Nürnberg.)

Aus Äthiopien, aber auch aus Ostafrika befanden sich zahlreiche Menschen, meist als Krieger, im Dienst des Kalifen. Afrikanische

Soldaten nahmen um das Jahr 750 wiederholt an Kriegen in Südarabien teil.

Die bantusprachige Bevölkerung, die von Südsomali bis Moçambique lebte, wird in den persischen und arabischen Quellen als »Fangim« oder als »Sindsch« (Zandsch) bezeichnet, nach der Bezeichnung as-Sindsch für Sansibar. Der Begriff Sindsch wurde später auf die Bevölkerung der ganzen ostafrikanischen Küste ausgedehnt. In den Jahren 869 bis 883 erschütterten Aufstände der Sindsch das arabische Kalifat, denen es unter Ali Ibn Mohammed Burkai im Jahre 871 gelang, Basra zu erstürmen. Die Aufständischen wurden erst 883 von einem Kalifenheer niedergeworfen.

Als dreihundert Jahre nach Mohammed das glänzende Reich des Kalifen mit Ausnahme Spaniens (wo es sich noch zweihundert Jahre länger hielt) verloren ging, hatte sich die Lehre des Propheten nicht nur in den vormaligen Besitzungen, in Nordafrika, Ägypten (wo es seit 969 ein selbständiges Kalifat gab), Persien und Indien erhalten, sondern war von vielen anderen asiatischen und afrikanischen Völkern angenommen worden, darunter auch von denen an der Ostküste Afrikas und auf der vorgelagerten Inselwelt.

Die Integrationskraft des Islam

Erstmals im europäischen Aufklärungszeitalter wurde die Rolle des Islam besonders hervorgehoben. Von der kulturhistorischen Bedeutung dieser Religion in afro-asiatischem Rahmen ist die Rede, wenn bei Th. F. Ehrmann, dem deutschen Herausgeber der vielbändigen »Geschichte der merkwürdigsten Reisen, welche seit dem 12. Jahrhundert zu Wasser und zu Lande unternommen worden sind«, über die ersten Träger des Islam, die Araber, und ihren kulturellen und handelspolitischen Einfluß ausgeführt wurde: »Die Araber erweiterten — so wie die Römer — durch Eroberungen die Erdkunde, und wo auch diese nicht hinreichten, da drangen ihre Glaubensprediger und Handelsleute hin . . . In Afrika breiteten sich die Araber weit aus; sie bemächtigten sich nicht nur des ganzen nördlichen Striches dieses Erdteils . . ., sondern gründeten auch im Inneren mehrere Staaten . . . und zogen längs der Ostküste Afrikas . . ., und legten dort Kolonien und Handelsstädte an . . . Auch der nördliche Teil der Insel

Die Africanische Nation und Länder.
Ein Egyptier.

Madagaskar, welche sie entdeckten, ward, so wie mehrere ostafrikanische Inseln von den Arabern mit Kolonien besetzt ... In Asien erstreckten sich ihre Entdeckungen und Kenntnisse weit hinaus, ... Ihr Handel nach Sina, woher sie zuerst Branntwein, Tee und Porzellan brachten, war beträchtlich, aber ihre Religion wollte dort nie Wurzeln fassen ...« (I/6/Bd. 1/247f.)

Der arabische Handel nach Afrika und Indien hatte schon vor Mohammed geblüht und dabei auch Erzeugnisse Indonesiens und Chinas aus den Händen der Inder übernommen und weitervermittelt. Es gab seit alten Zeiten einen weitverzweigten Fernhandel zwischen Afrika und Asien. Im Gebiet des Äquatorialwaldes sind aus Asien eingeführte Pflanzen verbreitet (Bananen, Kolokasien, einige Sorten Yams), in Ostafrika kommen — aus Südasien stammend — einige Sorghumsorten, Sesam und Eleusine vor. Pflanzen, die in Afrika kultiviert wurden, haben sich bis nach China ausgebreitet. Gefragte Produkte Afrikas im fernen Asien waren Gold, Elfenbein, Schmiedeeisen, Kopra, Kokosöl und Schildpatt. Nach arabischen Quellen des 10. und 12. Jahrhunderts wurden Elfenbein und andere Waren aus Afrika über Südarabien nach Indien und China verschifft. Zu den Artikeln, die in Afrika begehrt waren, zählten unter anderem Porzellan aus China und Stoffe aus Indien. Aber erst der Islam gab dem Vorgehen der Araber seinen eigentümlichen Charakter.

Im Dienste der Ausbreitung des Islam vereinte die neue Lehre Menschen unterschiedlicher ethnischer Herkunft, und das Kalifat, das alle Reichtümer des Orients an sich zog, sicherte kühnen Seefahrern, Soldaten und Handelsleuten Ansehen und reichen Handelsgewinn. Basra blühte damals auf, und Oman am Persischen Golf wurde ein wichtiger Handelsplatz. Der Unternehmungsgeist der islamischen Kaufleute führte sie bald über den Malaiischen Archipel hinauf bis an die Küste von China, die um 850 bereits durch einen ziemlich lebhaften Handel mit Oman verbunden war. In Indonesien entwickelten sich Stationen des Zwischenhandels. Viele Araber, sowohl aus den Städten als auch aus den Nomadengebieten, siedelten in die eroberten Länder über. Während Syrien und Irak, später Ägypten und Nordafrika direkt arabisiert werden konnten, gelang das in Transkaukasien, in Iran und Mittelasien nicht. Auch die Völker West- und Ostafrikas, obwohl sie niemals dem Kalifat angehörten,

wurden das Ziel islamischer Glaubensboten und Händler. Im Mittelalter vermochte der Islam bis weit nach Westafrika vorzudringen, ohne aber die Küste von Guinea zu erreichen. Nach dem Zeugnis von Ibn Battuta, der 1352 den Staat Mali besuchte, verlief die Religionsgrenze am Oberlauf des Flusses Volta.

Zu den größten und berühmtesten Zentren islamischer Bildung wurden die Städte Gao und Timbuktu. Die Universität in Timbuktu gehörte im 12. und 13. Jahrhundert neben El Azhar in Ägypten zu

den Hochburgen islamischer Kultur. In Timbuktu wirkten zeitweilig mehr als 100 Gelehrte, denen umfangreiche Bibliotheken zur
Verfügung standen. Der Reichtum westsudanischer Königsstädte wurde von islamischen Historikern des 14. und 15. Jahrhunderts immer
wieder in den glänzendsten Farben beschrieben. Leo Africanus, der
zu Beginn des 16. Jahrhunderts Timbuktu besuchte, berichtete von
einem hochentwickelten Gewerbe in der mehr als 6000 Häuser
zählenden Stadt, in der es Korn und Vieh im Überfluß gab. In Gao
standen 7626 Häuser, woraus zu schließen ist, daß in dieser Stadt
annähernd 75000 Menschen gewohnt haben.

Der Islam in Ostafrika

Bereits vor der Zeitenwende gab es einige kleinere Ansiedlungen der
Südaraber an der ostafrikanischen Küste. Ihnen folgten wahrscheinlich die Perser. Später gründeten längs der afrikanischen Küste
islamisierte Händler Faktoreien, die im Handelsaustausch mit Indien
und Madagaskar standen.

Vom 10. bis 13. Jahrhundert ließen sich an der ostafrikanischen
Küste weitere Siedler nieder. So soll die Gründung der Stadt
Mogadischu (etwa im Jahre 908) auf eine Gruppe von Arabern zu-
rückgehen, die mit drei Schiffen unter Führung von neun Brüdern
aus der Stadt El Chasa am Persischen Golf an der Küste des Somalilandes gelandet waren und dort festen Fuß gefaßt hatten. Um 975
soll in ähnlicher Weise die Gründung von Kilwa erfolgt sein, wobei
kulturhistorisch interessant ist, daß eine Äthiopierin die Veranlassung dazu gab, wie eine Chronik erzählt: Nämlich, »daß Ali,
einer der sieben Söhne des Sultans Hassan von Schiras in Persien,
sich als Sohn einer abessinischen Sklavin nicht genug geachtet
glaubte und daß er mit seinen Frauen, Kindern und Anhängern aus-
wanderte, weil er gegen seine Brüder, die persischen Fürstentöchtern
entstammten, nicht aufkommen konnte. Von Ormus aus segelte
er mit zwei Schiffen gen Ostafrika, wohin ihn der Ruf des Goldreich-
tums des Landes lockte . . . Die von Wassern umgebene Lage Kilwa's
veranlaßte ihn, diese Örtlichkeit zur Niederlassung zu wählen und
von den Eingeborenen Waren gegen Zeugstoffe zu kaufen«. (II/463/
82 f.)

Schon im 9. Jahrhundert waren auf Java »afrikanische Sklaven auf den Markt gebracht« worden, (II/298/Bd. II/378) und für 813 ist die Überbringung afrikanischer Sklaven an den Kaiser von China durch eine javanische Gesandtschaft bezeugt. (Ebenda)

Unter dem Begriff »Sklaven« war damals eine Art Abhängigkeit zu verstehen, die auf keinen Fall mit dem späteren überseeischen Sklavenhandel der europäischen Mächte zu vergleichen ist, der seit dem 16. Jahrhundert vor allem im Kongo und in Westafrika tiefe Spuren hinterließ.

Der Verständnishorizont, auf den der Islam als neue geistige Tradition traf, förderte in Afrika seine Verbreitung. Es ist an die These zu erinnern, daß sich auf dem afrikanischen Kontinent die »Informationsströme« nicht einseitig bewegten. Afrika war im Verlaufe einer langen Geschichte zu einer historischen Gemeinschaft mit einer besonderen räumlich-ethnisch-kulturellen Komponente geprägt worden. Die afrikanische Gesellschaft war schöpferisch, ihr Erfindungsgeist ruhte selten. Der Islam vermochte sich im subsaharischen Afrika nur mit Rücksicht auf die afrikanische Tradition und Kultur zu verbreiten, die in wesentlichen Elementen adoptiert wurde.

Der Prozeß der Verschmelzung von Elementen traditioneller afrikanischer Religionen, kultischer Formen, von allgemeinen Wertvorstellungen und sozialen Gliederungen war Zeichen der Anpassungsfähigkeit und führte im 19. Jahrhundert zum Urteil des afrikanischen Christen E. W. Blyden (1832—1912), daß »das Mohammedanertum ... den Bedürfnissen der negroiden Rasse am besten angepaßt ist«, (II/178/155) ja, daß der Islam eine religiöse Form sei, »die das Christentum in Afrika annimmt«, (Ebenda/61 f.) eine Schlußfolgerung, die nur aus europäischer Sicht scheinbar gegen alle Gesetze der Logik verstößt.

Wo der Islam auftrat, wurden ursprüngliche Religionselemente entweder adoptiert oder adaptiert, und sie blieben im Volksbewußtsein auf unterer, aber lebendiger Stufe erhalten. Blyden berief sich auf die positiven Traditionen. Nach seiner Auffassung war der Islam »eine Religion, zu der der Afrikaner seinen Beitrag geleistet hat«. (II/177/166) Unter den Mohammedanern, so beweise die Geschichte, habe es große afrikanische Herrscher, Politiker, Wissenschaftler,

Heerführer und Soldaten gegeben. (II/178/90) Unter den führenden Repräsentanten des Islam könne man Menschen jeder Hautfarbe finden. Bereits Mohammed habe zu seinen Anhängern gesagt: »Unterwerft euch meinem Nachfolger, selbst wenn er ein schwarzer Sklave ist.« (II/177/281) Die Stärke des Islam sah Blyden in dessen national-unabhängigem Charakter und in seiner Toleranz gegenüber Rassenunterschieden. (II/178/64)

Die Araber als erste Träger des Islam haben sich trotz aller Widersprüchlichkeit in ihrem Auftreten Verdienste in Afrika erworben: Von ihnen stammen die frühesten Beschreibungen afrikanischer Völker, und sie zeichneten von den Afrikanern ein positives Bild. In der frühen islamischen Afrikaliteratur sucht man vergeblich nach Begriffen, wie sie später von den Europäern der Entdeckungszeit gebraucht wurden: »Menschenfresserei«, »Gesetzlosigkeit« und »Schamlosigkeit«, also jene Kennzeichen, die schlechthin »Wilden«, »Heiden« und »Barbaren« angelastet werden. Seit dem 12. Jahrhundert sind zahlreiche Monographien und Schriften arabischer Gelehrter und Schriftsteller überliefert, welche den Afrikanern hohes Lob zollen, etwa die Schriften »Erhellung der Morgenfinsternis: Über die Vortrefflichkeit der Neger und Abessinier« (aus der Feder Ibn al Gauzis, 1116—1200), »Blume der Throne« (abgefaßt von dem arabischen Schriftsteller Sujutis 1445—1505) und schließlich »Buntes Prachtgewand: Über die guten Eigenschaften der Abessinier« (von Muhammed Ibn 'Abdalbaquial Buhari, über dessen Lebensdaten keine zuverlässigen Nachrichten vorliegen).

In der letzten Schrift wird gesagt, daß die Afrikaner von Gott auserwählt seien und bereits einige von ihnen in alten Zeiten ihren Wohnsitz im Paradies hatten. Auf die positive Rolle der Afrikaner, die sie in der Geschichte des ältesten Islam gespielt haben, wird hingewiesen. Der Koran diente als Beweis für die guten Eigenschaften der Afrikaner: »Wisse, daß im erhabenen Koran zahlreiche mit der Sprache der Abessinier übereinstimmende Wörter vorkommen.« (II/498/40) Koran und Bibel waren gleichermaßen Quelle für afrikanisches Selbstbewußtsein. Dabei darf nicht übersehen werden, daß sich arabische Schriftsteller, Religionswissenschaftler und Gelehrte nicht scheuten, den Koran als Zeugnis für die Gleichheit der Afrikaner mit anderen Völkern heranzuziehen, während vor allem in der

Kolonialzeit zahlreiche gebildete Europäer christlichen Glaubens von Geschichtslosigkeit und Primitivität sprachen.

Der Koran erwähnt eine große Anzahl von Geistwesen: Engel, Dschinns und Teufel; sie ließen sich in das traditionelle religiöse Denken einfügen. Wie die traditionellen Religionen ließ der Islam Raum für magische Handlungen, die dem richtigen Wechsel der Naturzyklen, der Aufeinanderfolge der Jahreszeiten dienten; Beschwörungen verschiedener Art, Zauberei und Sprüche sollten das Wetter beeinflussen, die Dürre abwenden und Regen bringen. Der Islam verlangte von seinen Anhängern nicht, daß sie ihr gewohntes Vertrauen auf magisch-mystische Kräfte, auf Ahnenkult, Animismus, »Fetischismus« und andere Rituale und Glaubensinhalte aufgaben. Berührungspunkte gab es bei der Wahrsagung und in den Opfern. Die Moslems brachten Opfer und gaben Almosen, um Erfolg zu haben oder Übel abzuwenden. Sie trugen Amulette, um einen guten Fischfang oder um Schutz für Vieh und Wohnstätten zu erwirken. Einige ihrer Amulette enthielten segenbringende Koranverse. Viele ethische und familienrechtliche Normen, so Brautgabe, Polygamie oder Scheidung, ließen sich in die afrikanische Tradition integrieren. Islamische Rituale und Gebete bei Geburten, Beschneidung, Hochzeiten und Beerdigungen ließen sich mit vorhandenen Gewohnheiten verschmelzen. In der Verbindung von alten Religionsvorstellungen und Islam waren die theologischen Ideen der monotheistischen Staatsreligion dem Verständnis der einfachen Menschen zugänglich und entsprachen ihren Denkgewohnheiten sowie den traditionellen Sitten und Bräuchen. Die traditionellen Religionen und der Islam in seinen verschiedenen Rezeptionsformen (abhängig von den Rängen innerhalb der sozialen Hierarchie, von oben und unten) verliehen den afrikanischen Königreichen und ihren Herrschern ebenfalls »Göttlichkeit«.

Während in den afrikanischen traditionellen Religionen der Glaube an das Fortleben nach dem Tode davon ausgeht, daß die »Guten« und die »Bösen« in der jenseitigen Welt gemeinsam weiterleben, ohne Lohn oder Strafe zu empfangen, erfolgt in der islamischen Eschatologie eine Zweiteilung: Das Paradies mit seiner vorwiegend materialistisch gedachten Seligkeit wird fortan zum Bestimmungsort der Gläubigen, während die Hölle den Ungläubigen vorbehalten bleibt.

Was das islamische Jahr anbetrifft, so wurde der islamische Mond-kalender zusammen mit der Religion generell übernommen und verdrängte gewöhnlich andere Zeitrechnungen. Man übernahm die arabischen Monatsnamen, wobei dem sozialen und religiösen Gehalt des betreffenden Monats Ausdruck verliehen wurde: z. B. heißt der Fastenmonat Ramadan »Mond der Entbehrung«. Die Almosen wurden den Opfergaben gleichgesetzt. Die Wallfahrt nach Mekka war kostspielig und schwer einzuhalten, erfreute sich aber trotzdem unter afrikanischen Moslems großer Beliebtheit. Moslems, die sich die Mekkareise nicht leisten konnten, wallfahrteten zu örtlichen Heiligtümern.

Die einfachen Menschen übernahmen den Islam zunächst in seinen äußeren Formen. Der Islam begünstigte die Herausbildung neuer Anschauungen, die sowohl den Bedingungen der traditionellen Sozial-psyche der vorwiegend bäuerlichen Bevölkerung als auch deren Auf-lösungstendenzen entsprachen, wie sie bei der handeltreibenden Be-völkerung der Städte, besonders der Küstenorte, zu beobachten waren. Den Glauben an einen einzigen Gott — Allah — vermochten die meisten Menschen mit dem Glauben an ihre Götter- und Geister-welt zu verbinden. Wie in Ägypten und Äthiopien die koptische und die griechische Schrift übernommen worden waren, so gewann in den Ausbreitungsgebieten des Islam in Afrika, wo entweder kein eigenes oder nur ein lokal begrenztes Schriftsystem vorhanden war, die arabische Schrift große Bedeutung.

Der Islam durchbrach den rhythmischen Gang des Lebens der afrikanischen Agrargesellschaft und das enge Verhaftetsein des Indi-viduums mit dem traditionellen Stammesdenken. Er trug zur Bewah-rung der afrikanischen Kultur und zur Überwindung überholter Formen der Tradition und der sozialen Normen bei. Er bereicherte die afrikanische Religiösität. Der Islam und seine wechselseitige Durchdringung und Verzahnung mit den afrikanischen traditionellen Religionen machen deutlich, daß Afrika südlich der Sahara nicht von der übrigen Welt isoliert war. Die ältere einheimische Kultur blieb erhalten und wurde vom Islam adoptiert, das heißt, in Glaube, Vorstellung und Mythos, in die Riten und Zeremonien, die emotio-nalen Erlebnisse und Erfahrungen, die religiösen Institutionen und die moralischen Normen flossen Teile der afrikanischen Kultur ein.

Afrika leistete einen spezifischen Beitrag zu dem synkretistischen Charakter des Islam und zu den kulturellen Leistungen der islamischen Kultur. Noch bis Ende des 18. Jahrhunderts fühlte sich der alte moslemische Osten dem christlichen Westen überlegen. Erst die Bonaparte-Expedition nach Ägypten um 1800 brachte einen allmählichen Wandel.

Ähnlich wie im islamisch-arabischen Kalifat der Islam der vielgestaltigen polyethnischen und multikulturellen Situation der Völker als gemeinsame religiöse, allerdings synkretisierte Bewußtseinsform gerecht wurde, so war es auch in den Gebieten Afrikas, die außerhalb des Kalifats lagen. Fast in allen Ländern Afrikas gehören die Mohammedaner zu den Sunniten, mit Ausnahme kleiner schiitischer Gruppen, Nachkommen der Siedler aus Jemen, Iran, Irak und aus Indien, die in den Ländern Ostafrikas und auf den der ostafrikanischen Küste vorgelagerten Inseln leben.

Madagaskar

Die Insel Madagaskar verdient mit ihrer einzigartigen Position im Süden Afrikas und ihrer herausgehobenen Rolle im ethno-kulturellen Austausch zwischen Asien und dem afrikanischen Festland besondere Aufmerksamkeit. Madagaskar kannten die Araber wahrscheinlich seit dem 9. Jahrhundert. Die ältesten arabischen Siedlungen, soweit dies heute bekannt ist, lagen an der Nordost- und Ostküste Madagaskars. Zu den ersten, die auf der Insel Fuß faßten, zählten Bewohner Südostasiens, die in früher Zeit in größeren Wellen hierher kamen. Man kann eine Gruppe hellerer Haut (Hochland und Ostteil der Insel) als Altmalaien bezeichnen. An der Westküste Madagaskars war dagegen die dunkelhäutige Bevölkerung bis zum 17. Jahrhundert die weitaus größte Gruppe. Wie hoch der Anteil von Menschen afrikanischer Festlandsherkunft war, ist umstritten. Von der dunkelhäutigen Bevölkerung (Sakalava im Westteil der Insel) geht auch — dies ergaben in den letzten zehn Jahren physisch-anthropologische Untersuchungen — ein beträchtlicher Teil auf ältere Einwanderungswellen aus Südost- und vielleicht auch aus Südasien zurück. Sie sind mit dortigen austronesischsprachigen dunkelhäutigen Bevölkerungsgruppen, wahrscheinlich auch den Melanesiern, verwandt. In Sprache und Kultur der Madagassen kommen die engen Verbindungen zu den Völkern sowohl des afrikanischen Festlandes als auch der entfernten Inseln des heutigen Indonesien zum Ausdruck. Mit dem Ausgang des 18. Jahrhunderts war es der malaiischen Oberschicht, den sogenannten Hovas, gelungen, sich zu Herren über die gesamte Inselbevölkerung aufzuschwingen.

Von Madagaskar berichteten die europäischen Reisebücher wahre Wunder, so über die Flora und Fauna, über die es in »Abbé Rochon's Reise nach Madagaskar und Ostindien« heißt: »Alle Wälder stehen voll Kräuter, die den Botanikern unbekannt, und teils aromatisch oder medizinisch, teils zum Färben tauglich sind.« (I/13/5) Rochon gilt nach dem Urteil seines deutschen Übersetzers, des Aufklärers Georg Forster, als zuverlässiger Reiseschriftsteller ohne Vorurteil. Ein instruktiver Bericht über die hohe Kultur der Madagassen und den frühen Einfluß des Islam wurde 1793 in der von Th. F. Ehrmann herausgegebenen »Bibliothek der neuesten Länder- und Völkerkunde« veröffentlicht: »Die Bewohner der Provinz Karkanossi sind in der Kunst zu schreiben nicht ganz unwissend. Sie haben sogar einige historische Bücher in madekassischer Sprache; aber ihre Gelehrten, die Ombiossen genannt werden, bedienen sich nur der arabischen Charaktere. Sie haben Schriften über die Arzneiwissenschaft, die Geometrie und die Sterndeutekunst. Diese Ombiossen sind zugleich Zauberer und Ärzte. Die berühmtesten kommen aus der Provinz Mataton, wo sich die Magie in ihrer ganzen Vollkommenheit erhalten hat. Die Matatonen werden von den übrigen Madagassen gefürchtet, weil sie sich in dieser lügenhaften Kunst auszeichnen. Die Ombiossen lehren in den öffentlichen Schulen die Geometrie und die Astrologie. Die Schreibkunst ist ohne Zweifel von den Arabern, welche die Insel vor 300 Jahren eroberten, dahin gebracht worden.

Das Papier wird in dem Tal Ambul verfertigt, und zwar aus Papyrus nilotica, welche die Madagassen Sanga-Sanga nennen. Man löset die zweite Rinde von diesem Schilfe geschickt ab, teilt sie in sehr kleine Blätter, benetzt sie mit Wasser, legt sie in verschiedenen Richtungen aufeinander, und drückt sie dann zusammen. Hierauf läßt man die Masse in einer starken Aschenlauge kochen, und stampft sie nachher in einem großen hölzernen Mörser zu einem Teig. Dieser wird dann auf einem Gitter von Bambusrohr gewaschen und gespült, um ihn von

allen Unreinigkeiten zu befreien. Wenn die Operation geendigt ist, legt man das Blatt zum Trocknen an die Sonne, und leimt es mit einem Absud von Reiswasser, den man in der madekassischen Sprache Raupan nennt. Dies Papier ist ein wenig gelblich, aber wenn man es gut leimt, so löscht es nicht. Die Federn, deren sich die Insulaner bedienen, sind von Bambus gemacht; und ihre Tinte verfertigen sie aus der, in Wasser gekochten Rinde eines Baumes, den man Arandrato nennt. Diese Tinte ist etwas weniger schwarz als die unsrige, aber glänzender. In dem nordwestlichen Teile der Insel Madagaskar hat sich die arabische Sprache einigermaßen ausgebreitet. Es ist befremdend, daß der Mohammedanismus sich auf dieser von Arabern so oft besuchten Insel nicht weiter ausgebreitet hat, indes die Beschneidung, die Enthaltung von Schweinefleisch und einige kleine Zeremonien ausgenommen, die sehr wenig Einfluß auf das Verhalten des Volkes äußern, haben selbst die Abkömmlinge der Araber die Hauptgrundsätze ihrer Religionsmeinungen vergessen. Sie glauben nicht an ein anderes Leben und nehmen wie die Manichäer, zwei Grundwesen an: ein vollkommen gutes und ein äußerst böses. An das erste richten sie niemals Gebete; aber das zweite fürchten sie sehr stark, verehren es und bringen ihm ohne Unterlaß Opfer dar.

Die Insel Madagaskar liegt so nahe an der Küste von Afrika, daß man ihre Bevölkerung ganz natürlich diesem großen Weltteile zuschreiben kann. Aber jetzt durchkreuzen die verschiedenen Stämme einander so sehr, daß man sich vergebens bemühen würde, ihre Verschiedenheiten zu schildern . . .« (I/6/Bd. 3/204ff.)

Die Swahili-Zivilisation

An der Ostküste Afrikas verschmolzen die Siedler aus Arabien mit der einheimischen Bevölkerung, und es fand ein Prozeß der Assimilierung statt. Allmählich gingen die meisten Araber in Ostafrika in der negroiden Bevölkerung auf. Sie heirateten einheimische Frauen und begannen, sich deren Sprache zu bedienen. Die alten arabischen Erdbeschreibungen erzählen, daß in Ostafrika »viele blühende Städte mit mohammedanischen Bewohnern vorhanden waren, die von heidnischen Völkerschaften umgeben waren, und daß ein lebhafter Handelsverkehr an der ganzen Küste bis südwärts Sofala betrieben wurde«. (II/463/88) In ethnischer Beziehung waren die mohammedanischen Bevölkerungsteile auf Sansibar und an der ostafrikanischen Küste, soweit sie Nachkommen der arabischen Einwanderer waren, bald mehr afrikanisch als arabisch. »Die herrschende Klasse waren ›weiße und schwarze Mauren‹, d. s. reine Araber und deren Mischlingsabkömmlinge. Handeltreibende Indier vervollständigten die Be-

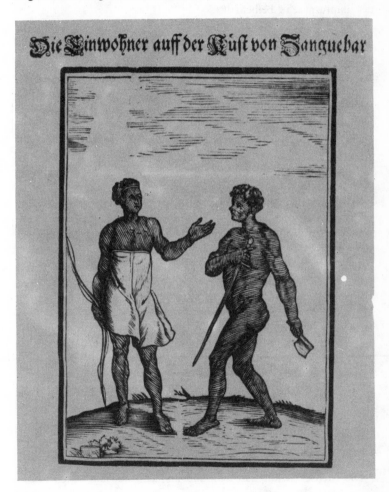

Die Einwohner auff der Küst von Sanguebar

völkerung.« (Ebenda/92) Ein immer größerer Teil wurde von der einheimischen Bevölkerung assimiliert, und der Islam bot die Voraussetzung für einen religiösen und kulturellen Synkretismus, in dem afrikanische Rituale und Bräuche Grundlage blieben. Die Verkehrssprache war das Swahili, das, ungeachtet lexikalischer Entlehnungen aus dem Arabischen, die charakteristische grammatische Struktur der Bantusprache beibehielt.

Etwa seit dem 10. Jahrhundert bildete sich an der afrikanischen Ostküste die Swahili-Zivilisation. Sie profitierte davon, daß die islamisch-arabischen und swahilischen Seefahrer die Kontrolle über das Rote Meer und den Persischen Golf, über den Indischen Ozean und die Zugänge zum Mittelmeer und zum Südchinesischen Meer besaßen. Nicht minder bedeutsam als die ethnisch-kulturellen Kontakte zur asiatischen Welt, deren Ausbreitung weit über den nordwestlichen Teil des Indischen Ozeans hinausreichte, war der Einfluß der Swahili-Zivilisation auf das Innere Afrikas. Es ist anzunehmen, daß der transkontinentale ethnisch-kulturelle Austausch bereits lange vor dem 18. Jahrhundert eine größere Rolle spielte, als bisher vermutet wurde. Allerdings kann sich diese These vorerst nur auf Einzelbelege stützen, so daß hier der Forschung ein weites Feld verbleibt. Noch im 19. Jahrhundert erfaßten die ethnisch-kulturellen und Handelskontakte des Sultanats Sansibar ein riesiges Territorium: das nördliche Moçambique, die Njassaländer, das östliche und zentrale Kongogebiet, die späteren Kolonien Deutsch- und Britisch-Ostafrika und die Somalihäfen am Indischen Ozean. Nach Süden reichte es bis Madagaskar, nach Norden bis an den Persischen Golf und nach Osten bis in die Häfen Indiens.

Das Eindringen der islamisch-arabischen Kultur führte zu neuen kulturellen Leistungen, die sich aus der kulturellen Synthese ergaben. So vereinigte sich in den sakralen Bauwerken lokale Bautechnik mit der traditionellen islamischen Sakralarchitektur. Bei den Moscheenbauten widerspiegelten sich die Logik der Formen und Bauverfahren, die geschickte Nutzung örtlicher Baumaterialien, die Anpassung an die klimatischen Bedingungen, kurzum, die Architektur der afrikanischen Völker. Der Synkretismus durchzog alle Lebensbereiche und prägte die Symbole der Macht.

Die Menschen auf Sansibar und an der ostafrikanischen Küste

blieben, unabhängig von ihrer ethnischen Herkunft, Teil einer afrikanischen Kultur mit engen Verbindungen zur islamischen Welt. »Im Fernverkehr waren Kilwa, Mombasa, Melinde, Patta und Mukdischu (Mogadischu, H. L.) mit Aden, Ormus und besonders Kambaja (Indien, H. L.) in Verbindung . . . Heidnische und mohammedanische Indier wurden als Händler in allen ostafrikanischen Häfen nördlich Mozambiques von den Portugiesen angetroffen . . .

Noch südlich von Sofala fanden die Portugiesen kleine mohammedanische Niederlassungen, wo Tauschhandel mit indischen Baumwollwaren getrieben wurde . . . Das nördliche und westliche Madagaskar . . . und die Komoro-Inseln gehörten gleichfalls zu diesem Wirtschaftsgebiete. Daß die Araber bzw. Guseraten das Kap der Guten Hoffnung kannten und den Zusammenhang des Indischen Ozeans mit dem Atlantischen Ozean ahnten, ist sehr wahrscheinlich.«˙ (Ebenda/94f.)

Sansibar entwickelte sich zu einem selbständigen Sultanat, das im 14. und 15. Jahrhundert sogar eigene Münzen prägte. »Als der eigentliche Lebensnerv aber der ganzen mohammedanischen Siedlungen in Ostafrika, wie die Portugiesen sie fanden, ist fraglos der Goldhandel mit Sofala zu betrachten . . . Zweifelsohne ist aber dieser Goldhandel des späten Mittelalters eine Erbschaft jener gleichartigen Unternehmungen, die ins graue Altertum zurückgreifen. Einerlei, ob Phönizier, Ägypter, Abessinier, Indier, Perser oder Araber jene ältesten Entdecker und Ausbeuter der Mineralschätze Südafrikas waren, der Verbindungsweg mit ihrem Heimatlande führte immer längs der Ostküste Afrikas, und die Fahrzeuge, welche diesem Verkehre dienten, werden schwerlich die lange Strecke vom Persischen Golfe oder der Straße Bab-el-Mandeb aus nach dem fernen Süden ununterbrochen zurückgelegt haben, sondern werden die Häfen des äquatorialen Afrika angelaufen haben. Mit Sicherheit darf man das Wachsen, vielleicht sogar die Entstehung der Städte im mittleren Teile der ostafrikanischen Küste mit dem Goldhandel Südafrikas in Verbindung bringen . . .« (Ebenda/98) Der Islam trug zur Stabilität des traditionellen Handels- und Wirtschaftssystems in der historisch-kulturellen Region, wie sie durch Afrika, Indien und China und die anderen Zentren im Raum des Indischen Ozeans sowie des Südchinesischen Meeres gebildet wurde, entscheidend bei.

3.3. Buddhismus und Hinduismus

Die Lehre des Buddhismus entstand in Nordindien im 6. bis 5. Jahrhundert v. u. Z. Buddha — dem diese Weltreligion ihren Namen verdankt — lebte etwa von 560 bis 480. Seine Heimat war Kapilvatthu, ein Fürstentum auf dem Boden des heutigen Nepal. Der Buddhismus breitete sich in alle Himmelsrichtungen aus. Schon im 3. Jahrhundert v. u. Z. bekannte sich der übergroße Teil der Bevölkerung Vorderindiens zu ihm. Im 1. Jahrhundert v. u. Z. faßte er in China Fuß, erlebte im 3.—6. Jahrhundert u. Z. seine erste Blüte und war zeitweilig sogar Staatsreligion. Im 5. Jahrhundert gelangte er von Ceylon aus nach Burma, um 700 von Vorderindien nach Java und von China nach Zentralasien, Korea und Japan. Einflüsse des Buddhismus sind auch in Afrika nachweisbar. In seiner vorderindischen Heimat wurde der Buddhismus seit dem 8. Jahrhundert durch den reformierten Hinduismus verdrängt und ist dort seit dem 13. Jahrhundert und in Indonesien seit dem 15. Jahrhundert so gut wie erloschen.

Der Buddhismus, in dem der Synkretismus eine bedeutende Rolle spielte, prägte in einer ganzen Reihe mittel- und ostasiatischer Länder das gesellschaftliche Leben. Er mußte sich, um von weiten Teilen der Bevölkerung angenommen zu werden, wie fast alle großen Religionen, in äußeren Formen, aber auch in der religiösen Ideologie den bis zu seiner Ausbreitung vorhandenen polytheistischen Glaubensformen anpassen und zahlreiche Konzessionen machen. Das irdische Schicksal des Buddhisten wurde nicht nur vom Glauben an Buddha, sondern auch von den alten Göttern gelenkt.

Der Hinduismus entstand als religiöse Richtung im 2. und 1. Jahrhundert v. u. Z. bzw. nach anderer Auffassung im 3. bis 5. Jahrhundert u. Z. Seine Ursprünge gehen auf Indien zurück. Die europäischen Reiseberichte, vor allem des 18. Jahrhunderts, geben ein Bild von der Bedeutung und Rolle des Hinduismus. Die überwiegende Mehrzahl der Bewohner Indiens bekennt sich auch heute noch zu der einen oder anderen großen hinduistischen Gottheit. Der Hinduismus hat in seinen Geboten und Vorschriften vieles mit den traditionellen afrikanischen Religionen gemeinsam. »Die äußere Verehrung der Götter besteht hauptsächlich darin, daß ihre Bilder

in den Tempeln in Wasser und Milch gebadet, mit Butter und wohlriechenden Ölen gesalbt, beräuchert und dann mit kostbaren, von
Edelsteinen starrenden Kleidern, die man, wenn die Pagode reich
genug ist, täglich wechselt, bekleidet werden. Auch brennt man
Lampen vor den Götterbildern an, schmückt und bewirft sie mit
Blumen, während die Dewadaschis Loblieder singend, heilige Tänze
aufführen.

Die Feste der Hindureligion sind sehr zahlreich; man zählt deren
gegen hundert und beinahe jeder Gott hat sein eigenes, das alljährlich zur bestimmten Zeit gefeiert wird. ... Die den Göttern darge-
brachten Opfer bestehen größten Teils in leblosen Dingen. Blutige
Opfer sind selten ... Außer den Opfern, mit welchen mancherlei
Gebete, Gelübde, Almosen und andere gute Werke verbunden sind,
haben die Hindus auch gewisse Fasten zu beobachten, Wallfahrten
und Abwaschungen zu verrichten.« (II/437/54f.)

In Indien bestanden und bestehen auch in der Gegenwart neben
dem Hinduismus zugleich der Islam und andere Religionsformen
fort.

Religion und Handel unterstützten sich wechselseitig. Schon Buddha
folgte bei seinen Predigtwanderungen den Fernhandelsstraßen, und
so erschloß die neue Religion auch neue Märkte. Auf der anderen
Seite verbreiteten die Kaufleute mit ihren Waren auch die buddhi-
stischen und hinduistischen Lehren.

Der Handel Indiens mit vielen kostbaren Naturprodukten und
Fabrikaten war schon in den ältesten Zeiten berühmt und ein Gegenstand der Wünsche fast aller Völker der Erde. Schon 1000 Jahre
v. u. Z. brachten die Inder auf eigenen Schiffen die Produkte ihres
Landes in ferne Länder. Von Ceylon berichtete eine byzantinische
Quelle: »Aus ganz Indien und Persien sowie Äthiopien nimmt die
Insel viele Schiffe, da sie eine zentrale Lage hat, und sie entsendet
ebenfalls viele.« (II/216/27) Unter den Handelspartnern wurden auch
die schwarzhäutigen Bewohner Ostafrikas, die Sindsch (Sindu), genannt. »Aus den entfernten Gegenden, ich meine Tzinitza (China,
H. L.), und anderen Handelsplätzen, führt sie (die Insel Ceylon,
H. L.) Seide, Aloe, Gewürznelken, Sandelholz sowie alle Artikel
ein, die im Lande vorkommen; diese tauscht sie mit den Bewohnern
des äußeren Meeres aus, nämlich mit Male (Malabar), wo der Pfeffer

wächst, und mit Kalliana, wo Erz, Sesamholz und anderes gewonnen wird, was zu Kleidungsstoffen dient; denn auch dieses ist ein großer Handelsplatz, desgleichen auch mit *Sindu* (Hervorhebung durch mich, H. L.), wo es Moschus, Biber und Narden gibt, sowie mit Persien, dem Homeritenlande und Adule. Von jedem dieser genannten Handelsplätze importiert sie wiederum Waren und exportiert nach dem hinteren Indien, wobei sie zugleich ihre eigenen Produkte nach dem Handelsplatz exportiert.« (Ebenda) Aus Äthiopien wurden zur Zeit des byzantinischen Reiches »Elefantenzähne nach Indien, Persien, in das Homeritenland und das römische Reich exportiert«; (Ebenda/ 32) dabei wurden auf dem Indischen Ozean Schiffe benutzt, die zahlreiche technische Besonderheiten aufwiesen, etwa, daß »die Planken untereinander nicht von einem durchgehenden Eisenstück zusammengehalten, sondern durch Schlingen verbunden« waren. »Die Veranlassung . . . ist die, daß Inder und Äthiopier weder Eisen noch sonst etwas besitzen, was diesen Zwecken dient.« (Ebenda/81)

Auf den Spuren der indischen Kaufleute kamen allmählich auch indische Priester und Siedler in die fernen Länder: nach Afrika im Westen, nach Südostasien und bis nach China im Osten. Bereits vor der Zeitenwende hatten einzelne indische Kaufleute die ostafrikanischen Küstengebiete bereist. Als Ende des 12. Jahrhunderts eine Periode der wirtschaftlichen und kulturellen Entwicklung der Ostküste Afrikas einsetzte, die ihren Höhepunkt im 15. Jahrhundert erreichte, entstanden zahlreiche indische Kaufmannsniederlassungen. Indische Händler und Siedler wurden gleich den arabischen und persischen in die hochinteressante afrikanische Swahili-Zivilisation integriert.

Auf Java hatte im 8. Jahrhundert u. Z. die Einwanderung von Hindus zugenommen. Von Java aus verbreiteten sich ihre Kultur und Religion auf die benachbarten Inseln, auf Sumatra, das südliche Borneo und andere Teile des Archipels. Über die Bewohner von Malakka heißt es im halbamtlichen »Tagebuch der Gesandtschaft an die Höfe von Siam und Cochin-China«: »Die permanenten Bewohner von Malacca sind: die Malayen; eine Rasse Wilder, von brauner Gesichtsfarbe und dünnem Haupthaar, die man Benua und Jakong nennt; ein Stamm der Hindu-Kolonisten auf Telinga, die Nachkommen der portugiesischen und holländischen Eroberer, wozu sich denn auch, wie in diesen Ländern gewöhnlich ist, noch Chinesen und Mohammedaner von der Küste von Coromandel gesellen.« (I/146/57)

Wie in ganz Südostasien, so war in Malakka mit der Niederlassung der indischen Kaufleute und Siedler eine gewisse Hinduisierung verbunden. »Die gewöhnliche Sage, nach welcher den Hindus verboten sein soll, ihre Heimat zur See zu verlassen, ist durch ihre Anwesenheit hinlänglich widerlegt; und man müßte wahrlich den Verstand verloren haben, wenn man auf der einen Seite eine solche Emigration leugnen wollte, und auf der anderen hingegen zugeben müßte, daß ihre Religion auf den vielen entlegenen Inseln des Indischen Ozeans ausgebreitet ist. Die Kolonie auf Malacca zählt gegenwärtig ungefähr zweihundertfünfzig Familien, die in deren blühenderem Zustande noch weit zahlreicher gewesen sein sollen. Die Kolonisten gehören zu der Völkerschaft der Telinga, oder Kalinga, und können gegenwärtig nur zu der dritten und vierten, oder zu der handeltreibenden und dienstbaren Klasse der Hindus gezählt werden. Es ist noch nicht lange her, daß sich nur einige Brahminen und Chatrias darunter befanden. Die Hindus auf Malacca üben ganz das gewöhnliche Ritual (Kirchengebräuche) ihrer Religion; sie essen nur mit ihren Religionsverwandten, genießen weder Ochsen- noch Schweinefleisch, lieben hingegen Fische, Ziegenfleisch und Geflügel. Diejenigen, welche zu der handeltreibenden Klasse gezählt werden, führen teils ihre eigenen Geschäfte, teils sind sie Buchhalter oder Goldwardeine, in welch' letzterem Fache sie sich durch Kunst und die strengste Rechtlichkeit den vorteilhaftesten Ruf erworben haben. Geringere Personen treiben die gewöhnlichen Beschäftigungen der dienstbaren Klasse, oder sind Feldarbeiter.« (Ebenda/57f.)

Mischbevölkerungen waren an allen großen Handelsplätzen von Afrika über Indien bis China anzutreffen.

Bei den Malabaren (Indien), so berichtete G. F. Gerbett 1752, gab es »Mohrische, das sind Mahometanische Kaufleute«, (II/260/106) und die Frage bleibt wiederum offen, welche ethnischen Gruppen sich hinter dieser Bezeichnung verbargen. Sollten damit die Bewohner der Arabischen Halbinsel gemeint sein, so ist bekannt, daß unter der Bevölkerung der südlichen Küstenränder und der größeren Oasenstädte starke afrikanische Gruppen vorhanden waren und in den uralten Ländern der Sabäer und Minäer, in Jemen und Oman, Kulturformen mit ausgeprägten indo-afrikanischen Beziehungen existierten.

Von afrikanischen »Sklaven« in Kalkutta wird aus einem besonderen Anlaß berichtet. »Trotz der Wachsamkeit ... war es doch dem Schiffe des Königs von Siam gelungen, aus Calcutta und aus der Prinz Wales-Insel fünf junge afrikanische Neger zu stehlen. Sie wurden dem Prinzen Krom-chiat und dem Prah-klang als Merkwürdigkeit zum Geschenk gemacht; wir hatten häufig Gelegenheit, mehrere derselben zu sehen.« (I/146/225)

Afrikaner sind früh nach Indien und den anderen Ausbreitungsgebieten des Buddhismus und Hinduismus gelangt. So gab es neben den schon erwähnten äthiopischen Seefahrern und Soldaten in Indien viele »schwarze Menschen«, die »von Negersklaven« abstammten, (II/437/87) wobei erneut auf den damaligen Charakter des Sklavenstatus hingewiesen werden muß, der nicht mit der antiken Sklaverei oder dem überseeischen Sklavenhandel der europäischen Eroberer verwechselt werden darf.

Die Ausbreitungsgebiete der großen Religionen überschnitten sich partiell. Buddhisten und Hinduisten lebten inmitten von Anhängern anderer Religionen. Von den regen kaufmännischen und kulturellen Beziehungen, die zwischen der islamischen Welt und dem Einflußbereich der Buddhisten und Hinduisten in früherer Zeit bestanden und die das Bindemittel der historisch-kulturellen Region von Afrika über Indien bis China darstellten, zeugen auch Gesandtschaften, die zwischen den Herrschern ausgetauscht wurden. Aus dem Jahre 1283 u. Z. wird von einer Gesandtschaft aus Ceylon nach Ägypten berichtet, die einen Brief überbrachte, in dem es hieß: »Ceylon ist Ägypten, und Ägypten ist Ceylon. Ich wünschte, daß ein ägyptischer Gesandter den meinigen bei der Rückkehr begleitet und daß ein anderer geschickt wird, um in der Stadt Aden zu residieren. Ich besitze eine wunderbare Menge von Perlen und Edelsteinen jeder Art. Ich besitze Schiffe, Elefanten, Musselin und sonstige Produkte vom Holz bakam (Brasilholz, rotes Farbholz, H. L.), auch Zimt und andere Handelswaren, die euch von den indischen Händlern zugebracht werden. Mein Reich bringt Bäume hervor, deren Holz sich zur Anfertigung von Lanzen eignet. Wenn der Sultan von mir zwanzig Schiffe forderte, so wäre ich imstande, sie ihm zu liefern. Übrigens können die Händler aus seinen Staaten in meinem Reich völlig frei Handel treiben. Ich habe einen Gesandten vom Herrscher von Yemen empfangen, der von seinem Herrn kam, um mir Bündnisvorschläge zu machen. Aus Verehrung für den Sultan habe ich ihn jedoch fortgeschickt. Ich besitze 27 Schlösser, deren Schatzkammern mit Edelsteinen jeder Art gefüllt sind. Die Perlenfischereien bilden einen Teil meiner Einkünfte, und alles, was man daraus einnimmt, gehört mir.« (II/298/Bd. III/114 f.)

Wie die islamischen Missionare und Gelehrten, die die wissenschaftlichen Traditionen des Altertums pflegten, unternahmen auch buddhistische Kaufleute und Prediger sowie hinduistische Pilger große Reisen, die sich zur See bis China und zu Lande bis in die Kirgisensteppen ausdehnten und in Verbindung mit dem Fernhandel zur Errichtung zahlreicher Handelsstationen an den afrikanischen, den süd- und ostasiatischen Küsten, auf Madagaskar und auf den Inseln des Sunda-Archipels führten. Seit dem frühen Mittelalter wurden wichtige geographische Fortschritte erzielt, deren Träger neben dem Islam vor allem der Buddhismus und der Hinduismus waren.

Von Afrika bis China haben die Weltreligionen mit ihrer Ausbreitung zugleich Philosophie, Medizin, Literatur und Kunst, Mythologie und Legenden in andere Kulturgebiete hineingetragen, fremde Auffassungen sowie Sitten und Bräuche der eigenen Vorstellungswelt angepaßt oder sie rezipiert. Es bildete sich ein weitgespannter religiöser Synkretismus auf polyethnischer Grundlage heraus; fremde Glaubensformen, religiöse Praktiken und Zeremonien, emotionale Erlebnisse und Erfahrungen, religiöse Institutionen und moralische Normen flossen in den ethnisch-kulturellen Austausch ein. Es gibt in den Reiseberichten des 18. Jahrhunderts Erzählungen über beeindruckende Beispiele des Synkretismus und der Toleranz.

Europäische Reisende berichteten mit Erstaunen, daß »hinsichtlich der Lehre, der Ausübung und Moral« der Buddhismus auf der Insel Ceylon »wesentlich verschieden zu sein (scheint) von der Buddhareligion der Tartarei, Hindostans, Chinas, Japans und Anams . . .« (I/146/538)

In Siam gab es »Chinesen, Mohamedaner und Hindus des westlichen Indiens . . .«, (Ebenda/688) aber auch der Buddhismus besaß starke Positionen. (Ebenda/53) In dem »Tagebuch der Gesandtschaft an die Höfe von Siam und Cochin-China« heißt es, daß der größere Teil der Bewohner Siams Mohammedaner waren. »Die Einflußreichsten davon, wenn auch nicht die Meisten, sind Shias oder Anhänger des Ali. Die Lehrer der mohamedanischen Religion in Siam sind vermöge ihrer Lage genötigt, tausend Opfer zu bringen und sich in einer Menge Punkte nachgiebig finden zu lassen, wie sehr dieses auch ihrer Lehre widerstreiten mag. Diejenigen von ihnen, welche uns in die Tempel begleiteten, verbeugten sich mit großer Ehrfurcht vor den Bildern des Buddha, und man erzählte mir sogar, daß, wenn sie irgend etwas zu erreichen gedächten, es keine ungewöhnliche Erscheinung sei, daß sie den Priestern Almosen gäben und Opfer in den Tempeln brächten. Ja sie gehen sogar noch weiter, indem sie zuweilen ihre Töchter an die ungläubigen Siamesen verheiraten.« (Ebenda/692)

Einfach war der Übertritt von einer Religion zu einer anderen, wie ein buddhistischer Oberpriester sagte: »Er erwähnte unter anderem, daß erst neuerdings von den christlichen Einwohnern von Bangkok vier Personen zu der Buddhareligion übergetreten seien, weit mehrere aber von der mohamedanischen Bevölkerung.« (Ebenda/212)

4. China und Afrika

Frühe Handelsverbindungen zwischen China und Afrika

Im kulturhistorischen Weltsystem alter Zivilisationen, das sich bis in das Mittelalter hinein ausprägte, spielte China im Fernen Osten, das sich selbst als »Reich der Mitte« verstand, eine große Rolle. China war das größte Reich Asiens. Es nahm im 13. und 14. Jahrhundert in der ganzen Welt technologisch und kulturell eine Spitzenstellung ein.

China zählte in der alten Welt, obgleich geographisch kein Anliegerstaat, kulturell und wirtschaftlich zur Region des Indischen Ozeans. Es vermochte auf wichtige Erfindungen zu verweisen, von denen viele weltgeschichtliche Bedeutung erlangt hatten. Die Erfindung der Seidenweberei reicht, wie Grabungsfunde belegen, bis in die Shang-Zeit (1450—1050 v. u. Z.) zurück. Im Jahre 100 u. Z. wurde

im »Reich der Mitte« das Papier erfunden, von dessen Herstellung die Europäer erst über die Araber Anfang des 12. Jahrhunderts Kenntnis erhielten. Die ältesten ostasiatischen Drucke stammen aus dem 8. Jahrhundert u. Z., und das älteste erhaltene gedruckte Buch der Welt trägt ein Impressum des Jahres 868. »Die Kenntnis des Buchdrucks verbreitete sich von China aus zunächst nach Korea und Japan, und zwar im Gefolge des Buddhismus, später auch nach Tibet und Zentralasien. Ob es sich bei der Erfindung Gutenbergs um eine völlig unabhängige Neuerung handelt oder um das Ergebnis einer aus Ostasien nach Europa diffundierten Anregung, muß dahingestellt bleiben.« (II/245/184) Die chinesischen Seeleute hatten den Kompaß vor den Portugiesen in Gebrauch und beherrschten die Kunst, mit Hilfe der Sterne zu navigieren. Die Entwicklung städtischer Zentren in China reicht weit zurück. Seit dem 11. und 12. Jahrhundert entstanden Städte, deren Einwohnerzahl in die Millionen ging. Die mannigfaltigen Gewerbe waren in Gilden zusammengeschlossen. Im 15. und 16. Jahrhundert entstanden Manufakturen für Porzellan- und Töpferwaren, für Textilien, für Seidenweberei, für Färberei und für Eisenverhüttung.

Der Verkehr von südchinesischen Schiffen nach Ceylon, Vorderindien und im Persischen Golf war sehr häufig, und nicht selten gelangten diese Schiffe bis nach Aden und ins Rote Meer. Anfang des 15. Jahrhunderts wurden freundschaftliche Beziehungen mit indischen und arabischen Herrschern sowie mit Hormuz angeknüpft und Gesandtschaften ausgetauscht.

Die Chinesen besaßen in Südchina eine hafenreiche Küste, von der aus sie früh Seehandel nach Indochina, Indonesien und Indien trieben. Mit Siam unterhielt China einen regen Schiffs- und Handelsverkehr, dessen Warenliste einen beträchtlichen Umfang aufwies; Dschunken beförderten zahlreiche Passagiere, oft bis zu 1 200 Personen auf einem Boot, wie das »Tagebuch der Gesandtschaft an die Höfe von Siam und Cochin-China« zu vermelden wußte. (I/146/538 f.) Lange vor dem 7. und 8. Jahrhundert u. Z. liefen chinesische Schiffe in den Persischen Golf ein. Viermastige Hochseeschiffe, die eine große Zahl von Waren und Menschen an Bord nehmen konnten, werden seit dem 9. Jahrhundert erwähnt. In Gebrauch war schon ein einfacher Kompaß. Die Seeleute lebten mit ihren Familien an

Bord, auf den Schiffen fanden Eheschließungen statt, und es wurden Kinder geboren. Für die Frischgemüseversorgung wurden kleine Gärten angelegt. Zur Suche von Festland und zur Übermittlung von Nachrichten setzte man nach indischem Vorbild Tauben ein.

China war an dem umfangreichen Handel in der Region des Indischen Ozeans beteiligt, der auch enge Kontakte und den ethnisch-kulturellen Austausch mit den afrikanischen Völkern einschloß. In alten chinesischen Quellen werden Ägypten und Afrika bereits im 3. und 2. Jahrhundert v. u. Z. erwähnt. Hieronymus Megiseri berichtete 1609 über Madagaskar: »Es gibt dort etliche Leute, die sollen aus China dahin gekommen sein.« (I/48/20) Während lange Jahrhunderte die Afrikakenntnisse der Chinesen mehr einen zufälligen Charakter trugen, änderte sich dies etwa seit dem Jahre 700 u. Z., als das chinesische Reich am Syrdarja unmittelbar an das junge, rasch aufblühende Weltreich der Araber grenzte. Seit dem 10. und 11. Jahrhundert nahm die Zahl der chinesischen Schiffe zu, welche die Gewässer Südostasiens und der indischen Küste aufsuchten.

Aus der Hand chinesischer Geographen und Historiker gibt es Hinweise und Beschreibungen von Reiserouten nach Nordafrika (762 u. Z.) und nach Ostafrika (9. Jahrhundert u. Z.). »Ägypten, Marokko, die Somaliküste, die Berberküste, Sansibar, anscheinend auch Pemba und Madagaskar« waren den Chinesen gut bekannt. (II/298/Bd. 2/241)

Auf einer koreanischen Karte aus dem Jahre 1402, die auf chinesischem Kartenmaterial beruht, wird der Raum von den Azoren bis Japan und vom tiefen Süden Afrikas bis nach Mitteleuropa dargestellt. Afrika ist in Form eines nach Süden ausgestreckten Dreiecks wiedergegeben, und es sind darauf mehr als dreißig geographische Bezeichnungen eingetragen.

Es gibt keine einheitliche Meinung über die ersten direkten Seekontakte zwischen China und Afrika. Vermutungen reichen von der Annahme, es habe diese z. B. mit Äthiopien schon vor der Zeitrechnung gegeben, bis zu solchen, die unterschiedlich das 5. bis 10. Jahrhundert, das 8. bis 9., das 9. bis 13. und das 12. bis 16. Jahrhundert nennen. (z. B. II/298, II/390, II/427, II/428)

Jedoch selbst Meinungen, die Kontakte sehr spät beginnen lassen wollen, gehen davon aus, daß der friedliche Austausch von Waren,

Ideen und Menschen schon sehr früh angenommen werden kann. Strittig ist aber, ob es chinesische oder arabisch-persische Schiffe waren, welche die Handelsverbindungen unterhielten. Seit dem 7. Jahrhundert soll es Siedlungen von Persern, später auch von Arabern in China gegeben haben, in denen wohlhabende und einflußreiche Kaufleute lebten, deren Schiffe über lange Jahrhunderte den Handel vermittelten. (II/298/Bd. II/196f.) Direkte Seekontakte zwischen China und Afrika seien vor dem 13. Jahrhundert nicht zustande gekommen, so eine neuere Auffassung, allerdings seien diese dann im 14. Jahrhundert zwischen den asiatischen Ländern und der ostafrikanischen Küste rasch ausgebaut und gefestigt worden. (Ebenda/Bd. IV/57f.)

Wie auch die Frage nach den chinesischen oder persisch-arabischen Schiffseignern beantwortet wird, entscheidend bleibt die Tatsache des ethnisch-kulturellen Austauschs. Ähnlich ist es mit dem Anteil der Afrikaner an der Schiffahrt auf dem Indischen Ozean.

Quellenmäßig gesichert ist, daß in den Jahren 1417 bis 1419 der berühmte chinesische Admiral Cheng He an der ostafrikanischen Küste landete. Bei dieser Gelegenheit brachte er einen afrikanischen Gesandten nach Afrika zurück, der 1414 von Malindi aus zum Kaiser von China aufgebrochen war und unter anderem als Geschenk eine Giraffe überreichte, die auf einer zeitgenössischen chinesischen Seidenmalerei abgebildet ist. In den Jahren 1431 bis 1433 sandte der Kaiser von China eine mächtige Kauffahrtei-Flotte nach Mogadischu.

Die große Zeit chinesischer Seemacht und der Schiffsverbindungen mit Afrika war aber nicht von Dauer. »Innere Schwierigkeiten und Grenzkriege schwächten Chinas Kraft alsbald derart, daß die stolze Machtentfaltung im Indischen Ozean nicht behauptet werden konnte.« (Ebenda/65f.)

Die europäische Chinakenntnis

1287 traf in Rom eine Gesandtschaft aus der Westmongolei ein, die von Bar Saume geleitet wurde, einem in Peking geborenen Chinesen. Das war der erste Chinese, der nach Europa kam. Er besuchte Genua, Paris und Südfrankreich. Kunstmann nennt die Ankunft eines Ge-

sandten aus China zum Päpstlichen Konzil in Florenz 1441, der über die »Herrlichkeit seines Königs, die großen Ströme seines Landes, von denen einer 200 Städte mit Brocken von Marmor an seinen Ufern zähle, die Einsicht der Regierung, zu deren Mitgliedern nur die weisesten Männer ohne Rücksicht auf Geburt und Reichtum gewählt wurden, endlich die Beschaffenheit der Himmelstadt Quisay in der Provinz Mango mit ihrem großen Umfange von 35 Meilen« berichtete. (II/347/9 f.) Im 13. Jahrhundert gelangten die ersten Europäer nach China. Zunächst war es John de Montevorvino, der als Begründer der dortigen katholischen Kirche gilt.

Im Auftrage Ludwigs IX., des Königs von Frankreich, hielt sich der flämische Franziskaner Wilhelm von Rubruk vom Dezember 1253 bis August 1254 am Hof des mongolischen Großkhans auf. In seinem Bericht über das Mongolenreich (I/142) hieß es, daß die Chinesen große Künstler auf allen Gebieten seien. In der Heilkunde würden sie sehr gut die Krankheiten nach dem Pulsschlag beurteilen können.

Die bereits ausführlich gewürdigte Reisebeschreibung von Marco Polo war für die damalige Chinakenntnis von überragender Bedeutung (vgl. S. 49 ff.).

Mehrere hundert Jahre später wurde 1804 in deutscher Sprache in Weimar das Reisewerk des bedeutenden englischen geographischen Schriftstellers John Barrow, das dessen Chinaaufenthalt in den Jahren 1793/94 beschrieb, veröffentlicht. Barrow verwies auf spanische Schriftsteller, denen zufolge man an mehreren Küstenstreifen Kaliforniens »Trümmer von chinesischen Schiffen gefunden hätte«, (I/109/51) und nahm dies als Beweis, daß Fahrten bis an die westlichen Küsten von Nordamerika und Kamtschatka unternommen worden seien. Für die Handelsverbindungen zwischen China, Indien, der Arabischen Halbinsel und Afrika führte Barrow eine Fülle von Hinweisen aus der Reiseliteratur des 16. bis 18. Jahrhunderts an, aus denen hervorgeht, daß »die asiatischen Meere in den frühesten Zeitaltern« befahren wurden. John Barrow war davon überzeugt, daß Marco Polo seine Rückreise, die ihn zunächst von China nach Madagaskar führte, 1292 auf einem chinesischen Schiff angetreten habe. Ein längerer Auszug aus seinem gründlichen und faktenreichen Buch verdient vorgestellt zu werden: »Die Chinesen

Ein Sinesischer Tartar.

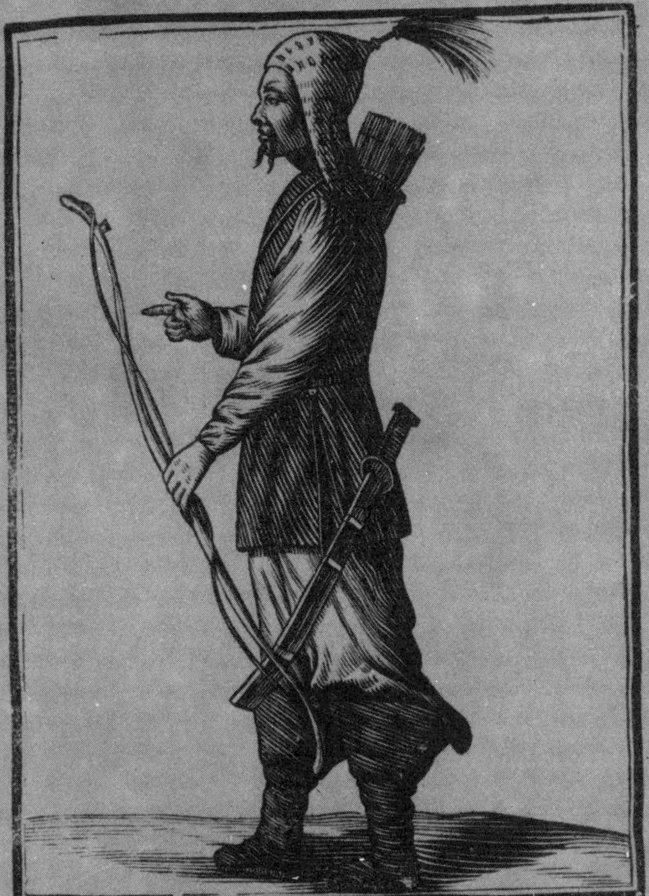

führten vormals mit Bussora und anderen Seehäfen im Persischen Meerbusen, besonders mit Siraff, einen sehr beträchtlichen Handel: in der Nähe des letzteren haben etliche kleine Inseln und einige auffallende Landspitzen der Küste noch jetzt chinesische Namen. In etlichen Reisen wird bemerkt, daß sich eine Kolonie Chinesen im Königreich Sofala (von den orientalischen Schriftstellern wurde Sofala, wahrscheinlich ein Name indischer Herkunft, wegen seiner reichen Gold- und Silbergruben das ›goldene Sofala‹ genannt, H. L.) niedergelassen haben müsse, da man ihre Abkömmlinge, zur Zeit der Reisebeschreiber, an der Verschiedenheit ihrer Gesichtsfarbe und Gesichtszüge leicht von den anderen Eingeborenen unterscheiden konnte. Die früheren portugiesischen Seefahrer bemerken auch, daß sie auf der Insel St. Laurence oder Madagascar Leute antrafen, welche Chinesen glichen. Daß der berühmte Wanderer Marco Polo in Madagascar mit einem chinesischen Schiff ankam, ist wenigem Zweifel unterworfen, dafern man nicht etwa, wie meine Landsleute tun, die glaubwürdigen Teile seiner Erzählung als fabelhaft verwerfen, und die Wunder, welche die Nestorianischen Christen in Armenien taten, als die einzigen Wahrheiten in seinem Buche glauben will. Es ist unmöglich, die Angaben dieses frühen Reisebeschreibers nicht als merkwürdig, anziehend und wichtig anzusehen: insofern sie China betreffen, sieht man aus der inneren Evidenz derselben, daß sie durchgehend richtig sind. Er segelte aus China mit einer Flotte, die aus vierzehn Schiffen bestand, deren jedes vier Masten hatte, und in welchem die Räume in besondere Kammern getrennt waren, von denen manche wiederum dreizehn Abteilungen hatten. Gerade so viele Abteilungen waren in allen Räumen der Seeschiffe angebracht, welche die Geschenke und das Gepäck der Gesandtschaft von unseren Schiffen im Meerbusen von Petscheli in den Fluß Peioho führten; und wir sahen viele hundert noch größere Fahrzeuge für ferne Seereisen, welche insgesamt *vier* Masten hatten. Unsere Matrosen, von denen man weiß, wie gern sie fremde Namen verändern, heißen solche Schiffe gemeiniglich Junks, welches von Tschuan, ein Schiff, herkommt, so nennen sie den Tsong-tu oder Unterkönig einer Provinz John Juck.

Nicht nur die Form der Schiffe, sondern die Umstände der Seereise, welche dieser alte Seefahrer erzählt, stempeln seine Erzählung mit Glaubwürdigkeit. Daß der starke Meerstrom zwischen Madagascar und Zangnebar (Sansibar, H. L.) es den Schiffen beinahe unmöglich machte, nach Norden zurückzusteuern; die schwarzen Bewohner dieser Küste; die Erzeugnisse des Landes, welche er namhaft macht; die treffende Beschreibung des Giraffen oder Camelopardalis, den man damals in Europa für ein fabelhaftes Tier hielt: alles das sind so viele und starke Beweise für seine Erzählung, daß er entweder selbst auf der Ostküste von Afrika gewesen sein oder von seinen chinesischen Reisegefährten sehr richtige Auskunft darüber erhalten haben muß. Dennoch hat der Doktor Vincent in seinem Periplus of Erythrean sea behauptet, daß zur Zeit dieses venezianischen Reisenden bloß arabische und malayische Schiffe den Ostindischen Ozean befahren hätten. Mit aller Ehrerbietung gegen einen so geachteten Mann kann ich mich nicht enthalten zu bemerken, daß die ungeschminkte Erzählung des Marco Polo innere und unwiderstehliche Beweiskraft mit sich führt, daß die Schiffe, mit denen er segelte, chinesische und zwar durchaus von derselben Art waren, wie sie jetzt sind. Auch haben wir keine Ursache, das Zeugnis der beiden Mohamedaner zu bezweifeln, welche China im neunten Jahrhundert bereisten, wenn sie uns sagen, daß die chinesischen Schiffe damals nach dem Persischen Meerbusen Handel trieben. In einer Karte, die unter der Aufsicht des Marco Polo gemacht wurde und noch in der Kirche St. Michael de Murano in Venedig aufbewahrt wird, soll der südliche Teil des festen Landes von Afrika genau angegeben sein, wiewohl man das hinzugefügt haben konnte, nachdem die Portugiesen das Kap der Guten Hoffnung umsegelt hatten.

Ob der Prinz von Portugal diese Karte gesehen oder davon gehört oder ob er die arabischen Geographen gelesen hatte, oder ob ihm die Umschiffung von Afrika aus der ersten Übersetzung des Herodotus bekannt war, die nur etliche Jahre eher erschien, als Bartholomäus Diaz das südliche Vorgebirge dieses Weltteils entdeckte, oder ob die Seereisen damals bloß aus der allgemeinen Absicht, Entdeckungen zu machen, unternommen wurden, darüber scheinen die Schriftsteller nicht übereinzukommen; aber die Portugiesen sollen der Meinung sein, Heinrich habe guten Grund gehabt, zu glauben, daß die Umschiffung von Afrika ausführbar sei.

Und die Phönizier mochten nun das Kap der Guten Hoffnung in

den frühesten Zeitaltern umschiffen oder nicht, so hat man doch überflüssige Ursache anzunehmen, daß ihnen die östliche Küste von Afrika bis an das Kap der Meerströme wohlbekannt war. Auch ist es nicht wahrscheinlich, daß der ausgebreitete und blühende Handel von Tyrus auf den Teil des Indischen Ozeans, südwärts von dem Roten Meere, beschränkt gewesen sei, welcher weit schwerer zu beschiffen ist als der nordwärts gelegene. Daß dieser Handel ausgedehnt war, darüber haben wir das Zeugnis des Propheten Ezechiel, der den endlichen Untergang desselben in glühenden Ausdrücken gemalt hat, und der, was von einiger Bedeutung ist, gerade zu der Zeit gelebt haben soll, da die Phönizier auf Befehl des Necho aus Afrika segelten. Er sagt: ›Deine Ware, Laufleute, Händler, Fergen und die, so die Schiffe machen, und deine Hantierer und alle deine Kriegsleute und alles Volk in dir werden mitten auf dem Meere untergehen, zur Zeit, wenn du untergehest.‹ Wahrscheinlich also befuhr man die asiatischen Meere in den frühesten Zeitaltern; und warum sollten wir denn glauben, daß die Chinesen allein daran nicht teilgenommen hätten?« (Ebenda/53 ff.)

Die Nachrichten über den Fernhandel zwischen China und Afrika wurden später durch archäologische Funde untermauert. Sowohl in Kilwa wie auch in Mogadischu wurden alte chinesische Münzen gefunden. Wie W. J. Strandes 1899 mitteilte, hat F. Hirth eine Anzahl dieser in Mogadischu gefundenen Münzen wie folgt bestimmt:

»No. 1 K-ai-yüan (713—742). Richtiger wohl im Jahre 845 oder wenig später aus eingeschmolzenen Klosterstatuen, Glocken, Klangplatten und Weihkesseln bei Gelegenheit der großen Buddhisten-Verfolgung gegossen.

No. 2 T'ien-hi (1017—1022).

No. 3 K'ing-li (1041—1049).

No. 4 Schang-schöng (1094—1098).

No. 5 Tschöng-ho (1111—1118).

No. 6 Suän-ho (1119—1126).

No. 7 Schau-hing (1131—1163).« (II/463/88)

Der alte Käyser von China.

F. Strandes verweist auf Porzellanscherben, die sich überall in den ältesten Ruinen Ostafrikas vorfinden und unter denen Kenner auch das berühmte Seladon-Porzellan nachweisen, worin er einen weiteren Beweis für die Beziehungen zwischen Ostafrika und China sieht. »Nicht auf diese alten chinesischen Zeiten zurück deuten jene alten Porzellan- und Steingutgeschirre, die heutzutage vielfach von Europäern in Ostafrika gesammelt werden. Nach guter Bestimmung des Herrn Professor Dr. Brinkmann zu Hamburg sind diese Teller, Schalen usw. chinesische Exportware, etwa 100 Jahre alt, die für den arabischen und persischen Geschmack angefertigt sind. Dieses Alter bestätigt eine derartige Schale durch die mit den Ornamenten einge- brannte Inschrift: Said ben Sultan ben Achmed ben El Iman. Ge- nannter regierte als Sultan von Oman und Zanzibar von 1806 bis 1856 und sandte gelegentlich seine Schiffe für Handelszwecke nach Singapore. Dort hatte er vermutlich die Geschirre mit seinem Namens- zug bestellt. Ähnliche Porzellansachen, wie in Ostafrika gesammelt, gelangen auch häufiger aus dem Inneren Persiens nach Europa. Ganz vereinzelt sind allerdings auch in Ostafrika wirklich alte chinesische und persische Geschirre erhältlich . . .« (Ebenda)

Für die Fahrten der Chinesen zur Ostküste Afrikas ist weniger interessant, ob sie häufig oder selten waren. Die Fahrten gliederten sich in ein umfassenderes Kommunikationsnetz der Anliegerstaaten des Indischen Ozeans ein, an dem andere seefahrende Völker, die geographisch günstiger lagen, einen größeren Anteil hatten. Kultur- historisch bedeutsam ist aber, daß die Fahrten der Schiffe aus China zur ostafrikanischen Küste überhaupt stattfanden und auch wieder- holt wurden. Die Ostküste Afrikas hatte offenbar für den Fernhandel eine solche Anziehungskraft, daß selbst Schiffe aus dem Fernen Osten die gefährliche Reise nicht scheuten und die Küste anliefen.

Missions- und Gesandtschaftsberichte als Hauptquellen
des europäischen Chinabildes

Jesuiten ließen sich 1557 in Macao nieder, und nach anfänglichen Fehlschlägen gelang es seit 1582 dem italienischen Missionar und Astronomen Matteo Ricci (1552–1610), erste Erfolge zu erzielen. Einer der Missionare, Johann Adam Schall, vermochte 1658 sogar das Amt eines kaiserlichen Mandarins zu übernehmen. Seit Anfang des 17. Jahrhunderts hatten die Missionare, beeindruckt von der chinesischen Kultur, in Berichten und Briefen begeisterte Schilderungen ihrer Beobachtungen mitgeteilt. Die phantastischen Beschreibungen des Marco Polo fanden sich bestätigt.

Die Jesuiten waren überrascht »von dem Alter des chinesischen Kaiserstaats, wie er sich ihnen auf Grund der Quellen darstellte, und hatten alle Mühe, die ihnen geläufige biblische Chronologie und ihre Vorstellungen vom Alter der Welt mit den chinesischen Angaben auszusöhnen«. (II/245/18) Die Reiseberichte aus China ließen vor den Augen der europäischen Gelehrten Konturen eines Staates entstehen, dessen Anfänge bis weit vor die Sintflut der Bibel zurückzuverfolgen waren und die die Geschichte Chinas um vieles älter erscheinen ließen als die biblische des Abendlandes und des Vorderen Orients. Traditionelle Vorstellungen von der Entstehung der Welt, wie sie im christlichen Kulturkreis bis dahin vorherrschten, stürzten.

Bekannte Chinaberichte waren: die 1670 in Amsterdam erschienene Beschreibung der zweiten und dritten holländischen Gesandtschaft an den Hof des Kaisers von China in den Jahren 1662 und 1666 von Olfert Dapper, die Arbeiten von Athanasius Kircher, China Monumentis Illustrata, Amsterdam 1677, und von Johann van Nieuhof, Gesandtschaft der ostindischen Gesellschaft an den chinesischen Kaiser, Amsterdam 1699. Vor allem die den Reiseberichten beigefügten Illustrationen übten einen bedeutenden Einfluß auf die europäischen Vorstellungen von China aus. Das Werk von Athanasius Kircher (1602—1680) »China Monumentis Illustrata« war eine Kompilation von missionarischem Material, das in Rom im Archiv der Gesellschaft Jesu gesammelt wurde.

Seit der Mitte des 17. Jahrhunderts gelangten Porzellane, Seidenstoffe, Tapeten, Lackmöbel und andere Produkte des hochentwickelten chinesischen Handwerks und Kunsthandwerks, deren ästhetische Vollkommenheit an den Fürstenhöfen und im Bürgertum Bewunderung fand, in größeren Mengen nach Europa. Der Import chinesischer Waren erreichte einen Höhepunkt, obwohl die meisten der genannten Waren Luxusartikel blieben. Vereinzelt kamen auch Tiere und Pflanzen nach Europa. Chinesische Seiden und Tapeten schmückten mit ihren Darstellungen blühender Bäume, von Vögeln und In-

IHS   P. ATHANASIUS KIRCHERUS FULDENSIS E SOCIETATE IESU ANNO ÆTATIS LXII ANNO CIƆ IƆ C LXIV.

Frustra vel Pictor, vel Vates dixit, HIC EST:
Et vultum, et nomen terra scit Antipodum.

Jacobus Albanus Gibbesius. M.D.
in Roma Sapientia Eloq. Prof.

ATHANASII KIRCHERI
E SOC. JESU

CHINA
MONUMENTIS

QUA

Sacris *quà* Profanis,

Nec non variis

NATURÆ & ARTIS
SPECTACULIS,

Aliarumque rerum memorabilium
Argumentis

ILLUSTRATA,

AUSPICIIS

LEOPOLDI PRIMI
ROMAN. IMPER. SEMPER AUGUSTI
Munificentissimi Mecænatis.

A Solis Ortu   IHS   usque ad Occasū
Laudabile   Nomen Dñi.

AMSTELODAMI,

Apud *Joannem Janssonium à Waesberge* & *Elizeum Weyerstraet*,
ANNO cIɔ Iɔc LXVII. *Cum Privilegiis.*

sekten, den Landschaften und Dörfern sowie den Szenen aus dem Alltagsleben die Räume europäischer Schlösser und dienten als Muster für in Europa gewebte Stoffe. Die Chinamode, wie sie sich im 17. Jahrhundert ausprägte, fand ihren Niederschlag in der Malerei, in den Kostümen und Bühnenbildern der höfischen Theater und in der schöngeistigen Literatur.

Als man in Europa im 18. Jahrhundert damit begann, sich stärker mit China zu befassen, fand man ein Bild vor, das von den Berichten der Jesuiten und den offiziellen Gesandtschaftsberichten geprägt wàr, die seit dem 17. Jahrhundert die Hauptquelle für die Chinakenntnis in Europa waren. Die Aufklärung, besonders Voltaire, übernahm das von dem Philosophen Gottfried Wilhelm Leibniz (1646—1716) geprägte positive Chinabild. »Die Chinesen schreiben ihre Geschichte, die Feder und das Astrolabium in der Hand, mit einer Einfachheit, von der man in dem übrigen Asien kein Beispiel findet«, so schrieb Voltaire bewundernd in dem Kapitel seines »Essai sur les moeurs et l'esprit des nations«, das China zum Gegenstand hatte. Wenn sich Bewunderung auch nicht selten mit Abwertung mischte, so stützten Fürsten und Könige, Aufklärer und Reisebuchautoren gemeinsam bis in die Mitte des 18. Jahrhunderts das idealisierte Bild vom chinesischen Kaiser als einem aufgeklärten Herrscher. Aber schon in den fünfziger und sechziger Jahren des 18. Jahrhunderts hatte die Chinamode in der bürgerlichen Gesellschaft, die ohnehin weniger an der Chinabegeisterung Anteil hatte als höfische Kreise, ihren Höhepunkt erreicht und fand Ende des Jahrhunderts den Abschluß.

Nicht vorenthalten sei dem Leser in diesem Zusammenhang die völlig unvoreingenommene, von jeder europazentristischen Vorstellung freie und mitunter fast euphorisch anmutende Darstellung des bereits an anderer Stelle zitierten Reisenden John Barrow: »Von der Mitte bis an das Ende des sechzehnten Jahrhunderts war es, mit Europa im allgemeinen verglichen, wo nicht in Wissenschaften, so doch in Künsten und Manufakturen, wie in den Bequemlichkeiten und Genüssen des Lebens, unse⸗em Weltteile sehr überlegen. Die Chinesen waren damals ziemlich in demselben Zustand, in welchem

Abb. 31—32 auf den Seiten 174—175: Athanasius Kircher, Jesuitenmissionar und Verfasser eines wertvollen Chinaberichtes und Titelseite dieses Buches

sie noch sind, und worin sie vermutlich bleiben werden. Als die Europäer zuerst nach China kamen, waren sie erstaunt, eine allgemeine Duldung religiöser Meinungen dort zu finden ... Die Kunst, Gemüse durch besondere Arten von Anbau zu veredeln, fing soeben an in Europa bekannt zu werden. Ganz China war damals vergleichsweise ein Garten. Als der König von Frankreich den Luxus seidener Strümpfe einführte, welchen die englische Königin ... etwa achtzehn Jahre danach annahm, waren die Bauern der mittleren Provinzen in China von Kopf bis zu Füßen in Seide gekleidet. Um diese Zeit wußte man in Europa wenig oder nichts von den Verschönerungen und Bequemlichkeiten des Lebens; auf den Putztischen der Frauen standen wenige Essenzen zur Vergnügung des Geruchs oder um die Gesichtsfarbe auf einige Zeit zu verschönern; die Scheren, Nähnadeln, Federmesser und anderer kleiner Bedarf waren damals noch nicht bekannt und ungeschlachte, schlechtpolierte Speiler hatten die Stelle der Stecknadeln an sich gerissen. Die Chinesinnen arbeiteten mit der Nadel, sie hatten ihre Schminkbüchschen, und ihre kleinen Galanterien waren von Elfenbein, Silberfiligran, Perlmutter oder Schildpatt gemacht. Selbst der Kalender, welcher damals in Europa so fehlerhaft war, daß Papst Gregorius sich zu dem kühnen Unternehmen entschließen mußte, zehn Tage zu überspringen oder zu unterschlagen, war in China schon eine Nationalsache und wurde von der Regierung ganz vorzüglich in Obacht genommen. Die Dezimalarithmetik, eine neue und nützliche Entdeckung des siebzehnten Jahrhunderts, war das einzige System, dessen man sich in China bediente. Mit einem Worte, als die Herzöge und Lords in England auf Stroh schliefen, hatte ein chinesischer Bauer seine Watte und sein Kopfkissen, und der Regierungsbeamte ließ sichs auf einer seidenen Matratze wohl sein.« (I/109/33—35)

Religiöses Denken und Volkskultur

In der Vorstellungswelt und im Gefühlsleben der einfachen Menschen, in den Sagen und Mythen, in den traditionellen Sitten und Bräuchen, in der Art und Weise des Weltverständnisses zeigte sich in China manche Parallele zu Afrika. Auch in China ging das ursprüngliche religiöse Denken in der Volkskultur nicht verloren. Das alte, tief eingewurzelte religiöse Brauchtum erhielt sich. Es kam in China, wie bei der Ausbreitung des Islam und des Christentums in Afrika, zu synkretistischen Erscheinungen, bei denen die Erhaltung des traditionellen Brauchtums charakteristisch war. In der »Tiefenschicht« des Konfuzianismus, Buddhismus und Islam in China lassen sich neben Unterschieden auch Gemeinsamkeiten mit Afrika entdecken. Die einzelnen Teile, mosaikartig zusammengefügt, erhellen die Transfersituation in der geistigen Kultur, in deren Einflußbereich sich seit der frühesten Zeit der ethno-kulturelle Austausch vollzog. Trotz der Parallelen in Sitten und Bräuchen und der Bedeutung, welche z. B. der bäuerlichen Tätigkeit beigemessen wurde, oder bei Übereinstimmungen einzelner Seiten der Herrschaftsausübung ist immer der unterschiedliche Entwicklungsstand von China und Afrika zu beachten.

In China wie im alten Afrika gab es Zauberglauben, Animismus, Totemismus und Orakelwesen. Familienkulte gab es in China wie in Afrika. Ahnenopfer und Totemriten hatten viel Gemeinsames. Menschenopfer waren in früher Zeit sowohl in China als auch in Afrika nicht selten. Die Beschreibung des alljährlichen Opfers eines jungen Mädchens als Braut für einen Fluß ähnelt in China jener in Afrika. Die Menschenopfer wurden jedoch hier wie dort allmählich durch Tieropfer oder durch Papierfiguren als Nachbildungen ersetzt.

In China mit seiner vielfältigen Vegetation gab es seit alten Zeiten eine reiche Ackerbaukultur, wurden Kulturpflanzen und Haustiere gezüchtet; aber auch Kulturpflanzen aus Afrika fanden Verbreitung. Wie in Afrika, so wurde auch in China die Erde als weibliche Gottheit verehrt. Mit der Herausbildung des chinesischen Kaiserreiches blieben die Opfer an den Himmel, die Erde und die anderen großen Vegetationsgötter, die für die Fruchtbarkeit von Mensch, Vieh und Boden, Wald und Gewässern sorgten, dem Kaiser vorbehalten. In Afrika war es der König, der Häuptling oder der Priester, der diese Funktion übernahm.

Der Herrscher förderte die bäuerliche Tätigkeit: »Das politische System der chinesischen Regenten bestand schon von frühesten Zeiten an darin, den Ackerbau als die vornehmste, als die erste und als die rühmlichste unter allen Beschäftigungen des Menschen anzusehen. Der Kaiser wohnt daher sogar jährlich einem feierlichen Fest bei, wo er das Geschäft eines Ackerbauers verrichtet. Viele chinesische Gelehrte haben seit undenklichen Zeiten eine große Menge Werke über den Ackerbau geschrieben, die mir der Missionarius Grammont zu Canton sehr rühmte. Er glaubt sogar, sie verdienen wegen ihres Nutzens in die europäischen Sprachen übersetzt zu werden, weil man darin viele unter uns ganz unbekannte Gegenstände antreffen würde.« (I/133/Teil 1/90)

Als eine der philosophischen Schulen, wie sie sich beim Übergang zur Klassengesellschaft entwickelten, begann seit dem 2. Jahrhundert v. u. Z. der Konfuzianismus an Boden zu gewinnen. Sein Begründer Konfuzius (Kongzi, 551—479) bestimmte mit seiner Sittenlehre, die auf dem traditionellen Ritensystem aufbaute, die Grundsätze der Staatsführung und der nach einer strengen Rangordnung ausgerichteten Verhaltensnormen des einzelnen in der Gesellschaft. Seine Lehre blieb vorwiegend die Ideologie der aufstrebenden neuen Grundbesitzerklasse (Gentry), die sie sich im Interesse der Festigung ihrer Herrschaft zu eigen machte.

Religiöse Toleranz wurde geübt, sofern sich Religionen nicht politisch artikulierten und damit die Macht des Kaisers antasteten. »Die Frommen lernten, gleichzeitig den Konfuzianismus, den Taoismus und den Buddhismus zu befolgen, und fanden in fast allen Teilen ihres Landes Tempel, die einem der drei Weisen gewidmet waren. Und dementsprechend trugen sie eine konfuzianische Kopfbedeckung, ein taoistisches Gewand und buddhistische Sandalen.« (II/275/128)

Der Buddhismus — in der Mitte des 1. Jahrhunderts u. Z. erstmals literarisch erwähnt, gelangte aus Indien über Turkestan und auf dem Seeweg in das »Reich der Mitte«, und zwar in der auch für den Laien verständlichen Mahayana (»Großes Fahrzeug«) genannten Form. In China begann entlang von Karawanenstraßen und in der Nähe von großen Städten der Bau von kilometerlangen Felsenklöstern, hölzernen Tempeln und von Pagoden. Chinesische Pilger besuchten nachweislich seit dem 5. Jahrhundert u. Z. die heiligen Stätten des Buddhismus in Indien sowie auf Ceylon. Neben dem Konfuzianismus und Buddhismus verbreitete sich in China auch der Islam.

Buddhismus und Islam brachten für den uralten Volksglauben mit seiner Verehrung der Naturkräfte, der Ahnengeister und Dämonen, den Glauben an die Wunderwirkung von Amuletten und magischer Praktiken, der Traumdeutung und des Wahrsagens das größte Verständnis auf und verschafften sich über diese ursprünglichen Glaubensformen Zugang zu den Herzen der chinesischen Gläubigen.

Der Einfluß der christlichen Lehre blieb in China bis zum 18. Jahrhundert gering. Die Jesuiten bewegten sich in ihren Arbeitsmethoden in den Bahnen des Buddhismus, dessen Eindringen und Verbreitung in China als »Sinisierung des Buddhismus«, manchmal auch als »Indisierung Chinas« beschrieben wurde. (II/442/11 ff.)

»Sehr bemerkenswert ist in diesem Zusammenhang die große Widerstandskraft Vorderindiens gegen alle chinesischen Einflüsse, während umgekehrt mit dem Buddhismus auch indische Kunst und Literatur und zum Teil auch indische Schriftarten bis ins Innere Ostasiens hinein gedrungen sind.« (II/184/104)

Die von den Jesuiten in China praktizierten Missionsgrundsätze hatten auch ein Beispiel im Islam in Indonesien. Vor dem Eindringen des Islam (etwa 13./14. Jahrhundert) waren hier Hinduismus und Buddhismus vorherrschend. Der Islam, von Indien kommend, war gezwungen, sich dem System des einheimischen traditionellen Glaubens anzupassen, und vermochte dadurch erfolgreich zu sein.

Das Vorgehen der Jesuiten, von den Chinesen zu lernen und die chinesischen Christen nicht zu »portugalisieren«, führte zu einer Kontroverse über die Riten. Sie wurde 1742 in Rom schließlich in dem Sinne entschieden, daß es den chinesischen Christen nicht länger erlaubt war, ihre Ahnen in traditioneller Weise zu verehren.

1773 hob Papst Clemens XIV. den Jesuitenorden auf, die Mission erlitt einen Rückschlag.

Regierung und Gesellschaft

Ende des 18. Jahrhunderts war China das volkreichste Land der Welt und die größte Landmacht auf dem eurasischen Kontinent, die fast ganz Ost- und Zentralasien beherrschte. Die Bevölkerung zu Beginn der Zeitrechnung betrug etwa 50 bis 60 Millionen. 1741 zählte das Land 143 411 559 Einwohner, 1800 waren es 295 273 311. Zwischen 1804 und 1834 wuchs die Bevölkerung um 100 Millionen auf 401 008 574 Einwohner. (II/245/302 f.) Den staatlichen Rahmen bildete das Kaiserreich. Es bestand seit 221 v. u. Z., und die Monarchie blieb für zweitausend Jahre, bis 1911, die Regierungsform.

Im 13. und 14. Jahrhundert geriet China unter die Herrschaft der Mongolen. 1215 gelang den Mongolen, die als Vereinigung von Nomadenstämmen dank der militärischen Schlagkraft ihrer Reiterarmeen weite Teile der damals bekannten Welt erobern konnten, durch Dschingis Khan (Regierungszeit 1206—1227) die Einnahme von Peking. Unter dem Großkhan Kubilai-Khan (1259—1294) wurde Peking (damals Khanbalik) im Jahre 1264 zur Hauptstadt des Mongolenreiches erklärt. Die Sommerresidenz des Mongolenherrschers, der sich gleichzeitig Kaiser von China nannte, befand sich nordwestlich von Peking in Xanadu (Shangdu). Die Mongolen, die das »Reich der Mitte« eroberten, bildeten zwar die militärische Oberschicht, aber chinesische Verwaltungsformen, Kultur und Lebensweise blieben erhalten. Im Jahre 1368 wurden die Mongolen vertrieben; es wurde die Ming-Dynastie (1368—1644) errichtet.

Die chinesischen Kaiser regierten nach ihrem eigenen Verständnis durch ein universalistisches »Mandat des Himmels«, unter dem sie eine »weise« und »gerechte« Regierung einzurichten hatten.

Das alte China besaß wohl Haus- und Luxussklaverei, aber kaum Arbeitssklaverei. Es gab in China Pächter, abhängige Bauern und private Großgrundbesitzer — alle waren gegenüber dem Staat zu Abgaben und Dienstleistungen verpflichtet, was allerdings Privilegien keineswegs ausschloß. Eine besondere Rolle bei der verschleierten Form der Aneignung des Mehrprodukts durch die aristokratische Oberschicht spielte der Geschenkaustausch. In den Reiseberichten ist z. B. von Audienz- und Gesandtschaftsgeschenken öfter die Rede, ähnlich wie es die Reisenden aus Afrika berichteten.

In China lernte der Reisende eine Reihe von Vorzügen und Bequemlichkeiten kennen. Hierzu zählte z. B. die Sicherheit, die von Ibn Battuta ähnlich hoch wie zu alten Zeiten in Afrika eingeschätzt wurde. Im »Reich der Mitte«, so Ibn Battuta, könne man »ganz allein eine Wegstrecke von 7 Monaten durchreisen und dabei beträchtliche Summen Geldes mit sich führen, ohne für sich fürchten zu müssen«. (I/88/421) Nach Ibn Battuta war die gastfreundliche Prostitution üblich. Ausländische Handelsleute, die im Gasthaus abstiegen, konnten für die Dauer ihres Aufenthaltes ein Konkubinat eingehen. (Ebenda)

Das moderne Element, das mit dem schnellen Wachstum der Städte die chinesische Gesellschaft prägte, trug auch in China eher zur Stärkung als zur Schwächung der traditionellen Machtstrukturen bei. »Wenn man im Städtewesen und dem Aufstieg des Bürgertums das wesentliche Merkmal der beginnenden Neuzeit in Europa sieht, stellt man fest, daß China zwar Städte hatte, die an Größe jeder europäischen Stadt überlegen waren, aber das städtische Bürgertum kam ... niemals zu einem sozialen und politischen Selbstbewußtsein.« (II/245/238)

Seit dem 16. und 17. Jahrhundert traten immer stärker die negativen Züge der mittelalterlichen Despotie in Erscheinung. Äußerlich schien China reicher und festgefügter als jede beliebige westeuropäische Monarchie zu sein. Aber ungeachtet des hohen Niveaus der Produktivkräfte hatte sich keine kapitalistische Gesellschaftsform herausgebildet. Das Beharrungsvermögen der gesellschaftlichen Verhältnisse in China war eine der Ursachen dafür, daß es mit Beginn der Neuzeit in seiner sozialökonomischen Entwicklung gegen Westeuropa zurückblieb.

Im Jahre 1644 gelangte die Mandschuren-Dynastie Qing an die Macht, die sie bis zum Sturz des Kaiserreiches im Jahre 1911 behauptete, und deren Ausübung — wie schon zur Zeit der Mongolenherrschaft — auf den traditionellen chinesischen Grundlagen in Verwaltung, Wirtschaft und Kultur beruhte. Die feudale Abhängigkeit und Unterdrückung nahm unter den Mandschuren zu, Stagnation und Verfall dauerten an und widerspiegelten sich im gesellschaftlichen Bewußtsein.

Nutznießer der Vernachlässigung der »maritimen Peripherie« zugunsten der auf die Stärkung der zentralen Landmacht orientierten Politik der Mandschu-Dynastie wurden die Portugiesen. 1514 segelten die ersten portugiesischen Schiffe in die Mündung des Xi-Flusses. Die portugiesischen Seefahrer galten in den Augen der Chinesen als Barbaren, die gleich Piraten weder die chinesischen Gesetze noch die Gebräuche des Landes beachteten. Erst 1577 erlaubten die chinesischen Behörden den Betrieb einer Handelsfaktorei an der Guangdong-Küste, unweit von Kanton. Aus dieser Niederlassung entstand das portugiesische Macao mit einem bis in das 17. Jahrhundert rasch wachsenden Gold-, Silber- und Seidenhandel. Trotz der strategisch günstigen Lage vermochten es der Hafen und die Halbinsel Macao nicht, zum Ausgangspunkt kolonialer Eroberungspolitik zu werden, da China sich die Souveränität über den Hafen vorbehielt. Die Portugiesen besaßen lediglich den Status von Pächtern. Die ökonomische und personelle Schwäche Portugals, die Rivalität der stärkeren Konkurrenten Holland, Frankreich und England sowie der niemals erlöschende Widerstand an diesem oder jenem Punkt des weitgespannten Netzes kolonialer Einflußnahme hatten schon seit dem 17. Jahrhundert den unaufhaltsamen Niedergang der Stützpunkt- und Eroberungspolitik gebracht und im Fernen Osten die portugiesische Macht erst gar nicht zur Entfaltung kommen lassen. Erst dreihundert Jahre später setzte für die internationale Position Chinas der Umschlag ein, als es sich dem Expansionsdrang der sozialökonomisch fortgeschritteneren Länder (Westeuropa, USA) beugen mußte. Im ersten »Opiumkrieg« (1839—1842) besetzte Großbritannien Hongkong und erzwang in einem ungleichen Vertrag die Öffnung von fünf chinesischen Häfen für den uneingeschränkten ausländischen Handel. 1844 zwangen die USA und später Frankreich die chinesische Regierung, ihnen die gleichen Rechte und Privilegien zu gewähren. China sank allmählich auf die Stufe einer Halbkolonie herab.

Kapitel III

Die Heilkunst
in ihrer Einheit von Tradition,
Fortschritt und Entlehnung

Im Jahre 648 v. u. Z. soll der Herrscher von China einen Gesandten nach Indien geschickt haben, der mit einem dortigen Gelehrten zusammentraf. Dieser erzählte ihm, er sei zweihundert Jahre alt und besitze ein Rezept für die Unsterblichkeit. Sogleich wurde auf den Bericht hin eine zweite Gesandtschaft abgeschickt, um den Stein der Weisen zu suchen.

Sowohl in Afrika als auch in Asien gab es mythisch überlieferte und magische Heilmethoden, verknüpft mit dem Glauben an heilbringende Amulette und Talismane. »Amulette und Talismane spielten im Mystizismus und Aberglauben ... eine bedeutende Rolle, die sie bis auf den heutigen Tag nicht verloren haben. Der berühmte schwarze Stein zu Mekka, al-hadjar al-aswad, ein Meteorit, der zu Abrahams Zeiten vom Himmel gefallen, ursprünglich schneeweiß gewesen und erst durch die Sünden der Menschheit geschwärzt worden sein soll, war ursprünglich ein ›Fetisch‹ der heidnischen Araber.« (II/186/54)

Medizinische Wundermittel als Motiv für Reisen
und Handelsaustausch

Der Traum vom ewigen Leben, ein Rezept für Unsterblichkeit, hat die Chinesen ebenso wie andere Völker von altersher bewegt. Die Suche nach einem Lebenselixier, das seinem Besitzer ewige Jugend und Unsterblichkeit verleihen sollte, führte zu Erfindungen und Entdeckungen und war nicht selten eine wichtige Triebkraft für die frühen Reisen. Das galt bereits für die chinesischen Pilger, die seit altersher in oft mehrjährigen Reisen die heiligen Stätten des

Abb. 33: Rhabarberstaude (Zeichnung aus »China Monumentis Illustrata«)

Buddhismus in Indien oder Ceylon besuchten, wie für die europäischen Reisenden des 17. bis 19. Jahrhunderts, die fremdländische Heilpflanzen und Heilmethoden nutzbar zu machen suchten. Die Heilkunst eignet sich in besonderem Maße als Demonstrationsobjekt für die kulturellen Kontakte.

Seit den frühesten Zeiten beschränkten sich die Völker in ihrem Arzneimittelgebrauch nicht auf ihre eigenen Erzeugnisse, sondern fast überall wurden die Produkte fremder Länder in den Arzneischatz aufgenommen. Die Heilkunde und die Arzneimittellehre nahmen im frühzeitigen Handelsverkehr einen wichtigen Platz ein.

Im schon mehrfach zitierten »Periplus des Erythräischen Meeres« (1. Jh. u. Z.) sind Angaben über Tauschwaren enthalten, die für die regelmäßigen Schiffsexpeditionen ägyptisch-griechischer Kaufleute nach Südarabien, Äthiopien und an die ostafrikanische Küste eine Rolle spielten. Im Hinblick auf Arzneimittel ist die Rede von Aloe, das von der Südküste Arabiens bezogen werden konnte, von

185

Aromata und Zimt, Räucherwerk und Weihrauch aus Somaliland und von der Ostküste Afrikas, von Malabathrum, den Blättern von Lauris Cassia aus Indien. Indien bezog Arsenik und Sandarach Opperment aus Ägypten. »Während der arabischen Herrschaft in Zendsch«, so L. Brandl, »liefen chinesische Dschunken u. a. mit Rhabarber beladen, der zu Heilzwecken diente, die Küste Südarabiens und Ostafrikas an. 1119 berichtete der arabische Geograph Idrisi, daß Rhinozeroshorn von der Ostküste aus nach Kanton in China verschifft wurde, und 1226, chinesischen Quellen zufolge, von Rhinozeroshorn zu Berbera. Die Stadt Gedi an der Ostküste besaß sanitäre Einrichtungen.« (II/187/55)

Bei allen Unterschieden, die sich in der historisch-kulturellen Region von Afrika bis China, bedingt durch das Niveau und die Richtung der sozialökonomischen Entwicklung der Länder und Völker, in der Medizin und Sozialhygiene zeigten, gab es eine Reihe von Gemeinsamkeiten, die ihre Ursache unter anderem im Handelsaustausch hatten, der zur Vermittlung medizinischer Kenntnisse und zur Versorgung mit »neuen Arzneimitteln« beitrug. Auf diese Weise verbreiteten sich Naturbeobachtung und praktische Anwendung sowie die Kenntnis über die Heilwirkung einheimischer und fremder Pflanzen, Säfte und Früchte.

Es ist jedoch schwierig, exakt festzustellen, in welcher Weise Einflüsse aufgenommen, verarbeitet und an andere Völker weitergegeben wurden. In Hinsicht auf den Islam heißt es: »Die islamische Heilmittellehre rekrutierte sich ... aus griechischen Quellen, indischen Einflüssen und eigenen Erfahrungen. Drogen, die bei Dioskurides und Galen noch nicht vorkommen, sind etwa Kampfer, Galgant, Zitwerwurzel, Granatwurzelrinde, Anakardia, Myrobalanen, Sandelholz, Kokosnuß, flüssiger Styrax, Gewürznelken, Mastix, Kubeben und Zarnab. Aber auch die Araber brachten aus ihrer Heimat eine gewisse Kenntnis von Drogen mit, waren sie doch seit dem frühen Altertum die Vermittler des Gewürzhandels von Indien her durch die südarabischen Häfen und durch die ›Weihrauchstraße‹ gewesen, die über Mekka und Yathrib (Medina) nach Ägypten, Phönizien und Byzanz führte.« (II/186/44)

Nicht wenige Ärzte befaßten sich mit der praktischen Heilkunst Asiens und Afrikas und unternahmen dorthin Studienreisen. Alkindus (9. Jahrhundert) »studierte die Wissenschaften der Griechen, Perser und Inder und kam von Basra nach Bagdad, wo er unter den Kalifen Al Mamum und Al Motsain an den Übersetzungen griechischer Werke beschäftigt wurde und zu hohem Ansehen gelangte . . .« (II/168/Bd. 1/123)

Rhazes (gest. zwischen 911 und 932), in Persien geboren und erzogen, ging nach Bagdad und wandte sich dort der Medizin zu. Er war einer der bedeutendsten Ärzte seiner Zeit, der nicht nur das medizinische Wissen seiner griechischen und syrischen Kollegen kompilierte, sondern es durch eigene Erfahrungen am Krankenbett — sofern es sich um »neue« Krankheiten (z. B. die Pocken!) handelte — ergänzte.

»Aus dieser Zeit rühren auch die ersten Nachrichten von der Teepflanze Assach (Thea Bohea), wovon die Chinesen den Aufguß mit heißem Wasser trinken. Sie finden sich in einem Werke Almasudis, der zu Bagdad geboren, teils mit Wißbegierde, teils mit Reiselust fast sein ganzes Leben zugebracht hat. Er besuchte Syrien, Ägypten, Indien, Zeylon, Madagaskar und starb in Ägypten im Jahre 958.« (Ebenda/137f.)

Der Afrikaner Constantinus (geb. um 1020 in Nordafrika, gest. 1087 in Monte Casino), einer der berühmtesten Ärzte der damaligen Zeit, »hatte viele Jahre lang Ägypten und Asien bis nach Indien bereist, war dann nach Nordafrika zurückgekehrt, von dort aber genötigt worden, nach Salerno zu entfliehen«, wo er eine bekannte medizinische Schule gründete. (II/412/393) Ibn Beitar (oder Beithar), ein in Spanien geborener Araber, reiste 1219/20 nach Ägypten, kam nach Syrien und Kleinasien, nach Basra und Damaskus, wo er 1248 starb. Das pharmakologische Werk dieses Arztes bildet einen der wichtigsten Bestandteile der medizinischen Literatur der Araber. Über verschiedene Heilmittel anderer Länder gab er viele Hinweise; unter anderem bezog er sich auf die Nachrichten eines alten Chinesen. Über Moschus heißt es bei ihm: »Die Länder, in welchen man die Moschusgazelle findet, sind . . . Tibet und China . . . Der vorzüglichste kommt aus Tibet . . .« (II/168/Bd. 1/169) Die Reisen der mittelalterlichen Ärzte in afrikanische und asiatische Länder reflektieren die relative Einheit und den hohen Entwicklungsstand der Heilkunde von Afrika bis China.

Aus der Reiseliteratur ist abzulesen, daß im Europa des 18. Jahrhunderts die Heilkunde fremder Völker als ebenbürtig, nicht selten als überlegen angesehen wurde. Die Behandlung der Kranken mit Wasser, Wärme, Kälte, die Verordnung von Bewegung, Diät und anderen natürlichen Heilmitteln entsprachen den Naturidealen der Aufklärung.

In dem 1799 in Gotha veröffentlichten Buch »Des achtzehnten Jahrhunderts Geschichte der Erfindungen, Theorien und Systeme in der Natur- und Arzneywissenschaft« wird von den durch »exotische« Reisen angeregten Debatten über die Wirkung und den Gebrauch der Gesundbrunnen und Bäder, der Verbesserung der Kleider, der Abschaffung der Schnürbrüste und der Einführung und Erprobung neuer Arzneimittel berichtet und die Verbindung von Aufklärung und Medizin ausdrücklich hervorgehoben. So befaßte man sich im 18. Jahrhundert mit der richtigen Bestimmung des Opiums, der Wirkung der Chinarinde und des aus China eingeführten Kampfers. (II/210)

Die altafrikanische Heilkunst

Die Aussagen der Reiseberichte sind von besonderem Interesse, weil sie das europäisch eingeengte Geschichtsbild vor allem im 18. Jahrhundert zu überwinden suchten und zugleich zeigen, welchen Einfluß die Kulturen von Afrika bis China auf Europa ausgeübt haben. Von gleich großem Interesse sind das überregionale Ausgreifen des medizinischen Wissens in Afrika und Asien und die Parallelen, die sich von der Heilkunde Afrikas zu der Indiens und Chinas erschließen lassen. Einige der Gemeinsamkeiten ergaben sich aus ähnlichen Anforderungen an die Heilpraktiker (ähnliche Umweltbedingungen, soziale Strukturen usw.), andere belegen die kulturellen Beziehungen und den durch diese bewirkten Austausch.

Die erste Nachricht über einheimische Heilkunde in Afrika südlich der Sahara findet sich bei Herodot (484—425 v. u. Z.), der über die »Äthiopier« (darunter verstand er die Afrikaner schlechthin) berichtete, daß sie alle »Zauberer« und Medizinmänner seien. In Afrika südlich der Sahara hatte sich die Kunst der Medizinmänner im Verlauf von Jahrtausenden herausgebildet. Dies geschah nicht

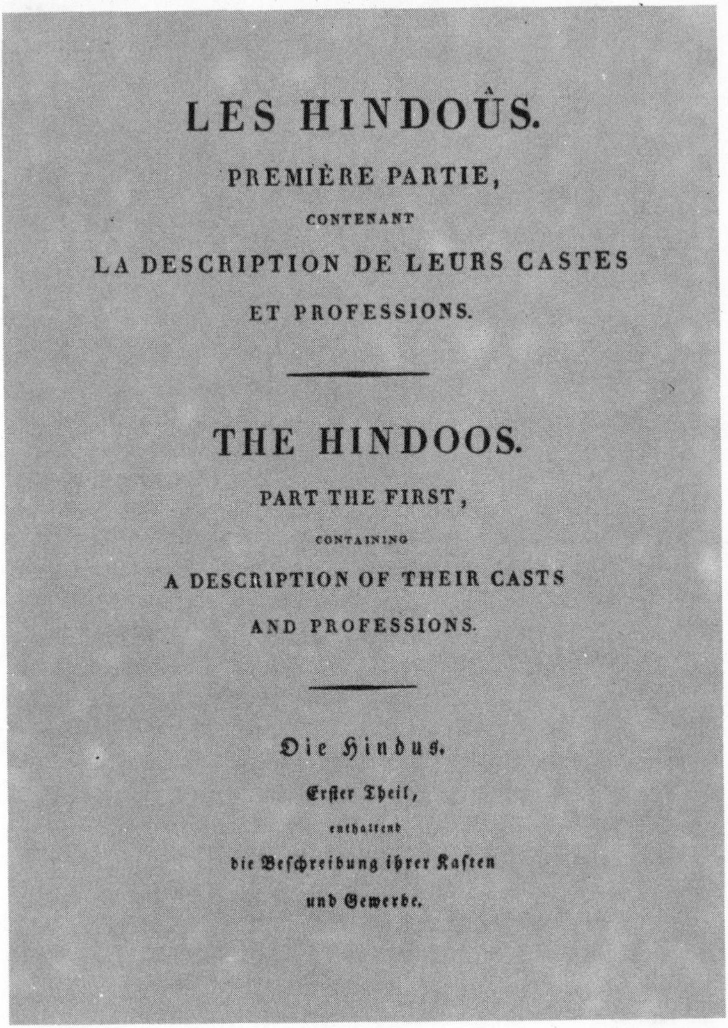

LES HINDOÛS.

PREMIÈRE PARTIE,

CONTENANT

LA DESCRIPTION DE LEURS CASTES

ET PROFESSIONS.

THE HINDOOS.

PART THE FIRST,

CONTAINING

A DESCRIPTION OF THEIR CASTS

AND PROFESSIONS.

Die Hindus,

Erster Theil,

enthaltend

die Beschreibung ihrer Kasten

und Gewerbe.

Abb. 34: Von Indien gingen Impulse für Denken und Weltanschauung auf dem asiatischen Kontinent, aber auch in Afrika aus.

isoliert von anderen Kulturregionen, sondern in ständigem Austausch. Trotz aller Widersprüchlichkeit waren Ansätze wissenschaftlichen und materialistischen Denkens nicht zu übersehen, wie sie in der magisch-theurgisch begründeten spezifischen medizinischen Entwicklungslinie zu erkennen sind. Die Heilkundigen berücksichtigten im allgemeinen die kleinsten Anzeichen des Wirkens von Naturkräften, Lebensweisen und Lebensumständen, wobei sie stets vom Wirken magischer Kräfte in und um den Erkrankten ausgingen. Bei dem »internationalen« Austausch von Kenntnissen und Erkenntnissen in der Heilkunde spielte gewiß die geographische Nähe zu den bedeutenden alten Zentren der Medizin und Pharmazie eine große Rolle: Ägypten, die antike griechisch-römische Heilkunde, dann die mit der Entstehung und Ausbreitung der christlichen Religion in Nordafrika und in Äthiopien verbundenen medizinischen Anschauungen und schließlich mit der Expansion des Islam seit dem 7. Jahrhundert die arabische Schule der Medizin. Diese Zentren — und das verdient hervorgehoben zu werden — entwickelten sich entweder ganz oder teilweise auf afrikanischem Boden, oder es waren Afrikaner daran beteiligt.

In der griechisch-römischen Heilkunde spielten viele schwarze Afrikaner eine Rolle, die in Ägypten oder in Nordafrika beheimatet waren. Um die Mitte des 3. Jahrhunderts verfaßte Africanus Sextus neun Bücher medizinischen Inhalts. Sie handelten, wie der griechische Autor Syncellus in seiner Chronographie sagte, von den Kräften medizinischer, physischer und chemischer Art. Sie enthielten Beschwörungsformeln und wunderliche Schriftzüge, die eine übernatürliche Heilkraft besitzen sollten.

Das Christentum in Äthiopien bewahrte über Jahrhunderte als einheimische Religion seine Eigenart. Einzigartige Züge trug auch die Heilkunst. Sie wurzelte trotz der Existenz einer christlichen monotheistischen Religion in Anschauungen und in einer Weltauffassung, die nicht im Widerspruch zur traditionellen afrikanischen Heilkunde standen.

Offenkundig sind die Verbindungslinien der Heilkunde südlich der Sahara zu den Zentren der arabischen Heilkunst im Vorderen Orient, in Ägypten und Nordafrika. In Nordafrika waren Afrikaner unmittelbar an der arabischen Schule der Medizin beteiligt, für die

Gebiete südlich der Sahara bildete die Ausbreitung des Islam das Bindeglied.

Die Medizin war in ihren frühen Perioden fest mit dem religiösen Denken verknüpft. Religiöse Medizin und Pharmazie im Zeitalter der ägyptischen, griechischen und römischen Kultur waren mit der »Beschwörung der Gottheit« durch Sühnezeremonien und Gebet für Hilfeleistungen bei Krankheit und Lebensnot verbunden. In Afrika waren in frühen Stadien der Entwicklung die Priester ebenfalls die Heilkundigen; beide Funktionen vereinigten sich später in der Person des Medizinmannes.

Schon die ältesten Reisebücher berichteten vom Glauben der Afrikaner an böse Geister und gefährliche Zauberer, von denen alles Unheil, Krankheit und Tod ausgingen. Das Übertreten eines Tabus, der Haß eines bösen Mitmenschen, ein moralischer Fehltritt konnten danach eindeutig Krankheitsursache sein; auch konnten Krankheiten von den Ahnen geschickt werden. Die meisten Erkrankungen wurden, vor allem, wenn sie plötzlich auftraten oder ungewöhnlich lange dauerten, auf übelwollenden, kräftemindernden Einfluß zurückgeführt. Nur alltägliche Krankheiten wie Husten und Schnupfen, Fieber oder Rheumatismus wurden behandelt, ohne daß ihnen eine außergewöhnliche Ursache zugeschrieben wurde.

Der Gedanke und der Glaube an die Geister der Ahnen, der Verstorbenen, an die Idole und Amulette spielten eine große Rolle. Masken und Maskentänze begleiteten die Zeremonien, bei denen die Geister der Ahnen oder der Geist irgendeiner Naturgewalt, des Wassers, des Waldes, angerufen wurden — ebenso bei der Heilung von Krankheiten, bei Begräbnissen und Totenfeiern. Masken dienten den Medizinmännern bei Beschwörungsriten, um den Kranken in starkem Maße psychisch zu beeinflussen. Allerdings waren Masken nicht in allen Gebieten Afrikas zu finden, sie fehlten z. B. in Süd- und Ostafrika.

Die afrikanischen Religionen bilden den Hintergrund für die Einordnung der Heilkunde und der Heilmethoden in ihrer doppelten Bedingtheit: als magische Praktiken und als realer Erfahrungsschatz. Vorwiegend an den von städtischer Kultur nur wenig berührten Orten wurden alle wichtigen Lebensetappen (Geburt, Geschlechtsreife, Hochzeit, Tod), aber auch praktische Tätigkeiten (Jagd, Ackerbau, Viehzucht, Fischfang, Herstellung von Werkzeugen) mit der Magie verbunden. Vor allem für die Heilung von Krankheiten galten magische Vorkehrungen als unerläßlich. Der auf geheimnisvolle Weise, durch religiöse und magische Zeremonien und über unterschiedliche Träger (Fetische, Amulette) vermittelte »Kraftstoff« erfüllte prophylaktische und heilende Funktionen.

Unter gentilgesellschaftlichen Verhältnissen war die Magie entstanden. Magie und Erfahrung als Quelle der Wirklichkeitserkenntnis schlossen sich auch in der Klassengesellschaft Afrikas nicht aus — mit medizinisch schädlichen und nützlichen Komponenten. Es sollte nicht übersehen werden, daß die Magie auch als Vorläufer naturwissenschaftlichen Handelns angesehen werden kann. Zunächst galt es, die »übernatürlichen«Krankheitsursachen zu suchen und diese zu bannen.

Das verborgene Wissen wurde von Frauen und Männern enthüllt, bei denen man geheimnisvolle Kräfte vermutete; in erster Linie vom Stand der Medizinmänner, aber auch von Königen, Familienältesten, Schmieden, schwangeren Frauen, Jungfrauen und Müttern von Zwillingen. Der Glaube an die geheimnisvolle Wirkung von in Stein geritzten Zeichnungen, von Masken, Zauberkräutern, Beschwörungen, Tänzen, Manipulationen mit Steinchen oder Knöchelchen hatte ebenfalls psychologischen Effekt. Die moderne Medizin hat neuerdings selbst bei medikamentöser Behandlung einen überraschend großen Anteil der Psyche am Heilerfolg festgestellt und damit bis zu einem gewissen Grade die magische Praxis der Krankenbehandlung mit ihren Heilerfolgen bestätigt, von denen einige als Gruppentherapie anzusehen waren. Allein die Tatsache, daß der Patient von seiner Krankheit sprechen konnte, bewirkte eine Erleichterung.

Die Dialektik des »magischen Weltbildes« schloß nicht aus, daß man den körperlichen Leiden mit Heilkraft besitzenden Naturstoffen auf den Leib rückte und die unterschiedlichsten Therapien anwandte. Die Medizinmänner besaßen eine umfassende Kenntnis einheimischer heilkräftiger Pflanzen, die sie vor allem zur Behandlung von Wunden mit Erfolg anzuwenden wußten, und oft führten sie »fast unglaubliche« Kuren mit Wurzeln und Blättern aus, deren Heilwirkungen nur ihnen bekannt waren. Sie verstanden, Glieder

192

einzurenken und einen passenden Verband anzulegen. Eine der wichtigsten Heilmethoden war der Aderlaß. Leben im Rhythmus der Natur, Religiosität und Weltbild der bäuerlichen Produzenten erklären spezifische Seiten der afrikanischen und asiatischen Heilkunst und sind zugleich ein wesentlicher Schlüssel für den besonderen Charakter, den diese besaß: Verbindung mit der Religion, bestimmte Gesundheitsgebote, ähnliche Heilverfahren (z. B. das Schröpfen), Tabus usw.

Bei dem gegenwärtigen Stand der Erkenntnisse und solange noch zu wenig Konkretes über eine direkte Wechselwirkung arabischer, asiatischer und afrikanischer Heilkunst gesagt werden kann, bietet der Synkretismus auf dem Gebiet der Religion einen günstigen Ausgangspunkt für überzeugende Beweise gegenseitigen Nehmens und Gebens. Über die Religionen fanden »fremdartige Erkenntnisse« (etwa aus der arabischen und asiatischen ärztlichen Wissenschaft) in der altafrikanischen Heilkunde allgemeine Aufnahme, wenn auch in modifizierter Form und abhängig von geographischen und anderen Faktoren, wie Klima, Religion, Tabus und Handelsaustausch. So besaß die afrikanische Heilkunst schon durch die völlig andersartige Pflanzen- und Tierwelt ganz spezifische Züge. Die Natur in ihrer damaligen relativen Beständigkeit drängte wie eine Art sanfte Gewalt die Menschen immer wieder auf die gewohnten, durch langfristig erworbene Erfahrungen erfolgreichen Wege der Krankheitsbehandlung zurück.

Die Heilkunde in Afrika stand in ihrer Gesamtheit in enger Verbindung mit den als »religiös« aufzufassenden Phänomenen der Volkskultur, die ihren Ursprung in urgemeinschaftlichen Glaubensvorstellungen hatten, aber auch bei den entwickelten Religionsformen in Afrika (Polytheismus, Islam und authentisch-afrikanisches Christentum) entweder organischer Bestandteil wurden oder zumindest im Volksbewußtsein weiterwirkten.

Die »Geheimnisse« des gesunden Lebens waren Bestandteil des afrikanischen Alltags in früherer Zeit und über lange Jahrhunderte Teil eines sozialen Vererbungsmechanismus, eine der Grundbedingungen für die Kontinuität der Gesundheitslehre. Die sozialen Verhältnisse, die Lebensführung und die Sitten beeinflußten maßgeblich das authentisch-afrikanische Christentum und gleichermaßen den

Islam, soweit beide Religionen in ihren Geboten nicht schon ohnehin den in Afrika dominierenden Grundsätzen gesunder Lebensführung entsprachen.

Islam und Christentum trugen dazu bei, daß in den städtischen Zentren die islamische bzw. christliche Zeitrechnung übernommen wurde. Die religiösen Gesetze der Mohammedaner und der Christen begannen, den Lebensablauf, den Tages-, Monats- und Jahresrhythmus der städtischen Bevölkerung zu beeinflussen.

Nach dem Selbstverständnis äthiopischer Frömmigkeit existierten Engel und Dämonen, gute und böse Geister. Die Existenz von Geistern wurde also in den Auffassungen afrikanisch-islamischer und afrikanisch-christlicher Gläubiger nicht etwa negiert, sondern Furcht und Geisterglauben wurden integriert. Eine starke Verwandtschaft zur traditionellen afrikanischen Religion wiesen das christliche und das mohammedanische Opfer auf. Auch Mohammedaner brachten in Afrika Opfer dar, um sich vor Krankheiten zu schützen, und gaben Almosen, um Übel abzuwehren oder Erfolg zu haben.

Nicht selten wurden im alten Äthiopien Wallfahrten zu Klöstern, Kirchen, heiligen Quellen oder gar zu den Stätten im Heiligen Land unternommen, um Heilung von Krankheiten zu finden. Hier liegen Berührungspunkte zwischen den monotheistischen Religionen, Islam und Christentum, und den traditionellen afrikanischen Religionen klar auf der Hand.

Der Islam in seiner afrikanischen Sonderentwicklung und das authentisch-afrikanische Christentum ließen Raum für magische Handlungen, für Krankheitsbeschwörungen bei Heilungsuchenden. Moslems und Christen trugen Amulette in Lederfutteralen um den Hals und am Arm, die geheimnisvolle magische Texte enthielten und denen Zauberkraft zugeschrieben wurde. Solche Talismane sollten ein Gefühl der Sicherheit gegen Krankheit und böse Geister verleihen, die angeblich auf der Erde und über den Wassern schweiften und im Nachtdunkel sogar in die Wohnstätten eindringen konnten.

Auch in Afrika war die Entwicklung der medizinischen Tätigkeit und des medizinischen Wissens zuerst ein Überprüfen oder Verallgemeinern der empirischen Kenntnisse und ihre Weitervermittlung durch Zentren und wissenschaftliche Schulen.

Vom 12. bis 16. Jahrhundert, als die afrikanischen Königreiche

Abb. 35: Familienszene im südlichen Afrika (aus der »Allgemeinen Historie der Reisen zu Wasser und zu Lande«)

ihre größte Machtfülle erreicht hatten, waren die Könige und Königinnen, die Adligen und Häuptlinge gleichzeitig die mythischen und religiösen Oberhäupter, göttliche Symbole der Gesundheit und Wohlfahrt ihrer Untertanen. Die Herrscher waren durch Tabus, Verbote und abergläubische Vorstellungen abgeschirmt, um ihre Machtstellung zu unterstreichen. Sie waren ein Abglanz von göttlicher Herrschaft und repräsentierten auf Erden die Ahnen. Ihre »magische Kraft« hatte Bedeutung für das ganze Land, vermochte zum Segen oder zum Unglück zu gereichen. Gesundheit und Krankheit dieser gottbegnadeten oder sakralen Herrscher standen im Volksglauben in einem untrennbaren Verhältnis zum allgemeinen Gesundheitszustand der Untertanen. Unter solchen Umständen waren Krankheit oder Tod eines Herrschers natürlich ein bedeutendes Ereignis.

Auf die Entwicklung der Heilkunst hatten die Herrscher der alten Königreiche wie Ghana, Mali oder Songhai in Westafrika einen großen Einfluß. Neben den traditionellen Medizinmann der bäuerlichen gentildemokratischen Gesellschaft trat der spezialisierte »Arzt« der herrschenden Klasse, dessen Betätigungsfeld am Hof des Königs lag — ein Fakt, der zur Vertiefung der sozialen Ungleichheit beitrug. Im Land Äthiopien war es Brauch, daß bei Krankheit des Königs aus dem ganzen Land die Heilkundigen zusammenkamen und über seine Krankheit berieten, um ein Heilmittel dagegen zu finden.

Die Geschichte der afrikanischen Völker kennt zahlreiche Beispiele berühmter Könige und Königinnen, Adliger und Häuptlinge, die sich eines großen Rufes als Heilkundige und Kenner der Medizin erfreuten. Einer von ihnen, Eware der Große, dessen Herrschaft im Königreich Benin in die Zeit vor 1390 fiel, war nicht nur König und Kriegsmann, sondern auch berühmter Magier und Medizinmann. An jedem der neun Tore seiner Hauptstadt, so wird berichtet, legte er zur Abwehr der Feinde starke »Fetische« aus. Das Heer der Aschanti (im heutigen Ghana) verfügte beispielsweise über eigene Ärzte, die an kriegerischen Auseinandersetzungen teilnahmen und die Verwundeten versorgten. Wundärzte begleiteten auch die Kriegszüge der Massai (Ostafrika). Ihre Aufgabe war die sofortige Behandlung von Verwundeten, wozu ein vorher allgemein bekanntgegebener Verbandsplatz unweit des Gefechtsfeldes ausgewählt wurde.

Magie und Medizin in ihrer wechselseitigen Verflechtung waren nicht nur auf die Heilung von Menschen, sondern auch auf Naturereignisse, ja selbst auf politische Vorgänge bezogen. In den Volksmythen wurden den Herrschern in den alten Königreichen zahlreiche »magische« Wunder zugeschrieben. Ein Beispiel bildete das islamische Mali, das 1050 von den Malinke am Oberlauf des Niger gegründet worden war. Thronanwärter und Usurpatoren des Königsthrones handhaben gleichermaßen magische Wunder. 1235 besiegte dank angeblich besserer magischer Vorbereitung der Maliherrscher Mari Djata (Regierungszeit 1230—1255) in der Schlacht bei Kirina den Herrscher der Sosso, Somaoro Kanté, und begründete als Mansa (Großherrscher, König) das Großreich Mali, das unter Mansa Musa (Regierungszeit etwa 1312—1337) den Höhepunkt seiner Entwicklung mit einer gut organisierten Verwaltung, einem beachtlichen Aufschwung des Handels und einer verstärkten Islamisierung erlebte.

Gesundheitsgebote und Religion

Als Afrika südlich der Sahara in Kontakt mit den großen Zentren der arabischen und asiatischen Medizin und Pharmazie stand, wurde im frühchristlichen Europa das antike medizinische Wissen in die Klöster eingeschlossen.

Während Asien und Afrika das Jahrtausend ihrer höchsten Blüte erlebten, vermochte im ausgehenden Mittelalter selbst der gebildete Europäer sich nicht vorzustellen, daß am Rande des »bewohnbaren Erdkreises« jahrtausendealte Kulturen existierten, in denen die Medizin sich schon zu einer Wissenschaft zu entwickeln begonnen hatte.

Nach dem 13. Jahrhundert erwies sich die aus mehreren Schulen bestehende arabische Medizin als Mittler zwischen dem Alten Ägypten, der griechischen und römischen Antike und dem christlichen Europa. Vorläufer in der Vermittlung der Heilkunst der arabischen Ärzte war unter anderem die berühmte Schule von Salerno, die im 11. Jahrhundert gegründet worden und untrennbar mit dem Namen des Afrikaners Constantinus verbunden war. Europa erhielt sein Wissen aus der Hand der Araber und genoß »die Wunder jetzt nur noch aus der sicheren Ferne, dafür aber mit um so innigerem Behagen«. (II/499/412) Constantinus scheint nur auf den ersten Blick nichts mit der Medizin in Afrika südlich der Sahara gemein zu haben. Seine Lehrsätze vermittelten jedoch den Stand der islamischen Medizin, deren Ausstrahlung jamals weit in den Süden Afrikas hineinreichte. Und schließlich ist die Tatsache bezeichnend, daß es ein Afrikaner war, der als Vermittler der arabischen Medizin nach Europa auftreten konnte.

Mit dem Zeitalter der großen Entdeckungen erhielt Europa auch direkten Zugang zu den Ländern im subsaharischen Afrika. Allerdings blieb das Wissen über diese Gebiete und die dortige Heilkunst zunächst relativ dürftig, da sich der ungeheure, durch seine massive Küstenstruktur nur wenig gegliederte Kontinent der Erforschbarkeit vom Schiff aus entzog, und selbst von den Küstenplätzen, die zu festen Anlaufpunkten auf der Fahrt nach Indien geworden waren, wagten sich nur vereinzelt Kaufleute und Priester in das Landesinnere. Was dennoch an überraschender Kunde nach Europa gelangte, war jedoch nicht unbedeutend.

Die naturwissenschaftlichen Passagen der Reiseberichte fanden großes Interesse in Europa und entsprachen dem Wunsch, das neue Wissen für den praktischen Gebrauch in der Heilkunst nutzbar zu machen. Es entsprach enzyklopädisch-praktischen Traditionen der Renaissance, wenn die in Reiseberichten mitgeteilten medizinischen und botanischen Erfahrungen mit dem überlieferten Wissen antiker und mittelalterlicher Mediziner und Botaniker verglichen und durch zeitgenössische Gelehrte ergänzt wurden. Auch suchte man exotische Pflanzen in Europa heimisch und in der Medizin anwendbar zu machen, wobei Gewürz- und Heilkräuter fast immer als identisch angesehen wurden. Botanische Gärten, in denen fremde Pflanzen, z. B. Palmen, gezüchtet wurden, entstanden 1545 in Padua, 1547 in Pisa und 1577 in Leiden. Die exotische Pflanzenkunde für Heilzwecke rief eine wissenschaftliche Literatur hervor, in der eine Bestandsaufnahme in Herbarien und Illustrationen, in Beschreibungen und Nomenklatursystemen erfolgte (17. und 18. Jahrhundert). Im 18. Jahrhundert legten sich Fürsten und Könige kostspielige Orangerien zu.

In den Reiseberichten über Afrika, soweit sie von Sitten und Lebensart, von der Lebensdauer, von der Nahrung und Kleidung Mitteilung machten, entstand ein Bild des Alltags, in dem bescheidene

Abb. 36: Afrikaner beim Drusch (aus »Allgemeine Historie der Reisen zu Wasser und zu Lande«)

Ernährung, die Pflege der menschlichen Kommunikation, Naturverbundenheit und körperliche Bewegung vorherrschten — Verhaltensweisen also, die auch noch heute als Grundvoraussetzungen für Gesundheit und langes Leben gelten. Besonders interessant waren Mitteilungen über die Hygiene und das große Reinlichkeitsbedürfnis, die zahlreichen Teil- und Ganzwaschungen, die Wasserriten usw. — alles charakteristische Merkmale afrikanischer Körperpflege, die den Reisenden vor dem Hintergrund der in Europa im ausgehenden Mittelalter und zu Beginn der Neuzeit nur gering entwickelten Badekultur als bemerkenswert erschienen.

Gesundheitsgebote (Vorschriften über Nahrung und Getränke, hygienische Maßnahmen, rituelle Handlungen mit positiven Wirkungen auf Körper und Psyche), die auch nach modernen medizinischen Erkenntnissen in ihrem rationalen Kern für die prophylaktische Medizin bedeutsam sind, gehörten zu den Bestandteilen der großen Weltreligionen wie auch des afrikanischen Polytheismus, der die aus der Gentilgesellschaft überkommenen religiösen Formen und Lebensregeln integriert und weiterentwickelt hatte. Die meisten Vorschriften, die sich auf die Gesundheit und die medizinische Prophylaxe in Afrika bezogen, entsprachen einer langen Tradition und Erfahrungswerten, die über eine unüberschaubare Generationskette weitergegeben worden waren. Seit den ältesten Zeiten regelten Tabuvorschriften das Fasten, ordneten sie Speisebeschränkungen an, die hygienische oder in manchen Fällen auch nur kultische Bedeutung besaßen.

Der Koran als ein religiös-poetisches Werk weist zahlreiche hygienische und gesundheitliche Vorschriften auf, die unter den Zeitbedingungen und teilweise auch heute noch als positiv für die medizinische Praxis zu beurteilen sind. Als erstes wurden in den afrikanischen Ausbreitungsgebieten des Islam Speisegewohnheiten, Kleidung, Schmuck und vorgeschriebene Gebetsübungen von den Gläubigen übernommen, wenn sie sich zu der neuen Religion bekannten. Mohammed soll über dreihundert Äußerungen und Maßregeln medizinischen und hygienischen Charakters gemacht haben, die in dem zweiteiligen Werk »De medicina Prophetae« eines anonymen Verfassers enthalten sind. Auf Mohammed gehen die Aussprüche zurück: »Zwei Gnaden, um die viele Menschen beneidet werden: die Gesundheit und die Sorglosigkeit«; »Bitte Gott um die Gesundheit«. Das zeigt, welchen Wert der Prophet der Gesundheit beimaß. Auch die christliche Religion in Afrika, welche einheimische Traditionen in sich aufgenommen hatte, enthielt zahlreiche Vorschriften zur Gesunderhaltung.

Gehörten prägnante hygienische Vorschriften zum Alltag der traditionellen afrikanischen Religionen, so waren sie im Islam und im Christentum zusätzlich in Schriftform gefaßt. Es handelte sich um uralte Grundsätze der Hygiene, der Vorbeugung und Krankheitsverhütung, wie sie z. B. in der Körperwaschung und Körperpflege zum Ausdruck kamen.

Nach der islamischen Lehre, durch die das mohammedanische Afrika geprägt wurde, gab es drei Arten der rituellen Reinigung: die Teilwaschung, die Ganzwaschung (beides mit Wasser) oder die Sandwaschung (wenn kein Wasser zur Verfügung stand, konnte die Waschung auch mit reinem feinem Sand durchgeführt werden). Mittel zur rituellen Reinigung waren — neben den vorgeschriebenen religiösen Zeremonien — das Wasser, die Erde und die Sonne (Koran, Sure 4, Vers 46; Sure 5, Vers 8—9). Trotz der symbolhaften Interpretation dieser hygienischen Vorschriften besaßen sie — analog zu Verhaltensregeln der afrikanischen polytheistischen Religionen — unter den klimatischen Bedingungen Afrikas besondere Bedeutung.

Auf Mohammed geht der Ausspruch zurück: »Salbet euch mit Veilchenöl, denn es übertrifft an Vortrefflichkeit alle anderen Öle, wie ich alle anderen Propheten.« Schon vor der Ausbreitung des Islam kannten die Afrikaner den Nutzen öliger Einreibungen, mit denen das übermäßige Schwitzen und die Gallensekretion in Schranken gehalten wurden. Auch den nachteiligen Einwirkungen des Regens, der Kälte und der Feuchtigkeit zur Nachtzeit wurde damit erfolgreich entgegengewirkt.

Ähnlich war es mit der Circumcision (Beschneidung). Sie wurde meist mit dem Islam in Verbindung gebracht, obwohl sie im Koran überhaupt nicht erwähnt wird. Sie war in Afrika jedoch wahrscheinlich aus hygienischen Gründen üblich und erhielt später rituellen Charakter.

Im Islam waren die vorgeschriebenen Gebetshandlungen praktisch mit einer ganzen Reihe leichter Leibesübungen verbunden, die von gesunden Menschen als körperliches Training betrachtet werden konnten. Der islamische Gläubige hatte sich fünfmal am Tag einer religiösen Zeremonie zu unterziehen, die ihn nach Berechnungen von Mir-Hossein Nabavi immerhin täglich zu folgenden Bewegungen veranlaßte:

»34 Kopfbeugen nach vorne,
34 Kopfbeugen nach hinten,
34 Streck-Beuge-Bewegungen der Schultergelenke,
44 Streck-Beuge-Bewegungen der Ellbogengelenke,
44 Streck-Beuge-Bewegungen der Handgelenke,
17 Rumpfbeugen nach vorne,
17 Rumpfbeugen nach hinten,
51 Streck-Beuge-Bewegungen der Hüftgelenke,
68 Streck-Beuge-Bewegungen der Kniegelenke und
34 Streck-Beuge-Bewegungen der Fußgelenke.« (II/389/92)

Ähnliches ist von den koptischen Christen des mittelalterlichen Äthiopien bekannt, hier sogar noch mit Abhärtungsmaßnahmen verbunden, wie aus dem Bericht von Christoph da Gama aus dem 15. Jahrhundert hervorgeht: »Beim Beten stehen sie immer, werfen sich aber sehr oft nieder, küssen die Erde und stehen gleich wieder auf; stehend genießen sie auch den Leib des Herrn. König und Königin, Edelleute, alle Vornehmen und das ganze Volk beichten und kommunizieren jeden Sonntag, sie treten barfuß, ohne irgendeine Fußbekleidung in die Kirche ein und dürfen in ihr nicht ausspucken; denn dies gilt bei ihnen als sehr sündhaft.« (II/197/121)

Auffallend ist, daß die Afrikaner jene Speisen und Getränke bevorzugten, die auch nach heutigem medizinischem Wissen gesundheitsfördernd sind. Die Kunst des Kochens gehörte zur Kunst des Lebens. Mit den Szenen des Kochens und des Essens verband sich das Bild von Freude und Fröhlichkeit, von schwatzenden Frauen, umherspringenden Kindern und der abendlichen Männer-Gesprächsrunde am Feuer. Die Mahlzeiten bestanden überwiegend aus vegetabilischer Nahrung, getrunken wurde Wasser. Nur bei Festlichkeiten waren Getränke mit geringem Alkoholgehalt üblich.

Nach der Lehre des Islam ist der Genuß alkoholischer Getränke verboten. Wasser, vor allem frisches Quellwasser, soll das Hauptgetränk sein. Erwähnt wird das Ingwerwasser (Sure 76, Vers 17).

Wenn im Koran von Speiseöl gesprochen wird, ist immer Pflanzenöl gemeint: Erwähnt wird ein »Baum, der auf dem Berge Sinai wächst und der Öl vorbringt und einen Saft zum Essen« (Sure 23, Vers 20). Das einzige Mittel, das im Koran als »Arznei« bezeichnet wird, ist der Honig. In der Sure 16 (Die Bienen), Vers 70, wird über das hochwertige, leicht verdauliche und schleimlösende Nahrungsmittel, das zugleich eine bakterizide und Wundflächen reinigende Wirkung hat, berichtet: »Und es lehrte dein Herr die Biene: ›Suche dir in den Bergen Wohnungen und in den Bäumen und in dem, was sie (d. h. die Menschen) erbauen. Alsdann speise von jeglicher Frucht und ziehe die bequemen Wege deines Herrn.‹ Aus ihren Leibern kommt ein Trank, verschieden an Farbe, in dem eine Arznei ist für Menschen.«

Die Ernährungsvorschriften des Islam erlauben die vegetabilische *und* die animalische Kost. Jagdbares Wild und Schafe, Ziegen, Rinder und Kamele konnten gegessen werden. Schweine aß man nicht. Das Verbot des Schweinefleischgenusses diente der Prophylaxe der Trichinose; Eier sind als Speise im Koran nicht erwähnt. An pflanzlicher Nahrung werden genannt: Korn, Gemüse, Linsen, Erbsen, Palmen (wahrscheinlich Datteln), Feigen, Trauben, Oliven, Granatäpfel, Gurken, Zwiebeln. Große Bedeutung hatten das Brot und — wie schon erwähnt — der Honig.

Die koptischen Christen in Äthiopien beachteten die alttestamentarischen Speisevorschriften. Nicht gegessen wurden Schweine und Vögel. Auch der Genuß des Fleisches von Nilpferden, Elefanten, Kamelen, Eseln, Maultieren und Pferden war nicht erlaubt.

Wichtig für die polytheistischen Religionen, den Islam und das Christentum war das Maßhalten beim Essen und Trinken. Im Koran hieß es in der Sure 7, Vers 29: »Esset und trinket, aber tut nichts im Übermaß.« Ähnlich im alten Äthiopien. In diesem Zusammenhang ist die uralte Vorschrift des Fastens zu erwähnen, wie sie in allen Religionsformen auftrat. Im Islam war das Fasten 29 Tage vom Aufgang bis zum Untergang des Tagesgestirns vorgeschrieben; es galt das Verbot von Speise und Trank, Tabak sowie des geschlechtlichen Verkehrs (Koran, Sure 2, Vers 179—183).

In der koptischen Kirche gab es zahlreiche Abstinenzgebote für bestimmte Tage oder Zeiten, an denen sich die Gläubigen im Essen einschränkten oder sich ganz und gar bestimmter Speisen (Fleisch,

Abb. 37: Feldarbeiten auf der Insel Ceylon (aus einem Reisebericht des Jahres 1689)

Wie Sie ihren Reiß aufszutreten pflegen

Abb. 38: Reisernte auf der Insel Ceylon (aus einem Reisebericht des Jahres 1689)

Milch, Käse, Eier, Butter, Honig, Wein) zu enthalten hatten. Ausgenommen davon waren die Kranken und Schwangeren. Für den äthiopischen Christen war das Fasten die wichtigste Hilfe bei dem Bemühen um das eigene Seelenheil. Es galt das Motiv: »Fasten und Gebete sind Pfeile gegen den Satan.« Bei Krankheitsdiagnosen und

Abb. 39: Eßsitten in Ceylon (aus einem Reisebericht des Jahres 1689)

Heilungen spielten die Askese des Arztes und dessen oft durch Fasten geförderte Visionen eine wichtige Rolle. Daß auch das Fasten ein Mittel zur Gesundheitspflege, zur Vorbeugung und Krankheitsverhütung war, ist unverkennbar. Die religiöse Motivierung wirkte als starkes Moment, das die Gläubigen zur Gesundheitspflege an-

206

hielt. In allen Religionen ist feststellbar, daß die Gesundheitspflege zur religiösen Pflicht, zu einer Sache des Kultes erhoben wurde. Die Wirkung des Maßhaltens im Essen und Trinken sowie des Fastens ist in der heutigen Medizin allgemein anerkannt und wird auch überall angewandt. Es steht außer Zweifel, daß Maßhalten im Essen und Trinken, eine abwechslungsreiche Kost, die Meidung tierischer Fettprodukte als Nahrungsmittel sowie zeitweiliges Fasten und damit Gewichtsreduzierung schon in alter Zeit zu einer der Grundvoraussetzungen des gesunden Lebens auch in Afrika südlich der Sahara gehörten. Die Gesundheitsgebote hatten in der traditionellen afrikanischen Gesellschaft, in der vor allem das Weltbild der bäuerlichen Produzenten von Religiosität bestimmt war, einen erheblichen Einfluß. Neben der Nahrung waren es die zweckmäßige Kleidung und die Wohnstätten sowie Sitten und Lebensart, die eine kürzere oder längere Lebenszeit bewirkten.

Berühmte Mediziner und Wundärzte, Aderlasser und Operateure, Hospitäler und Apotheken

Es gab zahlreiche islamische Mediziner und Wundärzte, die ihre Ausbildung an den Ärzteschulen der großen Hospitäler in Timbuktu, Djenne und anderen Orten in Afrika südlich der Sahara oder an bekannten nordafrikanischen Hochschulen, z. B. in Kairo und Fes, erhalten hatten und deren Kunst die damalige Heilkunde in ganz Afrika beeinflußte.

In Kilwa, dem damaligen Mittelpunkt des islamischen Einflusses in Ostafrika, lebte ein Heilkundiger, von dem erzählt wurde, er habe den Sultan Ibn Suleiman (1220—1260) behandelt. Im Jahre 1362 berichtete der islamische Arzt Ibn Abdul Hajala über Patienten in Mali, die an der Schlafkrankheit litten, und deren Pflege. Der Mediziner Aben Ali, der zu Beginn des 15. Jahrhunderts in Gao (Westafrika) lebte, reiste in Begleitung des französischen Arztes d'Isalguir nach Paris, wo ihn die Heilung des kranken Königs Karl VII. gelang. Der Franzose hatte sich von 1405 bis 1413 am Niger aufgehalten und war auf Aben Ali und seine Heilkunst aufmerksam geworden. Dies zeigt die Wertschätzung, die einzelne afrikanische Ärzte genossen, und unterstreicht zugleich, daß vor dem 18. Jahrhundert die »offizielle« Medizin selbst an Europas Königshöfen nicht auf wesentlich höherem Niveau stand als in Afrika.

Bei den Wolof in Westafrika führten im 16. Jahrhundert Marabuts von Fes und Marakesch in einem heiligen Hain bei Vollmond die Beschneidung durch — dies ist ein zusätzlicher Hinweis auf die alten Verbindungen zwischen Nord- und dem übrigen Afrika auch auf medizinischem Gebiet. Es fand im Mittelalter ein nachweisbarer Austausch von Medizinstudenten und Medizinlehrern zwischen dem Norden und dem Süden statt.

Für die alten westafrikanischen Kulturzentren Timbuktu und Djenne ist die Existenz von Hospitälern belegt. Weitere Zentren für Medizin und Krankenbehandlung in Westafrika befanden sich im alten Königreich Benin (seit dem 12. Jahrhundert) sowie in Dahome und in Nigeria. Wenn auch nähere Einzelheiten über die Inneneinrichtung und den Ablauf der Krankenbehandlung nicht bekannt sind, so bieten doch die Beschreibungen des Krankenhauses in Fes wie auch die anderer nordafrikanischer Krankenhäuser Vergleichsmöglichkeiten, da die engen Beziehungen zwischen Nordafrika und Afrika südlich der Sahara zu dieser Zeit unumstritten sind. Am Ende des 12. Jahrhunderts gab es in den großen Städten wie Bagdad, Damaskus, Kairo und Fes mehrere Hospitäler, von denen jeweils eines den höchsten Wissensstand verkörperte und einen besonderen Ruf genoß. Außerdem hatten kleinere Städte ihr eigenes Krankenhaus.

Im islamischen Krankenhaus waren die ambulante Behandlung im poliklinischen Betrieb, der an manche Krankenhäuser angeschlossen war (ein Arzt hielt Sprechstunde ab und verschrieb Medikamente, die in der Krankenhausapotheke angefertigt wurden), und die stationäre Behandlung zu unterscheiden. Behandlungsmethoden waren:

»1. physikalische Behandlung mit Bädern und Übungen;
2. Diätbehandlung, die in der islamischen Medizin eine überragende Rolle spielte;
3. Therapie mit Präparaten der materia medica, zunächst einfache, dann zusammengesetzte, wenn nicht Diät allein zur Heilung führte;
4. als letzte Möglichkeit die chirurgische Behandlung, wobei die unblutige Kauterisation, Venensektion, Wund- und Unfallchir-

urgie, Abzeßspaltung, Circumcision und die kleine Augenchirurgie im Vordergrund standen.« (II/163/100)

Die Anlage des al-Dimnah-Krankenhauses in Kairouan (Tunesien), das 830 eingerichtet wurde, war einfach, die Säle waren gut geplant und mit Warteräumen für Besucher ausgestattet. Neben regulären Ärzten, die ihren Dienst versahen, gab es Mitglieder einer islamisch-theologischen Vereinigung, die sich der Medizin widmeten. Es wurden Aderlässe, die Versorgung von Knochenbrüchen und Verstauchungen sowie Kauterisationen vorgenommen. Als Pflegepersonal waren sudanische Frauen eingestellt. (Ebenda/70 f.)

Das von Saladin 1182 in Kairo eingerichtete Krankenhaus hatte eine Männer- und eine Frauenabteilung sowie eine Abteilung für Geisteskranke, deren Zimmer mit Eisengittern versehen waren. Alle Abteilungen verfügten über eine ausreichende Anzahl von Internisten, Augenärzten sowie Pflegepersonal. Zu dem Krankenhaus gehörte eine Apotheke mit zahlreichen Medikamenten. Die Krankenzimmer waren mit Betten und Decken ausgestattet; die Behandlung war kostenlos.

Beide Krankenhäuser wurden aus Staatsgeldern finanziert und von Wohltätern dotiert. (Ebenda/58)

In die äthiopische Stadt Harrar kam schon in früher arabischer Zeit ein Arzt, an den heute noch der Mount Hakim erinnert. Als Sitz vieler arabischer Ärzte wurde diese Stadt in der Mitte des 19. Jahrhunderts ein Zentrum der Medizin. In dem zweibändigen Werk von W. C. Harris »Gesandtschaftsreise nach Schoa und Aufenthalt in Südabyssinien 1841—1843« wurde auf die hohe Kunst der Ärzte hingewiesen, für die der Ausdruck Bala midanit, »der Herr der Arzneien«, gelte. (I/33/1. Abteilung/357)

Neben den islamischen Ärzten (sie waren im Einflußbereich der koptischen Kirche in der Minderheit) gab es in Äthiopien hauptsächlich drei verschiedene Gruppen von Heilkundigen, die zugleich die vielfältigen kulturellen Prägungen widerspiegelten, welchen dieses nordostafrikanische Land im Verlaufe einer wechselvollen Geschichte ausgesetzt war. Außer den auf die Heilkunst spezialisierten Mönchen Deptera) wirkten die ›Medizinmänner‹ und eine große Zahl von heilkundigen Personen, unter ihnen alte Frauen, denen besondere Fähigkeiten zugeschrieben wurden. Die Deptera wandten die Azmat

(Name, eigentlich Geheimname Gottes) an, ebenso wie die islamischen Ärzte die Koranverse einbezogen. Denk- und Formstrukturen des traditionellen Volksglaubens wurden übernommen und mit christlichem Inhalt angereichert; die Übergänge zwischen christlichen Deptera und traditionellen Medizinmännern waren oft fließend.

Die Behandlungsmethoden

Der traditionelle afrikanische Medizinmann zeichnete sich durch aufmerksames Beobachten und umfassendes Denken aus. Er war Träger eines potentiellen medizinwissenschaftlichen Entwicklungszweiges — wenn auch magisch-theurgisch begründet. Viele Heilverfahren, die in der Reiseliteratur überliefert sind, sprechen dafür. Die Therapie erfolgte durch Anwendung von Diät, durch Massage und Luftveränderung, durch Wasseranwendung und Wärmebehandlung. Auf Madagaskar wurde der Körper befühlt, gestoßen und intensiv bearbeitet. Zu den weiteren Behandlungsmethoden gehörte das Ausspülen des Mundes. Siebenmal wurde die Spülung mit Wasser durchgeführt, dem kleine Holzteilchen beigemengt waren. Den verschiedensten Erkrankungen (Gliederschmerzen, Hauterkrankungen, Beinleiden, innere Erkrankungen) wurde unter Ausnutzung von Heil- und Mineralquellen mit Warm- und Kaltwasserbehandlungen begegnet (so in Westafrika, Äthiopien und Zentralafrika).

Bei fieberhaften Erkrankungen waren Schwitz- und Dampfbäder beliebt, meist verbunden mit frottierenden Abreibungen. Im Sudan wurden Halb- und Vollbäder mit Natronwasser gegen Gelenkrheuma verordnet. Die Wärmebehandlung kannte die Verabreichung von heißem Tee bei Fieberkranken, verbunden mit Räucherungen des ganzen Körpers, um den Kranken zum Schwitzen zu bringen (Ostafrika), und Schwitzbädern im Fell oder im Mist einer frisch geschlachteten Ziege, im Magen eines erlegten großen Tieres oder durch Eingraben in glühendem Sand (Südafrika, Ostafrika, Sudan).

Schwitzkuren waren auch auf Madagaskar beliebt. Das Schwitzen des Patienten soll dadurch erreicht worden sein, daß sich der Kranke an einem Ochsen heiß peitschte. Die traditionelle afrikanische Medizin kannte seit altersher die vortreffliche Wirkung des Schwitzens bei bestimmten Erkrankungen.

Bei Dysenterie halfen erwärmte Steine, die auf den Bauch gelegt wurden. Die Heilwirkung der Sonnenbestrahlung wußte man ebenfalls zu nutzen.

Zahlreiche wirksame Mittel gab es gegen Fieber und zur Fiebersenkung. Über die Art und Weise, wie afrikanische Krankenpflegerinnen das »gelbe Fieber« behandelten, hieß es: »Von den Negerinnen ist bekannt, daß sie eine halbdurchschnittene Zitrone nehmen und beim ersten Anfalle des gelben Fiebers den Körper damit einreiben oder daß sie den Körper mit Flanell, welcher mit aromatischen Substanzen durchräuchert ist, frottieren.« (II/290/Bd. 2/502)

Der Arzneimittelschatz in der medikamentösen Therapie kannte blutbildende Mittel, Badedrogen zur Kräftigung, Drogen gegen Hautkrankheiten, Mittel gegen Würmer und Brandwunden, gegen Kopfschmerzen und Rheumatismus, Verabreichung heilsamer Getränke und Pulver, Anwendung von Salben aus dem Öl von Früchten und zu Pulver geriebenen Rinden sowie Klistiere, die aus Wasser, Pflanzen- und Fruchtsäften gemischt waren und mit einem Tierhorn eingeführt wurden; verschiedene Erdarten und Tierexkremente dienten der Heilbehandlung. Drogen und Heilpflanzen wurden in der freien Natur gesammelt oder in der Nähe der Behausung gezüchtet. Stengel, Rinden und Wurzeln, Blätter und Blüten fanden frisch und getrocknet Verwendung. Der Afrikaner Kadalie schrieb über die Bantu-Pharmazie in Südafrika (1966): »Die Methoden, mit denen die Bantus ihre Medizin zubereiten, sind nicht sehr verschieden von denen der Europäer. Sie haben Beimischungen auf kaltem Wege und auf heißem Wege; Aufgüsse, in denen Kräuter, Baumrinde oder Wurzeln nur leicht aufwallen dürfen, und Pulverzubereitungen, bei denen das Heilmittel luftgetrocknet oder in einer Pfanne zuvor geröstet wird, um dann zu Pulver zerstoßen oder gar zu Asche verbrannt zu werden. Die Pulver oder Aschenbestandteile werden häufig mit Fetten gemischt und dann in Tierhörnern aufbewahrt . . .« (II/327/106) Weit verbreitet war das Veraschen der Pflanzen. Veraschte Pflanzen oder deren Teile verwandte man zusammen mit Rizinusöl, indem man Einreibungen daraus herstellte oder die Mischung auch in die Haut einimpfte.

Brechmittel, mit denen eine Therapie bei inneren Erkrankungen oft eingeleitet wurde, waren ebenso häufig wie Abführmittel (beides gegen Malaria und Fieber, Leber- und Milzschwellung). Zahlreiche Heilpflanzen riefen die gegenteilige Wirkung hervor und wurden bei Durchfällen verwandt. Bei Husten, Asthma, Steinleiden, Dysenterie benutzte man sehr oft zerlassene Butter oder ausgelassenes Schaffett, vermischt mit anderen Stoffen. Bei anderen Krankheiten (z. B. Gelbsucht) mußte eine Hirsebrei- und Gemüsediät über mehrere Tage eingehalten werden. Gegen Darmparasiten (Bandwürmer usw.) halfen ebenfalls meist pflanzliche Mittel.

Öle und Fette, medikamentöse Salben und Pulver wandten die Heilkundigen bei Hautausschlägen und äußeren Erkrankungen, bei Rheumatismus der Muskeln und Gelenke an. Feuchte Tonerde oder aufgelegte Zitronenscheibchen vertrieben Kopfschmerzen. Breiumschläge, warme und kalte Wickel und das Auftragen verschiedener Salbenarten spielten eine wichtige Rolle. Weit verbreitet waren Kenntnisse auf dem Gebiet der Stimulanzien (Drogen, Alkohol usw.). »Die Negerwärterinnen (Krankenpflegerinnen, H. L.) wenden die Blätter der Spigelia häufig als Abkochung an, welche der Belladonna ähnliche Symptome, Durst und Erweiterung der Pupille usw. erzeugt.« (II/290/Bd. 1/311)

Gegen venerische Affektionen wurden vielfach mineralische Heilmittel angewandt (z. B. Kupfer), aber auch Dekokten (Absude) zum innerlichen Gebrauch verordnet. Andere mineralische Stoffe waren: Alaun, Natron, Eisen, Eisenocker, Kupfersulfat und Schwefel. Es wurde über Heilmittel gegen Syphilis und Impotenz berichtet, man verstand, Skorpionstiche und Schlangenbisse zu kurieren. Aus den Reiseberichten ist weiterhin so manches über Heilmittel gegen Harnerkrankungen, Augenentzündungen, Leib- und Brustschmerzen zu erfahren.

Während in Europa an vielen Universitäten noch nach einem Serum oder einem anderen Schutz gegen Pocken gesucht wurde, wußte man in den verschiedenen Teilen Afrikas diese Geißel der Menschheit schon erfolgreich zu bekämpfen. Die Schanti (Westafrika) entnahmen kleine Teilchen von eingetrockneten Pusteln der an Pocken erkrankten Personen und impften vorbeugend noch nicht Erkrankte an sieben Körperstellen. Diese bekamen dann einige Pusteln an ihrem Körper, waren aber im übrigen gegen eine weitere Infektion immun. Die Schutzimpfung gegen Pocken war auch bei den Somali, den Massai, auf der Insel Madagaskar und bei den Völkern anderer Regionen in Afrika südlich der Sahara gut bekannt.

Weit verbreitet war das »Brennen«. Es wurden besondere Brenneisen oder andere Gegenstände eingesetzt, um die Haut zu reizen, was zur Krankheitsprophylaxe und mit unterschiedlichem Erfolg zur Behandlung vieler Krankheiten diente, unter anderem von Pocken, Milztumoren, Giftschlangenbissen, Rheuma, Lähmungen, Leberleiden, Hauterkrankungen und Kopfschmerzen. Beim operativen Eingriff bedienten sich die Afrikaner seit uralter Zeit eines heißen Messers (Brenneisen) zur Blutstillung. Diese Behandlungsmethoden waren in allen Teilen Afrikas bekannt. Es wurden hierbei kranke Gewebe zerstört oder aber, wo kein radikaler Eingriff erfolgte, die vermehrte Blutzufuhr angeregt, Krankheitsprozesse dadurch günstig beeinflußt und eine ableitende Wirkung erzielt. Das Brennen erfolgte nach vorher genau festgelegten, auf die jeweilige Erkrankung abgestimmten Regeln. Selbst bei Lungenentzündungen und Magenkatarrhen soll dieses Verfahren erfolgreich angewandt worden sein. Außer dem Brenneisen dienten dem gleichen Zweck schwelende oder heiße Gegenstände, heiße Asche, glühende Kohlen oder heißes Harz, Pflanzen, Wurzeln, Sand und heiße Butter.

Der Aderlaß und das Schröpfen waren in Afrika sehr beliebt. Während in Europa Barbier und Bader sich dieser Kunst widmeten und die Ärzte solche Behandlungsmethoden verabscheuten (eine Wende brachten erst das 17. und das 18. Jahrhundert), waren es in Afrika versierte, ausgebildete Medizinmänner, die Aderlaß und Schröpfen anwandten. Wahrscheinlich verdankte diese Behandlungsmethode ursprünglich ihr Entstehen dem Bemühen, die lokalisierte Erkrankung zu quetschen (Massage) und bisweilen aufzuschneiden, um den bösen Geist herausfliehen zu lassen. Dieses Aufschneiden der Körperstellen war dann eine Art Aderlaß, dessen Handhabung sich in der weiteren Entwicklung immer mehr spezialisierte. Seine Wirkung beruhte auf der Reizung der Haut, der vermehrten Blutzufuhr und der örtlichen Blutstauung (stärkere Durchblutung) an der jeweilig behandelten Stelle, woraus ein entlastender und schmerzableitender Effekt resultierte.

Diese therapeutische Maßnahme war ein zahlreiche Stufen umfassender Eingriff, von dem einfachen Saugen, der Hautritzung und dem

Einschneiden (Skarifikation) bis hin zum Schröpfen und zum Aderlaß, wobei auch natürliche Blutentziehung durch Ansetzen von Blutegeln angewandt wurde (z. B. in Kamerun). Bekannt waren das trockene und das blutige Schröpfen, bei letzterem schnitt man die Haut der entsprechenden Körperstelle vorher ein. Saugen, Hautritzungen und Einschnitt halfen bei schmerzenden Gliedern, Kopfschmerzen und Augenleiden, bei Rachen- und Mandelentzündungen sowie bei Schlangenbissen, Insektenstichen und Giftpfeilwunden. Oft rieb man in die Schnittwunden Pulver, Asche oder Salben ein, um den Erfolg zu erhöhen. In allen Teilen Afrikas war der Schröpfkopf verbreitet, meist waren es Tiergehörne. Das blutige Schröpfen an den Schläfen, Wangen, Oberarmen, der Brust oder den Schultern milderte die Schmerzen bei Neuralgien, Entzündungen oder Blutergüssen. Der Aderlaß bewährte sich auch bei Gelenkrheuma mit Herzaffektionen, überhaupt bei rheumatischen Beschwerden sowie bei Sonnenstich, Kopfschmerzen und Pneumonien. Auch das trockene Schröpfen diente der Behandlung von Gelenkrheuma.

Schröpfen und Schneiden, Ausziehen von Zähnen und Entfernen von Geschossen gehörten zur Alltagspraxis des afrikanischen Heilkundigen. So geschah das Ziehen eines »angefressenen Zahns« in Äthiopien »mit dem Hammer, Dorn und Zange des Grobschmiedes. Wird ein Aderschlag nötig, so wird dem Patient ein Stöckchen in den Mund gesteckt, dieses vermittelst eines um den Hals geschlungenen Lederriemens fest angezogen, und dann die aufgetriebene Stirnader mit einem Schermesser geöffnet. Auch Schröpfen, was mit einem luftleer gezogenen Horn vorgenommen wird, ist außerordentlich in Mode, und das wirkliche Brennen, was dem Glauben nach die Muskeln des Speerarms kräftig machen soll, geschieht entweder mittelst Auflegens angezündeter Baumwolle oder eines durch sehr schnelle Reibung erhitzten Stocks. Zerbrochene Knochen, die schlecht gefügt wurden, sollen wohl mit Gewalt wieder auseinandergebrochen werden, um sie gehörig einrichten zu können; und auch die Autorität Aito Habtis, des ersten Leibarztes, mag hier noch angeführt werden, daß abgehende Knochensplitter mit gutem Erfolg durch Teile vom Schädel eines frisch geschlachteten Schafs oder Ziege ersetzt werden!« (I/33/1, Abteilung/356f.)

Im Jahre 1624 — so wird berichtet — praktizierte in Westafrika der Medizinmann Crycry, der Pfeilwunden mit heißem Öl zu behandeln wußte, indem er die Wunde damit ausgoß oder das verletzte Glied darin eintauchte.

Bei Wunden und Geschwüren wurden Salben und Umschläge angewandt. »Die Hauptmittel, welche besonders die Negerwärterinnen anzuwenden pflegen, sind: die bittere Cassada (Jatropha mahihist), wovon die Wurzel klar gerieben und als Brei im rohen Zustande als ätzender Saft aufgelegt wird. Ebenso benutzen sie den Saft von reifen Zitronen, womit die Geschwüre zweimal täglich stark gerieben werden und über welche sie nachher von der Rinde entblößte Stücken der Zitrone legen, welche durch eine in Zitronensaft getauchte Kompresse und Bandage befestigt werden, oder sie legen in Stücke zerschnittene Aloe auf. Diese Mittel sind deswegen um so mehr der Beachtung wert, als sie in den Tropenländern überall gefunden werden.« (II/290/Bd. 1/408) Als Antiseptikum verwandten die Bongo in Zentralafrika Eisenocker, der auf die Wunden gestreut wurde.

In Westafrika verstand man sich auf das Öffnen von Abszessen, die aufgestochen wurden, um den Eiter abfließen zu lassen; dann schnitt man sie auf, die Abzeßhöhle wurde mit warmem Wasser gereinigt und ausgekratzt. Das Amputieren von verkrüppelten Fingern und Zehen, das Ausschälen der Drüsen am Hals und andere Operationen waren üblich.

Knochenbrüche und Verrenkungen wurden von verschiedenen afrikanischen Stämmen sowohl konservativ als auch aktiv chirurgisch behandelt, so von den Massai, die bei einem stark zerschmetterten Knochen über der Frakturstelle den betreffenden Körperteil aufschnitten, die Knochensplitter entfernten und dann die Wunde wieder vernähten.

Auf Madagaskar wurde bei Extremitätenbrüchen die Schmerzempfindung des Patienten durch Trinken von Zuckerrohrschnaps gemindert. Man machte Extensionen und Gegenextensionen. Dabei wurde der Patient stark bandagiert. Die Lösung des Verbandes fand erst statt, wenn jeder Schmerz vorüber war. Wenn die Fraktur nicht richtig stand, begann die ganze Behandlung aufs neue. Ließen sich die Brüche nicht behandeln, so nahmen die Ärzte auch Amputationen vor: »Die großen Gefäße wurden oberhalb der Frakturstelle abgedrückt. Einige Zentimeter tiefer, als amputiert werden soll, wurden Haut und Fleisch durchschnitten. Dieses wird dann über den Knochen zurückgeschoben und der Knochen mittels einer Holzsäge durchsägt. Mit Hilfe eines glühenden Eisens, das schon rechtzeitig bereitgestellt ist, werden auftretende Blutungen gestillt. Alsdann wird das Fleisch über den Knochen gezogen und die Haut vernäht. Damit ist die Amputation beendet.« (II/181/66) Die Beschneidung, die als rituelle Operation bei Knaben und Mädchen eine große Rolle spielte, vermochten die Mandingos (Westafrika) und andere Stämme fast risikolos durchzuführen. Bei den Madagassen wurde die Beschneidung bei den im fünften Lebensjahr stehenden Kindern vorgenommen. »Die Beschneidungswunde wird dann mit Rinder- oder Schafblut beträufelt und danach in eine adstringierende Flüssigkeit getaucht.« (Ebenda/50)

Parallelen zu Indien und China

Auf dem Gebiet der Heilkunst gab es einen Austausch von Erfahrungen und Arzneimitteln, der nicht auf den afrikanischen Kontinent begrenzt blieb. Auch der Einfluß der altchinesischen und der indischen Medizin ging über China und Indien hinaus. Die materia medica der altchinesischen Heilkunde hat zahlreiche Übereinstimmungen mit der altindischen. Eine große Zahl Substanzen und Heilmittel wurde sowohl in der altindischen als auch in der altchinesischen Heilkunde verwendet. Ein Bericht aus dem Jahre 1710 macht deutlich, daß selbst spezifische Behandlungsmethoden, wie sie in China angewandt wurden, mit denen in Indien übereinstimmten. »Ein Arzt wird nicht zur Kur eines Kranken zugelassen, wenn er nicht seine Krankheit erraten kann; dies tut er durch Pulsgreifen . . . Die geschicktesten Bengalschen Ärzte beurteilen die Größe der Krankheit am Puls . . .« (II/418/Bd. 3/111 u. 115)

Bei der Heilkunst und ihrem hohen Entwicklungsstand in Indien und China ist wesentlich mehr zu entdecken als die historische Priorität gegenüber Europa. Es ist undenkbar, daß der frühe Handel zwischen Afrika, Indien und China mit Arzneimitteln und der medizinische Erfahrungsaustausch keinen wechselseitigen Einfluß auf die ärztlichen Behandlungsmethoden ausgeübt hat. Die Reiseberichte jedenfalls lassen deutliche Ähnlichkeiten in den »sanften« Behandlungsmethoden in China und Afrika erkennen.

Den China-Reisenden erschloß sich jedoch die dortige medizinische Wissenschaft nicht als ein umfassendes System von Erkenntnissen der objektiven, gesetzmäßigen Zusammenhänge zwischen Geburt, Leben und Tod, Gesundheit und Krankheit. Dabei hatte die chinesische Heilkunde, den traditionellen Anschauungen vom Wirken der beiden dualistischen Naturkräfte Yin und Yang — eine für die europäischen Reisenden willkürliche Zusammenwürfelung von Erkenntnissen und Spekulationen — folgend, hervorragende Leistungen hervorzubringen vermocht (Hygiene, Pharmazie, Palpation, Akupunktur, Pulsdiagnose, Ernährungstherapie, Augenheilkunde, Bekämpfung von Tuberkulose, Frauen- und Kinderkrankheiten, Zahnbehandlung usw.).

Die altchinesische Medizin unterschied zwei Behandlungsmethoden: äußere Behandlungen (Akupunktur und Moxibustion, Massage, Bädertherapie, Gymnastik und Atemtherapie) und innere Behandlungen (Pharmaka, Diät, meditative Verfahren, suggestiv-magische Behandlungen). Die Kenntnis der Heilkräuter und Drogen beruhte auf Erfahrung. Verwendet wurden Wurzeln, Blätter, Samen und Früchte der Heilpflanzen. Einige der überkommenen Heilmittel erweisen sich als wirksamer als vergleichbare moderne Medikamente.

Die traditionelle chinesische Medizin, mit der die europäischen China-Reisenden unter der Ming-Dynastie in Kontakt kamen, war ein medizinisches System, das vor Jahrtausenden entstanden war. Schon seit den ältesten Zeiten wurden Heilungen von Krankheiten durch Einstechen mit steinernen Nadeln, später durch Nadeln aus Metall ersetzt, durchgeführt (Akupunktur). »Sie stechen in gewisse Teile des Körpers Nadeln, und die größte Geschicklichkeit besteht darin, die rechte Stelle dazu zu finden und sie zu rechter Zeit wieder herauszuziehen. Es fließt bei dieser Operation kein Blut, und man bewirkt die Verharschung der Wunde dadurch, daß man gebrannten Beyfuß darauf legt.« (I/114/3. Teil/108) In dieser klassischen Kürze wird im Reisebericht von De Guignes die Kunst der Akupunktur und der Moxibustion beschrieben.

Missionare und Kaufleute der holländischen und portugiesischen Handelsniederlassungen in Indien und Kanton hatten erstmals Kunde

Ihre Art zu fischen

Abb. 40: Der Fischfang spielte auf der Insel Ceylon eine große Rolle. Entsprechende Geräte wie die Reuse erleichterten die Arbeit (aus einem Reisebericht des Jahres 1689).

218

Abb. 41: Malabaren beim Fischen mit Netz und Booten (aus einem Werk über eine Reise nach Ostindien 1675—1682)

von der Akupunktur nach Europa gebracht. Diese Methode, die zusammen mit der Moxibustion, der Pulsdiagnose, der Palpation, der Massage-, Diät- und Heilkräutertherapie zu den wichtigsten Behandlungsarten in der chinesischen Heilkunde zählte, wurde im 18. Jahrhundert in Frankreich praktiziert und griff zu dieser Zeit auch auf andere europäische Länder über. Zur Zeit der Französischen Revolution wurde die Akupunktur, was nahezu in Vergessenheit geraten ist, eine Modeerscheinung, und noch Anfang des 19. Jahrhunderts berichtete der Arzt Dr. Georg Friedrich Most in seinem

»Hausbuch« über eine »wahre Akupunkturmanie« in den deutschen Landen.

Die Diagnose mit Hilfe des Pulsfühlens hat in China eine zweieinhalb Jahrtausende alte Tradition. Aus einer Fülle genau geschilderter Abweichungen des Pulses wurden Anhaltspunkte für die Art der Erkrankung gesucht. Andreas Cleyer gab 1682 verschiedene Traktate unter dem Titel »Specimen Medicinae Sinicae, sive Opuscula medica ad mentem Sinensium« heraus, darin die Übersetzung der berühmten Schrift des Arztes Wang Shuhe (3. Jh. u. Z.) über die chinesische Pulslehre. Auch Michael Boym stellte in seinem 1686 erschienenen Buch »Clavis medica ad chinarum Doctrinam de Pulsibus« die chinesische Pulslehre dar. Es war Gottfried Wilhelm Leibniz (1646—1716), der diese Pulslehre der Aufmerksamkeit der zeitgenössischen europäischen Medizin empfahl.

Die Anästhesie wurde seit dem 2. Jahrhundert v. u. Z. praktiziert. Gegen den Aussatz sollen chinesische Heilkundige bereits zu einer Zeit, als man dieser Krankheit in Europa noch hilflos gegenüberstand, Mittel gekannt haben. In der Mitte des 16. Jahrhunderts entdeckte man — ähnlich wie in Afrika —, daß das Sekret der Pockenblasen oder getrocknete Pockenblasen in Pulverform wichtige Immunisierungsmittel sind. In Europa wurde dies erst 1717 durch einen englischen Arzt entdeckt. Manche Leiden, z. B. Syphilis, waren möglicherweise den chinesischen Ärzten unbekannt geblieben. Im allgemeinen wird angenommen, daß diese Krankheit erst durch die europäischen Reisenden, Kaufleute und Seefahrer nach China kam und deshalb wahrscheinlich damals den Namen »Kanton-Abszeß« erhielt.

Zahlreiche bedeutende medizinische Werke kamen in China heraus. Im Jahre 26 u. Z. erschien die »Innere Heilkunde des Gelben Kaisers«, eine Zusammenfassung aller damals bekannten volkstümlichen Arzneibücher und medizinischen Schriften. Dieses Werk spricht vom Blutkreislauf, der in Europa erst 1500 Jahre später von Harvey (1578—1657) beschrieben wurde. Das Werk des großen Arztes und Pharmazeuten der Ming-Zeit, Li Shizhen, Materia medica, erhielt unter anderem auch eine deutsche Übersetzung. 1749 erschien die Sammlung »Der goldene Spiegel der Heilkunst«, die auf kaiserlichen Erlaß von 80 hervorragenden Ärzten zusammengestellt wurde. Nach

Angaben von Medizinhistorikern stehen in China weit über 4000 traditionelle medizinische Werke für die Forschung zur Verfügung.

1670 urteilte der junge Leibniz: »Wie Närrisch auch und Paradox der Chinesen reglement in re medica scheint, so ist's doch weit besser als das unsrige.« Gottfried Wilhelm Leibniz, der vielseitige und bahnbrechende Gelehrte, Initiator der Berliner Akademie der Wissenschaften und ihr erster Präsident, widerspiegelte in seinen Auffassungen nicht nur die in Europa sich entwickelnde progressive bürgerliche Gesellschaft, sondern beeinflußte auch ganze Wissenschaftlergenerationen. Hegel war in seinem dialektischen Denken von Leibniz beeinflußt, und Leibniz wiederum besaß durch Korrespondenz mit in China missionierenden Jesuiten Informationen über die Yin-Yang-Lehre.

Den Kenntnissen und Fähigkeiten der chinesischen Ärzte auf dem Gebiet der Heilkunde maß Leibniz große Bedeutung bei. Als wesentlichen Unterschied zwischen der medizinischen Wissenschaft in China und Europa sah er an, daß die europäischen Ärzte mehr in der Anatomie, Chemie und Physiologie bewandert seien, die chinesischen sich dagegen vor allem in der Naturbeobachtung, in der Botanik, der Pathologie und der Therapeutik sowie in der Kenntnis der mannigfaltigen Heilkräuter auszeichneten. Bis in die Gegenwart gilt die Feststellung, daß die chinesischen Ärzte über größeres Wissen von den wechselseitigen Beziehungen zwischen einzelnen Körperteilen und zwischen der Körperoberfläche und den inneren Organen verfügten als europäische Ärzte und auf die Empfindungen des Kranken gegenüber Wärme, Kälte, Zugluft, Feuchtigkeit, Trockenheit sowie auf psychische und psychosomatische Faktoren besser eingehen könnten.

Schon seit alten Zeiten kannte man in China die Beziehungen zwischen Krankheit und Klima, vor allem bei Wetterstürzen. Im Frühjahr traten häufig Erkrankungen der Leber auf, im Sommer Herzkrankheiten und Malaria (Wechselfieber), im Herbst konnten Lunge und Atemwege Schaden nehmen, und im Winter waren es Nierenkrankheiten, über die die Patienten besonders klagten. Das zugige Wetter im Frühling führte zu Durchfällen, die sommerliche Hitze verursachte fiebrige Erkrankungen, die Feuchtigkeit des Herbstes brachte Husten, und die Kälte des Winters führte zu Erkrankungen,

Abb. 42: Die alte, hochentwickelte Kultur der Singhalesen auf Ceylon zeigte sich vor allem in den Schöpfungen der Baukunst und des Kunstgewerbes. Singhalesin mit Sonnenschirm

die im Frühjahr ausbrachen. Die Beobachtungen über den Einfluß des Klimas und der Jahreszeiten mischten sich mit solchen über Krankheitsbilder, die auf Eßgewohnheiten zurückgeführt wurden. »Exogene Ursachen einer Krankheit führt die traditonelle chinesische Heilkunst auf den Wind, die Kälte, die Trockenheit, die Feuchtigkeit, das Feuer und die Hitze zurück. Der Wind kann Kopfschmerzen, Erkältungen, ›Nasenverstopfungen‹ und Husten verursachen. Die Kälte führt zu Gelenkschmerzen, Erbrechen, Durchfall und Leibschmerzen, die Trockenheit dagegen zu Halsschmerzen, Husten,

Schweißausbrüchen und Beschwerden im Brustkorb. Die Feuchtigkeit verursacht Geschwülste, Wechselfieber, Gelbsucht und Gelenkleiden. Das ›Feuer‹ Sonnenstich, Hitzschlag und Blutspucken. Die Hitze kann ebenfalls Durchfälle, Erbrechen, Kopfschmerzen hervorrufen. Unter dem ›Feuer‹ kann auch ein fiebriger Zustand verstanden werden. Auch Wind, Kälte, Trockenheit, Feuchtigkeit und Hitze können ›Feuer‹, also Fieber, verursachen. Nach der überkommenen Auffassung fallen die ›bösen Winde‹ hauptsächlich mit dem Frühjahr, die Kälte mit dem Winter, die Hitze mit dem Sommer, die Feuchtigkeit mit dem ›Nachsommer‹, die Trockenheit aber mit dem Herbst zusammen.« (II/398/54)

Die Zahl der Arzneimittel war wie in Afrika auch in China »unendlich groß, da fast alle Sträucher und Bäume, Blätter und Wurzeln usw. in die Pharmacologie aufgenommen sind; die Mittel selbst entstammen allen drei Naturreichen, zum geringsten Teile dem Mineralreiche. Unter den einheimischen befinden sich die Rhabarber, ›Tay hoom‹, Ginseng, die Wurzel von Panax quinguefolius aus der Tartarei ... unter den ausländischen: Asa foetida, Opium, Muskatnüsse, Zimmt, Pfeffer, Caryophylli usw. Aus dem Tierreiche haben sie den Moschus, die Knochen von Tigern und Elefanten, die Hörner verschiedener Tiere ...« (II/168/Bd. 1/50)

Vor dem Jahre 1000 kamen neue Früchte, wie Walnüsse, Granatäpfel, Feigen und Mandeln nach China, und bislang unbekannte Gewürze und Drogen aller Art aus tropischen Teilen Asiens und Afrikas ergänzten das Sortiment wirksamer Heilmittel.

Der Tee als Nationalgetränk der Chinesen hatte erst mit der Einführung des Buddhismus seinen Einzug gehalten. Unter den Mitteln, das Leben zu verlängern, ragte die Ginseng-Wurzel heraus, die als »Kraut des ewigen Lebens« galt und die mit vielen Legenden verbunden war. Es handelte sich um eine sehr seltene Pflanze (ihre Kultivierung ist erst jüngeren Datums), und die Wurzel war, da sie dem menschlichen Körper ähnelte, mit dem Hauch von Geheimnis umgeben. Die moderne medizinische Wissenschaft entdeckte, daß sie ein wichtiges Tonisierungsmittel für das zentrale Nervensystem sowie ein hervorragendes Regulans des hohen Blutdrucks darstellt. Auch bei Diabetes leistet sie gute Dienste. Die Wurzel enthält Phosphor, Kalium, Kalzium, Magnesium, Natrium, Eisen, Aluminium,

Silizium, Barium, Strontium, Mangan, Titan, Glukose und ätherische Öle.

Tee und Ginseng gab es in allen chinesischen Apotheken, wie der bedeutende britische Chinakenner J. F. Davis in seinem 1839 in Magdeburg verlegten Chinabuch mitteilte. »Die Niederlagen der Drogisten zu Kanton enthalten eine ungeheure Menge einfacher Heilmittel, Gummi und einige Mineralien, die sie in kleinen Paketen verkaufen, wovon jedes eine Dosis enthält, der eine Vorschrift über den davon zu machenden Gebrauch beiliegt. Diese Niederlagen sind eben so bemerkenswert der Reinlichkeit und Ordnung wegen, die darin herrscht, als unsere Apotheken. Man weiß, daß das beträchtlichste chinesische Werk über Medizin die berühmte Pen-Tsao, oder Kräuterkunde ist, welche sich nicht allein über Botanik erstreckt, wie ihr Titel glauben lassen könnte, sondern auch von dem Tier- und Mineralreiche handelt. Allen Mitteln voran steht der jin-seng (Ginseng, H. L.), welchen man früher achtmal mit Gold aufwog. Der Tee wird auch als Heilmittel angewandt. In einigen Fällen ziehen sie dies oder jenes Mittel auf eine eigensinnige Art vor, und lassen es sehr weit herkommen, wenn sie jemanden behandeln, der es bezahlen kann. So beziehen sie zum Beispiel von Sumatra und Borneo den Kampfer, den sie leicht bei sich von dem laurus camphora erhalten könnten ... Als schnell wirkendes Mittel brauchen sie pa-teu, indem sie es mit Rhabarber vermischen. In der Zahl der wirksamsten Linderungsmittel, da wo örtliche Übel zu beseitigen sind, rechnen sie den Gebrauch der moxa, die sie so bereiten, daß sie die Stengel einer Art Beifuß, ngai-tsao genannt, in einem Mörser zerstoßen, dann die pelzigsten Fasern auswählen, sie auf den kranken Teil legen und anzünden. Man sagt, daß dieselben sehr schnell brennen, ohne einen großen Schmerz zu verursachen.« (II/213/Teil 2/224)

In dieser Darstellung finden sich nahezu alle Elemente, die von den europäischen Reisenden mit der Gesundheitspflege in China in Zusammenhang gebracht wurden: neben Tee und Ginseng eine Vielzahl unterschiedlicher Heilmittel aus dem Pflanzen-, Tier- und Mineralreich, dazu die Moxibustion, die zusammen mit der Akupunktur eine wichtige Behandlungsmethode war.

In die Reiseliteratur und in die Chinadarstellungen sind zahlreiche Betrachtungen und Beobachtungen zu Tee und Ginseng eingeflossen. Auch bisher in Europa unbekannte Heilpflanzen wurden beschrieben, so 1656 von Michael Boym, 1695 von Christian Mentzel und 1718 von Gottlieb Siegfried Bayer. Der chinakundige Bibliothekar Andreas Müller veröffentlichte 1674 seine Schrift »Hebdomas observationum de rebus Sinicis«. Das darin enthaltene Kapitel »Observation« ist der Pflanze Ginseng gewidmet, ihrem medizinischen Gebrauch in China und dem Nutzen, der durch ihre Anwendung in Europa entstehe. Im Jahre 1678 verfaßte der niederländische Arzt Cornelius Bontekoe (1647—1683) einen »Traktat über das ganz ausgezeichnete Kraut Tee« und pries darin den Tee als Heilmittel. Er wandte erfolgreich die Tee-Therapie bei der Behandlung von Gicht an und bekämpfte damit das Fieber.

Die angepriesenen gesundheitsfördernden Eigenschaften des Tees führten zu wachsendem Export, wie vor allem am Beispiel Englands gezeigt werden kann. In der Mitte des 17. Jahrhunderts oft nur als »chinesische Medizin« gekauft, wurde Anfang des 18. Jahrhunderts in England der Gebrauch von Tee so allgemein, daß die Einfuhr 1785 im Vergleich zu 1734 eine siebzehnfache Steigerung erreichte. Die Sitte des Teetrinkens verbreitete sich auch in anderen europäischen Ländern. Chinesisches Teeporzellan — die Tassen hatten keine Henkel und die Teekanne eine bauchige, gedrungene Form — kam zusammen mit speziellen Teeverfahren in Mode. Die Teeblätter wurden in Deckelvasen aufbewahrt, um das Aroma nicht entweichen zu lassen; es gab Tee mit Duftstoffen wie Jasminblüten versetzt.

Die Vorstellungen von der chinesischen Medizin, die Hunderte verschiedener Substanzen für die Bekämpfung von Krankheiten kannte und die bereits vor mehr als tausend Jahren Hunderte von Studenten an einer medizinischen Hochschule ausbildete, blieben aber unvollkommen. So viel aber kann festgestellt werden: Die altchinesische Medizin besaß eine leistungsfähige Theorie und war eine Wissenschaft. Über Jahrhunderte wurde sie oft falsch eingeschätzt, wobei sie das gleiche Schicksal erlitt wie die afrikanische.

Die europäischen Gelehrten hatten Schwierigkeiten mit einer richtigen Interpretation der »exotischen« Heilkunst, die mit den medizinischen Vorstellungen Europas nicht übereinstimmte und in der sich eine fremdartige theoretische Grundlage mit einer meisterhaften Naturbeobachtung verband.

Schlußbemerkungen

Die humanistische Strömung in der Reiseliteratur vollbrachte in ihren Schriften trotz aller Erkenntnisschranken und des oft noch niedrigen methodischen Niveaus ein Werk von bleibendem kulturhistorischem Interesse, erzog zur Humanität, verbreitete die Lehre von der natürlichen Gleichheit aller Menschen und wirkte für Freundschaft und Frieden zwischen den Völkern. Sie entdeckte den Reichtum der Sitten und Bräuche fremder Völker, erweiterte das Bild der Welt, ermöglichte den Vergleich der eigenen Lebensverhältnisse mit denen anderer Länder und verwies auf den Zusammenhang zwischen der sittlich-moralischen Regelung des menschlichen Verhaltens und einer »vernünftigen« Religion sowie überhaupt aller Lebensumstände.

Wenn auch die Mehrzahl der Denker, Dichter, Philosophen und Historiker der damaligen Zeit sich in ihrem humanistischen Streben auf die idyllische Antike, weniger auf den Orient und den Fernen Osten orientierte, so rückte dennoch — nicht zuletzt im Zusammenhang mit der Ablehnung und Verurteilung des europäischen Sklavenhandels — bei einigen Aufklärern, besonders aber bei Reisebuchautoren und Reisebuchherausgebern, Afrika in den Blick. Die Verhältnisse an der Ostküste Afrikas unterschieden sich — was zu beachten ist — vom 16. bis 18. Jahrhundert wesentlich von denen des Kongo oder von Westafrika, wo der überseeische Sklavenhandel seine Spuren hinterließ.

Für die Betrachtung der Geschichte und Kultur auf der Grundlage der Reiseberichte, vornehmlich des 18. Jahrhunderts, ergibt sich eine Reihe von Ansatzpunkten, die einem neuen Beurteilungsmaßstab für zahlreiche Probleme förderlich sind.

Bei der Beantwortung der Frage nach den Grenzen und dem Wert der Reiseberichte ist zu beachten: Unter welchen kulturell-historischen Bedingungen sind sie entstanden? Welche Rückschlüsse lassen sich hieraus auf die Vielfalt und Zuverlässigkeit der Informationen ziehen? Welchen Einfluß hatten die Reiseberichte auf die Darstellung des afrikanischen Menschen? Was war der Anlaß, der Beweggrund für die jeweilige Reise, gab es einen Auftraggeber, handelte es sich um eine Einzelreise oder um eine wissenschaftliche Expedition?

Die erste Schwierigkeit, die dem heutigen Leser der Reiseberichte begegnet, ist die »Exotik«, welche diesen Berichten eigen ist. Exotisch waren für die Reisenden des 18. Jahrhunderts übrigens nicht nur die afrikanischen und asiatischen Völker, sondern auch die europäischen, ja, selbst die deutschen Territorien wurden von deutschen Reisenden in ihrer »Fremdheit« präsentiert. Diese Eigenart erschließt sich dem Historiker erst ganz, wenn er sowohl den einzelnen Reisebericht (jeder Einzelbericht bedarf einer umfangreichen quellenkritischen Betrachtung) untersucht als auch zum Vergleich andere zeitgenössische Berichte über Afrika und Asien heranzieht. Überall, wo von Idealisierung der Vergangenheit die Rede ist, sollte bedacht werden, daß diese Reiseberichte der Wahrheit trotz einiger Beschönigungen näher kommen als die grotesken Verzerrungen europäischer Historiker der Kolonialzeit. Gemeinsamkeiten in Afrika und Asien setzten eine Entwicklungslinie fort, die durch gegenseitigen ethnisch-kulturellen Austausch geprägt war und die bis in die ältesten Zeiten zurückverfolgt werden kann. Entgegen anderen Auffassungen war Afrika immer in Veränderung begriffen, waren afrikanische Strukturen und Kulturen weder statisch noch uniform. Die Zeit des Kolonialismus förderte eine eurozentristische Betrachtungsweise. Negative Erscheinungen, wie sie allen Kulturen eigen sind, wurden einseitig in den Vordergrund gerückt (z. B. der Tribalismus), in Riten, Tänzen und geschnitzten Bildern vermutete man »satanische Sinnlichkeit«, und im Hinblick auf gewisse Grausamkeiten, wie sie keineswegs nur in Afrika zu registrieren waren, wurde unterschlagen, daß aus Afrika selbst eine aufklärerische Bewegung kam, die beispielsweise der nigerianische Schriftsteller Chinua Achebe in seinem Roman »Things fall apart« (1958) beschrieben hat.

Auch im Kolonialzeitalter blieb Afrika mit seiner Geschichte eine Teilbewegung der Menschheitsentwicklung und leistete seinen Beitrag zur Weltkultur. Alle Untersuchungen sollten von einem prinzipiellen Punkt ausgehen: Es darf nicht unterstellt werden, daß sich auf dem afrikanischen Kontinent die »Informationsströme« einseitig in Nord-Süd-Richtung bewegt hätten und die historische Region Afrika keinen aktiven Beitrag zum Hauptstrang der Weltgeschichte geleistet hätte. Dies sollte auch nicht für die anderen überseeischen Gebiete geschehen.

Quellen- und Literaturverzeichnis .

I. Reiseberichte und Quellenwerke

Reisebuchsammlungen

1 Allgemeine Historie der Reisen zu Wasser und zu Lande; oder Sammlung aller Reisebeschreibungen, welche bis itzo in verschiedenen Sprachen von allen Völkern herausgegeben worden, und einen vollständigen Begriff von der neuern Erdbeschreibung und Geschichte machen; worinnen der wirkliche Zustand aller Nationen vorgestellet, und das Merkwürdigste, Nützlichste und Wahrhaftigste in Europa, Asia, Africa und Amerika, in Ansehung ihrer verschiedenen Reiche und Länder; deren Lage, Größe, Grenzen, Eintheilungen, Himmelsgegenden, Erdreichs, Früchte, Thiere, Flüsse, Seen, Gebirge grossen und kleinen Städte, Häfen, Gebäude usw. wie auch der Sitten und Gebräuche, der Einwohner, ihrer Religion, Regierungsart, Künste und Wissenschaften, Handlung und Manufacturen enthalten ist; mit nöthigen Landkarten nach den neuesten und richtigsten astronomischen Wahrnehmungen mit mancherley Abbildungen der Städte, Küsten, Aussichten, Thiere, Gewächse, Kleidungen, und anderer dergleichen Merkwürdigkeiten, versehen; durch eine Gesellschaft gelehrter Männer im Englischen zusammengetragen, und aus demselben ins Deutsche übersetzt. 21 Bde., Leipzig: Arkstee und Merkus 1748—1774

2 Bernoulli, J., Sammlung kurzer Reisebeschreibungen und anderer zur Erweiterung der Länder- und Menschenkenntnis dienender Nachrichten, Berlin 1782

3 Bertuch, F. J. (Hrsg.), Neue Bibliothek der wichtigsten Reisebeschreibungen zur Erweiterung der Erd- und Völkerkunde in Verbindung mit einigen anderen Gelehrten gesammelt. 63 Bde., Weimar 1815—1830

4 Bibliothek der neuesten und interessantesten Reisebeschreibungen. 21 Bde., Frankfurt am Main/Leipzig 1780—1798

5 Bibliothek der neuesten und wichtigsten Reisebeschreibungen zur Erweiterung der Erdkunde nach einem systematischen Plane bearbeitet, hrsg. von M. C. Sprengel, fortgesetzt von T. F. Ehrmann. 50 Bde., Weimar 1800 ff.

6 Ehrmann, T. F., Bibliothek der neuesten Länder- und Völkerkunde, Bd. 3, Tübingen 1793

7 Ders., Geschichte der merkwürdigsten Reisen, welche seit dem 12. Jahrhundert zu Wasser und zu Lande unternommen worden sind. 22 Bde., Frankfurt am Main 1791—1799

8 Forster, J. R. (Hrsg.), Magazin von merkwürdigen neuen Reisebeschreibungen, aus fremden Sprachen übersetzt und mit erläuternden Anmerkungen begleitet. Mit Kupfern und Karten. 32 Bde., Berlin 1790—1811

9 Jäck, J. H. (Hrsg.), Taschenbibliothek der wichtigsten und interessantesten See- und Landreisen, von der Erfindung der Buchdruckerkunst bis auf unsere Zeiten. 27 Bde., Nürnberg 1827—1832

10 Sammlung der besten und neuesten Reisebeschreibungen in einem ausführlichen Auszuge, worinnen eine genaue Nachricht von der Religion, Regierungsverfeinerung, Naturgeschichte, Handlung, Sitten und andern merkwürdigen Dingen verschiedener Länder und Völker gegeben wird. Aus verschiedenen Sprachen zusammengetragen. 30 Bde., Berlin 1765 ff.

11 Sprengel, M. C./G. Forster, (Hrsg.), Neue Beiträge zur Länder- und Völkerkunde. 13 Bde., Leipzig 1790—1793

12 Zimmermann, E. A. W. v., Taschenbuch der Reisen oder unterhaltende Darstellung der Entdeckungen des 18. Jahrhunderts in Rücksicht der Länder-, Menschen- und Productenkunde, Leipzig 1802 ff.

Reiseberichte und Quellenwerke vorwiegend zu Afrika

13 Abbé Rochon's Reise nach Madagaskar und Ostindien. In: Forster, J. R. (Hrsg.), Magazin von merkwürdigen neuen Reisebeschreibungen, Bd. 8, Berlin 1792

14 Allemand, R. S., Neue kurzgefasste Beschreibung des Vorgebirges der Guten Hoffnung; nebst dem Journal eines Landzuges in das Innerste von Afrika durch das Land der großen und kleinen Namacquas; mit Anmerkungen der Hrn. Allemand und Klockner; aus dem Holl. mit einigen Anmerkungen des Übersetzers. 3 Teile, Leipzig 1779

15 Alvarez, F., Wahrhaftiger Bericht von den Landen, auch geistlichem und weltlichem Regiment des mächtigen Königs Johan in Ethiopien, Eisleben 1566

16 Barrow, J., Reise nach Cochinchina, über Madera, Teneriffa, das grüne Vorgebirge, Brasilien, und Java. Mit dem Berichte über eine Reise in das

232

Land der Boushouanas. Aus dem Engl. übersetzt und mit Anmerkungen und Zusätzen vermehrt, Wien 1808

17 Browne, W. G., Reisen in Afrika, Ägypten und Syrien in den Jahren 1792 bis 1798. Aus dem Engl. mit Anmerkungen des Übersetzers, Leipzig/Gera 1800

18 Bruce, J., Reisen zur Entdeckung der Quellen des Nils in den Jahren 1768 bis 1777 in fünf Bänden, Leipzig 1791

19 Ders., Zu den Quellen des Blauen Niles. Die Erforschung Äthiopiens 1768 bis 1773, hrsg. von H. Gusenbauer, Berlin 1986

20 Bruns, P. J., Versuch einer systematischen Erdbeschreibung der entferntesten Welttheile, Afrika, Asia, Amerika und Südindien. 6 Bde., Frankfurt am Main/ Nürnberg 1791—1799

21 Burckhardt, J. L., Entdeckungen in Nubien 1813—1814, hrsg., bearb. und eingel. von Helmut Arndt, Tübingen 1981

22 Buxton, D. R., Travels in Ethiopia, London 1957

23 Combes, E./M. Tamisier, Voyage en Abyssinie, Paris 1838

24 Cuhn, E., Sammlung merkwürdiger Reisen in das Innere von Afrika. 3 Bde., Leipzig 1790/91

25 Dalzel, A., Geschichte von Dahomey, einem inländischen Königreich, aus glaubwürdigen Nachrichten gesammelt, Leipzig 1799

26 Damberger, Chr. F., Beschreibung einiger See- und Landreisen nach Asien, Afrika und Amerika, vorzüglich von Holland und England nach Batavia, Madras, Bengalen, Japan und China, ingleichen vom Vorgebirge der Guten Hoffnung durch die Kafferey und die Wüste Sahara nach Aegypten von einem gebohrnen Aegyptier Zacharias Taurinius. Mit einer Vorrede von J. J. Ebert, Professor zu Wittenberg. 3 Bde., Leipzig 1799/1800/1801

27 Dapper, O., Beschreibung von Africa. 2 Bde., Amsterdam 1670/71

28 Demanet, Abbé, Neue Geschichte des französischen Afrika, mit Betrachtungen über die Gebräuche, Sitten, Religion und Handel der Gegend, Leipzig 1778

29 Denham, D./H. Clapperton/W. Oudney, Beschreibung der Reise und Entdeckungen im nördlichen und mittleren Afrika in den Jahren 1822—1824, Weimar 1827

30 Eisenschmidt, L., Merkwürdige Land- und Seereisen, durch Europa, Afrika und Asien. Eine wahre Geschichte aus den letzten Jahren des 18. Jahrhunderts. 2 Teile, Grätz 1807

31 Golberry, S. H. X., Reise durch das westliche Afrika, in den Jahren 1785, 1786 und 1787. In: Bibliothek der neuesten und interessantesten Reisebeschreibungen, Bd. 18, Frankfurt/Main/Leipzig 1700—1798

32 Grandpré, L. M. J. de, Reise nach der westlichen Küste von Afrika in den

Jahren 1786 und 1787. Aus dem Franz. mit Anmerkungen von M. Chr. Sprengel, Weimar 1801

33 Harris, W. C., Gesandtschaftsreise nach Schoa und Aufenthalt in Südabyssinien 1841—1843, 1. und 2. Abteilung, Stuttgart/Tübingen 1845/46

34 Heydt, J. W., Allerneuester geographischer und topographischer Schauplatz von Afrika und Ostindien, oder Beschreibung von den wichtigsten der Holländisch Ostindischen Compagnie in Africa und Asia zugehörigen Ländern etc. Ostindien, Wilhelmsdorf/Nürnberg 1744

35 (Heyling, Peter) Sonderbarer Lebens-Lauff Herrn Peter Heylings, aus Lübec, und dessen Reise nach Etiopien; nebst zulänglichem Berichte von der in selbigem Reiche . . . entstandenen Religions-Unruhe. Aus des Geh. Raths Ludolfs edirten Schriften und anderen noch nicht gedruckten Documenten heraus gegeben von J. H. Michaelis, Halle 1724

36 Hieronymi, eines Jesuiten in Portugal/Neue Beschreibung und Bericht von der wahren Beschaffenheit des Mohrenlandes, sonderlich des Abyssinien Kaiserthums, Nürnberg 1670

37 Hoffmann, J. Chr., Reise nach dem Kaplande, nach Mauritius und nach Java 1671—1676. Neu herausgegeben nach der zu Cassel im Verlag von Johann Friedrich Hertzog im Jahre 1680 erschienenen Originalausgabe, Haag 1931

38 King, Lieutenant, Nachrichten von der Norfolk-Insel, und von seiner Rückkehr über Port-Jackson, Batavia, Isle de France und das Vorgebirge der Guten Hoffnung nach England. In: Forster, J. R. (Hrsg.), Magazin von merkwürdigen neuen Reisebeschreibungen, Bd. 11, Berlin 1794

39 Kolb, P., Peter Kolbens Reise an das Vorgebirge der Guten Hoffnung, Nürnberg 1744

40 Langstädt, Fr. L., Reisen nach Südamerika, Asien und Africa, nebst geographischen, historischen und das Commercium betreffenden Anmerkungen, Hildesheim 1789

41 La Salle, Ritter, Reisen und Schicksale, Leipzig 1796

42 Lemle, H. (Hrsg.), Die Reisen des Venezianers Marco Polo im 13. Jahrhundert, Hamburg 1907

43 Leo Africanus (al-Hassan Ibn Muhammed al-Wassan), Johann Leo's des Africaners Beschreibung von Africa, Rom 1526

44 Le Vaillant, Fr., (Erste und zweyte) Reise in das Innere von Afrika vom Vorgebirge der Guten Hoffnung aus in den Jahren 1780—1785. Aus dem Franz. mit Anmerkungen von J. R. Forster. 3 Teile, Berlin 1790/91

45 Liechtenstein, J. M. von, Geographisch-statistische Nachrichten über das Negerreich Darfur, nach Brown, Wien 1802

46 (Lobo, H.) Hieronimi (Lobo), eines Jesuiten in Portugal neue Beschreibung

und Bericht von der wahren Beschaffenheit des Morgenlandes, sonderlich des abyssinischen Kayserthums ..., Nürnberg 1670

47 Löhr, J. A. Chr., Die Länder und Völker der Erde oder vollständige Beschreibung aller fünf Erdtheile und deren Bewohner. 3. nach dem jetzigen politischen Stand der Dinge neu umgearb. Aufl. 4 Bde., Leipzig 1818/19

48 Megiseri, H., Wahrhafftige/gründliche und ausführliche/so wol Historische alß Chorographische Beschreibung der überaus reichen/mechtigen und weltberühmten Insul Madagascar, Altenburg 1609

49 Neumann, K. F. (Hrsg.), Reisen des Johann Schiltberger aus München in Europa, Asia und Afrika von 1394 bis 1427, München 1859

50 Park, M., Reisen in das Innere von Afrika in den Jahren 1795—1797. Aus dem Engl., Berlin 1799

51 Ders., Neue und letzte Reise ins Innere von Afrika. Vollständige Übersetzung mit Anmerkungen von Wilkens, Erfurt 1807

52 Patterson, W., Reisen in das Land der Hottentotten und der Kaffern, während der Jahre 1777—1779. Aus dem Engl. übersetzt und mit Anmerkungen begleitet von J. R. Forster, Berlin 1790

53 Poivre, P., Reisen eines Philosophen, oder Bemerkungen über die Sitten und Künste der Einwohner von Afrika, Asien und Amerika. Aus dem Franz. von Herrn Poyvre, gewesenen Gouverneur der Insel France, Salzburg 1783

54 Poncet, C. J., A Voyage to Ethiopia, made in the Years 1698—1700, London 1709

55 Rooke, H., Reisen nach den Küsten des glücklichen Arabien und von da über das Rothe Meer und Egypten nach Europa zurück; worin ein kurzer Bericht von einem gegen das Vorgebirge der Guten Hoffnung unternommenen Seezuge geliefert wird; in einer Reihe von Briefen; nach der 2. vermehrten englischen Ausgabe übersetzt, Leipzig 1787

56 Salt, H., Heinricht Salts neue Reise nach Abessinien in den Jahren 1809 und 1810. In: Bertuch, F. J. (Hrsg.), Neue Bibliothek der wichtigsten Reisebeschreibungen zur Erweiterung der Erd- und Völkerkunde in Verbindung mit einigen anderen Gelehrten gesammelt, Bd. 4, Weimar 1815

57 Sullivan, R. J., Reisen eines morgenländischen Philosophen, durch Asien, Afrika und Europa, oder Sitten und Meinungen aus verschiedenen Himmelsstrichen. Aus dem Engl. nebst Anmerkungen. 2 Bde., Leipzig 1787

58 Thomann, Mr., Ehemaligen Jesuiten und Missionars in Asien und Afrika, Reise- und Lebensbeschreibung, von ihm selbst verfasst, Augsburg 1788

59 Thunberg, K. P., Reisen durch einen Theil von Europa, Afrika und Asien hauptsächlich in Japan. 3 Bde., Tübingen 1794/95

60 Ultzheimer, A. J., Wahrhaffte Beschreibung ettlicher Reisen in Europa, Africa, Asien und America 1596—1610. Die abenteuerlichen Weltreisen eines schwä-

bischen Wundarztes. Nach der alten Handschrift bearbeitet von Sabine Werg, Tübingen/Basel 1971

61 Waddington, G., Reise in verschiedene Gegenden Aethiopiens, Weimar 1823

62 Zucchelli, A., Merckwürdige Missions- und Reisebeschreibung nach Congo in Ethiopien, worinnen nicht allein alles dasjenige, was sich auf dieser Reise aus Steyermarck, durch Italien, Spanien, Portugall und Indien bis nach Ethiopien Denckwürdiges zugetragen/sondern auch die Sitten und Gebräuche der heydnischen Indianer/ihre Abgötterung und Aberglauben, ihre Regiments-Verfassung, ihre innerliche und auswärtige Kriege, ihr Handel und Wandel, ihre Kranckheiten und derselben Curen/ihre Art zu begraben/die Früchte/Bäume, Thiere, Fische etc so das Land hervor bringet, desgleichen wie die Verfassung der Mission in diesem Lande beschaffen und wie eine große Menge Einwohner durch den Autoren von dem heydnischen Unglauben zur christlichen catholischen Religion bekehrt und getaufft worden, nebst unzehlich vielen andern curiösen und lesenswürdigen Sachen beschrieben werden von P. Antonio Zucchelli von Grandisca. Predigern des Capuziner-Ordens in Steyermarck und ehemals apostol. Missionario in Congo. Aus der italienischen Sprache in die Hoch-Teutsche übersetzt, Frankfurt am Main 1715

Reiseberichte und Quellenwerke vorwiegend zu Indien

63 Barchewitz, E. Chr., Ostindianische Reisebeschreibung von 1711—1722, Chemnitz 1730

64 Behr, J. von der, Reise nach Java, Vorder-Indien, Persien und Ceylon 1641 bis 1650. Neu herausgegeben nach der zu Breslau im Verlag von Urb. Spaltholtz im Jahre 1668 erschienen Originalausgabe, Haag 1930

65 Beschreibung und Geschichte der Hauptstadt in dem holländischen Ostindien, Batavia, nebst geographischen, politischen und physikalischen Nachrichten von der Insel Java. Aus dem Holl. übersetzt von Johann Jakob Ebert. 4 Teile in 3 Bdn., Leipzig 1785/86

66 Bontekoe, W. Y. van Hoorn, Die gefahrvolle Reise des Kapitän Bontekoe und andere Logbücher und Schiffsjournale holländischer Seefahrer des 17. Jahrhunderts. Herausgegeben, übertragen, kommentiert von M. R. C. Fuhrmann-Plemp van Duiveland, Tübingen/Basel 1972

67 Bristow, J., Schicksale in Indien während seiner Gefangenschaft unter Hyder Ally und Tippoo Saheb. Aus dem Engl., Hamburg 1794

68 Bucquoy, J. de, Sechzehnjährige Reise nach Indien. Aus dem Holl. nach der 2. Ausg. übers. nebst einem Auszuge aus J. Franklins unglücklicher Reise 1756—1760, Leipzig 1771

69 Burckhard, Chr., Ostindische Reisebeschreibung, Halle 1693

70 Challe, R., Abenteuer im Auftrag des Sonnenkönigs. Das südostasiatische Tagebuch 1690—91, hrsg. und übersetzt von Maria Fuhrmann-Plemp van Duiveland. Mit einer Einführung von Roger Francillon, Tübingen/Basel 1980

71 Dapper, O., Reich des Großen Moguls, Persien, Georgien und Mongolien, Nürnberg 1681

72 Eckeberg, C. G./P. Osbeck/O. Toreen, Reise nach Ostindien und China nebst Toreens Reise nach Surate, und Eckebergs Nachricht von der Landwirthschaft der Chineser. Aus dem Schwed. übersetzt von (Johann Gottlieb) Georgi, Rostock 1765

73 Ders., Reise nach Ostindien. Nebst interessanten Nachrichten über China, hrsg. von Bernoulli. Neue Ausgabe, Leipzig 1802

74 Ernesti, J. H. M., Das alte und neue Ostindia, eine Vergleichende Beschreibung. Mit dem Leben des berühmten Reisebeschreibers J. W. Vogel und einem autobiographischen Fragment seines Urenkels, Gotha 1812

75 Flämisches Tagebuch über Vasco da Gama's zweite Reise 1502—1503, hrsg. von H. C. G. Stier, Braunschweig o. J.

76 Forrest, Th., Reisen 2ter Theil, enthaltend dessen Reisen nach dem Mergut Archipelagus an der Ostseite der Bai von Bengal; nebst einer Beschreibung der Inseln Dsjun Seilang, der Pulo-Pinang, des Hafens von Queda und des gegenwärtigen Zustands der Stadt Atchin, wie auch neuere Nachrichten von der Insel Celebes. Ein Auszug aus dem Engl., Hamburg 1793

77 Forster, G., Reise aus Bengalen nach England, durch die nördlichen Theile von Hindostan, durch Kaschemir, Afghanistan, Persien und Rußland. Aus dem Engl. und mit Anmerkungen von L. Meiners. 2 Bde., Zürich 1796/1800

78 Grandpré, L. M. J. Ohier de, Reise nach Indien und Arabien in den Jahren 1789 und 1790. Aus dem Franz., Berlin 1802

79 Grose, J. H., Reise nach Ostindien. Aus dem Franz. von G. F. Cas. Schad, Fürth 1780

80 Hennings, A., Gegenwärtiger Zustand der Besitzungen der Europäer in Ostindien. Erster Teil. Geschichte des Privathandels und der itzigen Verfassung der Besitzungen der Dänen in Ostindien. Mit königl. Erlaubnis aus dem Archiv gesamlet und mit ausschließender Privilegie herausgegeben von August Hennings, Kopenhagen 1784

81 Ders., Gegenwärtiger Zustand der Besitzungen der Europäer in Ostindien. Zweiter Theil. Geschichte der Carnatiks in Beziehung auf das tanjourische Gebiet und der dänischen Colonie nebst einer Nachricht von den Produkten der Coromandelküste und den Sitten und der bürgerlichen Verfassung der tamulischen Indianer von August Hennigs Königlich-dänischen Kammerherrn, Hamburg/Kiel 1785

82 Ders., Grundlage zu einem vollständigen Verzeichnisse aller Schriften die Ostindien und die damit verbundenen Länder betreffen. In alphabetischer Ordnung als ein Anhang zur Litteraturgeschichte Ostindiens, Hamburg 1786

83 Herport, A., Reise nach Java, Formosa, Vorder-Indien und Ceylon 1659 bis 1668. Neu herausgegeben nach der zu Bern im Verlag Georg Sonnleitner im Jahre 1669 erschienen Original-Ausgabe, Haag 1930

84 Heydt, J. W., Allerneuester geographischer und topographischer Schauplatz von Afrika und Ostindien, oder Beschreibung von den wichtigsten der Holländisch-Ostindischen Compagnie in Africa und Asia zugehörigen Ländern etc. nebst der Reise des Verfassers von Holland nach Ostindien, Wilhelmsdorf/Nürnberg 1744

85 Hodges, W., Reisen durch Ostindien während der Jahre 1780—1783. Aus dem Engl., Hamburg 1793

86 Ives, E., Reisen nach Indien und Persien. Aus dem Engl. übersetzt, mit Anmerkungen und Zusätzen versehen von C. W. Dohm (Vorrede von Büsching.). 2 Bde., Leipzig 1774/1775

87 Ibn Battuta, Travels in Asia and Africa, 1325 bis 1354, hrsg. von H. A. R. Gibb, London 1953

88 (Ibn Battuta) Mžik, H. von (Bearb.), Die Reise des Arabers Ibn Battuta nach Indien und China (14. Jahrhundert), Hamburg 1911

89 Kindersley, S., Briefe von der Insel Teneriffa, Brasilien, dem Vorgebirge der Guten Hoffnung und Ostindien von 1764—1769, Leipzig 1777

90 Langhans, Chr., Neue ostindianische Reise, nebst dem, was sich Merkwürdiges auf der Reise Paul de Roy nach der Suratte zugetragen, Leipzig 1705

91 Mandeville, J., Die Reisen des Ritters John Mandeville, eingeleitet und erläutert von J. Krása, München 1983

92 Naber, S. P. l'Honoré, Reisebeschreibungen von deutschen Beamten und Kriegsleuten im Dienst der niederländischen West- und Ost-Indischen Kompagnien 1602—1797. 13 Bde., Den Haag 1930—1932

93 Orlich, L. von, Reise nach Ostindien in Briefen an Alexander von Humboldt und Carl Richter, 2 Bde., Leipzig 1845

94 Perris, M., Reise durch Hindustan und Schilderung der Sitten, Einwohner, Naturprodukte und Gebräuche dieses Landes nach einem sechzehnjährigen Aufenthalt daselbst. Nach dem Franz. bearbeitet von Theodor Hell. 2 Teile, Leipzig 1810

95 Pythagoras, Reisen nach Ägypten, Chaldäa, Indien, Kreta, Sparta, Sicilien, Rom, Carthago, Marseille und Gallien. Nach seinen politischen und moralischen Gesetzen. Aus dem Franz., 1. Teil, Leipzig 1800

96 Schrödter, J., See- und Landreise nach Ostindien und Aegypten in den Jahren 1795—1799 auf die Berge Sinai und Horeb, nach Gaza etc., Leipzig 1800

97 Schwarz, G. L., Reise nach Ostindien etc., Stuttgart 1774

98 Sonnerat, P., Reise nach Ostindien und China in den Jahren 1774 bis 1781, nebst dessen Beobachtungen über Pegu, Madagascar, Leipzig 1783

99 Stavorinus, J. Splinter, Reise nach dem Vorgebirge der Guten Hoffnung, Java und Bengalen, in den Jahren 1768—1771; aus dem Holl. frey übersetzt und mit Anmerkungen begleitet von A. Eduard Lüder, Berlin 1796

100 Tappen, D., Fünfzehnjährige ostindianische Reisebeschreibung von 1667—1782, Hannover/Wolfenbüttel 1704

101 Tavernier, Johann Baptist, Vierzigjährige Reisebeschreibung, worinnen dessen durch Türkey, Persien, Indien und noch mehr Örter vollbrachte sechsmalige Länderreise vorgestellet. Aus dem Franz., 3 Teile in 2 Bdn., Nürnberg 1681

102 Valentia, G. A. (Hrsg.), Des Lord G. Valentia und Salt's Reisen nach Indien, Ceylon, dem roten Meere, Abyssinien und Ägypten, in den Jahren 1802 bis 1806, Weimar 1811

103 Vasco da Gama, Die Entdeckung des Seewegs nach Indien. Ein Augenzeugenbericht 1497—1499, hrsg. von G. Giertz. Aus dem Portug., Berlin 1986

104 Vogel, J. W., Zehen-Jährige Ost-Indianische Reise-Beschreibung in drey Theile abgetheilt etc., Altenburg 1704

105 Ders., Zen-Jährige, jetzo auffs neue revidierte und vermehrte Ost-Indianische Reise-Beschreibung etc., Altenburg 1716

106 Zimmermann, P. C., Reise nach Ost- und Westindien, Hamburg 1771

Reiseberichte und Quellenwerke vorwiegend zu China

107 Anderson, A., Geschichte der brittischen Gesandtschaft nach China in den Jahren 1792, 1793 und 1794. Nebst einer Nachricht von dem Lande, den Gebräuchen und Sitten der Chinesen. Aus dem Engl. übersetzt, Hamburg 1796

108 Ders., Reise der britischen Gesandtschaft nach China 1792—1794. Aus dem Engl. von M. Chr. Sprengel, Erlangen 1795; 2. Aufl., Halle 1796

109 Barrow, J. (ehem. Privatsekretär des Grafen von Macartney), Reise durch China von Peking nach Canton im Gefolge der Großbritannischen Gesandtschaft in den Jahren 1793 und 1794. In: M. Chr. Sprengel und T. F. Ehrmann (Hrsg.), Bibliothek der neuesten und wichtigsten Reisebeschreibungen zur Erweiterung der Erdkunde, hrsg. von M. C. Sprengel, fortgesetzt von T. F. Ehrmann, Bd. 14, Weimar 1804

110 Bastian, A., Reisen in China von Peking zur Mongolischen Grenze und Rückkehr nach Europa, Jena 1871

111 Brand, A., Neu-vermehrte Beschreibung seiner großen Chinesischen Reise, welche er anno 1692 von Moscau aus über Groß-Ustiga, Siberien, Dauren

und durch die große Tartarey bis in Chinam, und von da wieder zurück nach Moscau innerhalb drei Jahren vollbracht. Dritter Druck, Lübeck 1734

112 Colquhoun, A. R., Quer durch Chryse. Forschungsreise durch die südchinesischen Grenzländer und Birma von Canton und Mandalay. Aus dem Engl. 2 Bde., Leipzig 1884

113 De Guignes, L. J., Reisen nach Peking, Manila und Isle de France in den Jahren 1784 bis 1801. Aus dem Franz., Leipzig 1810

114 Ders., Reisen nach Peking. 3 Teile, Leipzig 1816 ff.

115 Dehergne, J., Répertoire des Jésuites de Chine de 1552 à 1800, Rom/Paris 1973

116 Die Russische Gesandtschaft nach China im Jahre 1805. Nebst einer Nachricht von der letzten Christen-Verfolgung in Peking. Neue Ausgabe, Elberfeld 1817

117 Du Halde, J. B., Description de l'Empire de la Chine et de la Tartary. 4 Bde., Paris 1735

118 Ders., Description géographique, historique, politique, chronologique et physique de l'Empire de la Chine et de la Tartarie Chinoise, Paris 1735; dt.: Ausführliche Beschreibung des Chinesischen Reiches und der Großen Tartarey. 5 Bde., Rostock 1747 ff.

119 (Golowin, als Bericht anonym), Die russische Gesandtschaft nach China im Jahre 1805, nebst einer Nachricht von den letzten Christenverfolgungen in Peking, St. Petersburg 1809

120 Heinze, V. A., Beschreibungen von China. Aus den besten Reisebeschreibungen gesammelt. 4 Bde., Leipzig 1785

121 Herbst, H. (Hrsg.), Der Bericht des Franziskaners Wilhelm von Rubruk über seine Reise ins Innere Asiens, 1253—1255, Leipzig 1925

122 Holme, S., Samuel Holme's Tagebuch einer Reise nach Sina und in die Tatarei mit der Brittischen Gesandtschaft in den Jahren 1792 und 1793. Aus dem Franz. In: Bibliothek der neuesten und wichtigsten Reisebeschreibungen zur Erweiterung der Erdkunde, hrsg. von M. C. Sprengel, fortgesetzt von T. F. Ehrmann, Bd. 28., 1. und 2. Hälfte, Weimar 1805

123 Hüttner, J. Chr., Nachricht von der britischen Gesandtschaftsreise nach China und einem Theil der Tartary, Berlin 1797

124 H., J. H. (anonym), Kurze Beschreibung über des Schiffs Prinz Christians glücklich getahne Reise nach und von China, so den 25. Oktober 1730 angetreten, und den 25. Juni 1732 vollendet wurde; worinnen kürzlich angeführet wird, was sowohl in China als in anderen Orten, auf der Hin- und Zurückreise vorgefallen. Zusammengeschrieben von dem Priester desselben Schiffes J. H. H. Aus dem Dänischen, Kopenhagen/Leipzig 1750

125 Ides, E. Y., Dreyjährige Reise nach China von Moscau ab zu Lande durch Groß Ustiga, Sirinaia, Pernia, Sibirien, Davur und die große Tartarey, gethan

durch den Moscovitischen Abgesandten Hrn. E. Ysbrants Ides. Aus dem Holl., Frankfurt am Main 1707

126 Kircher, A., China Monumentis, qua Sacris qua Profanis ... Illustrata, Amsterdam 1767

127 Lange, L., Reise nach China. Mit einem Nachwort von Conrad Grau, hrsg. von C. Kirsten und K. Zeisler, Berlin 1986

128 Leidenfrost, C. Fl. (Hrsg.), Tagebuch einer Landreise durch die Küstenprovinzen Chinas von Manchao, an der Südküste von Hainan, nach Canton. In den Jahren 1819 und 1820, Weimar 1822

129 Leimbeckoven, G., Reise-Beschreibung von Wien nach China, Wien 1740

130 Macartney, G., Erzählung der Reise der Gesandtschaft des Lord Macartney nach China und von da zurück nach England in den Jahren 1792 bis 1794, Erlangen 1796

131 Ders., An Embassy to China. Being the Journal Kept by Lord Macartney During the Embassy to the Emperor Ch'en-lung. 1793—1794, London 1962

132 Merklein, J. J., Reise nach Java, Vorder- und Hinter-Indien, China und Japan 1644—1653. Neu herausgegeben nach der zu Nürnberg im Verlag von Joh. Friedrich Endter (1672) gedruckten verbesserten Ausgabe des im Jahre 1663 zum ersten Mal erschienenen Textes, Haag 1930

133 Moreau v. Saint-Mery, M. C. E. (Hrsg.), Reise der Gesandtschaft der Holländisch-Ostindischen Gesellschaft an den Kaiser von China, in den Jahren 1794 und 1795, worin man eine Beschreibung von mehreren den Europäern unbekannten Theilen dieses Reiches findet. 2 Teile, Leipzig 1798/1799

134 Müller, K. L. M. (Hrsg.), Reisen nach Peking, Manila und Isle de France in den Jahren 1784 bis 1801. 3 Teile, Leipzig 1810

135 Murray, Hugh, Historical Account of Discoveries and Travels in Asia. 2 Bde., Edinburg 1920

136 Nieuhof, J. van, Gesandtschaft der ostindischen Gesellschaft an den chinesischen Kaiser, Amsterdam 1699

137 Pallas, P. S., Tagebuch zwoer Reisen, welche in den Jahren 1727, 1728 und 1736 von Kjachta und Zuruchaitu durch die Mongoley nach Peking gethan worden. Nebst einer geographisch-historischen Beschreibung der Stadt Peking. Aus ungedruckten Quellen von P. S. Pallas, St. Petersburg 1781

138 Pinto, F. M., Merkwürdige Reisen im fernsten Asien 1537—1558, hrsg. von R. Kroboth, Stuttgart/Wien 1986

139 Polo, M., Von Venedig nach China. Die größte Reise des 13. Jahrhunderts. Neu herausgegeben von Theodor A. Knust, Tübingen/Basel 1972

140 Ratchnevsky, P. Historisch-terminologisches Wörterbuch der Yüan-Zeit (Medizinwesen). Unter Mitarbeit von J. Dill und D. Heyde, Berlin 1967

141 Richthofen, F. v., China. Ergebnisse eigener Reisen und darauf gegründeter Studien, Bd. 1, Berlin 1877

142 Rubruk, W. v., Reisen zum Großkhan der Mongolen, bearb. und hrsg. von Hans D. Leicht, Stuttgart 1984

143 Staunton, G., Reise der brittischen Gesandtschaft unter dem Lord Macartney an den Kayser von China beschrieben von Sir George Staunton. 2 Teile, Halle 1798

144 Ders., Des Grafen Macartney Gesandtschaftsreise nach China. Aus dem Englischen des Sir George Staunton, Berlin 1798

145 Strasmann, G. (Hrsg.), Konrad Steckels Deutsche Übertragung der Reise nach China des Odorico de Pordenone, Berlin 1968

146 Tagebuch der Gesandtschaft an die Höfe von Siam und Cochin-China, Weimar 1831

147 Timkowski, G., Reise nach China durch die Mongoley in den Jahren 1820 und 1821. 3 Teile, Leipzig 1825 und 1826

148 Unverzagt, G. J., Allerneueste Reisebeschreibung der Gesandtschaft Ihrer Kayserl. Majestät von Großrußland an den chinesischen Kaiser, welche 1719 aus Petersburg nach Pequin abgefertigt worden, Lübeck 1725

II. Ausgewählte Literatur

149 Das Afrika der Afrikaner. Gesellschaft und Kultur Afrikas, hrsg. von Rüdiger Jestel, Frankfurt am Main 1982

150 Asiatische Kunst, mit Einschluß von Ägypten und Nubien: Katalog 322 von Karl W. Hiersemann, Leipzig 1906

151 Asserate, A.-W., Die Geschichte von Sawa (Äthiopien) 1700—1865, Wiesbaden 1980

152 Aubert, J., Histoire de l'Océan Indien, Tananarive o. J.

153 Aurich, U., China im Spiegel der deutschen Literatur des 18. Jahrhunderts, Berlin 1935

154 Baddeley, J. F., Russia, Mongolia, China. 2 Bde., London 1919

155 Bandmann, G., Das Exotische in der Europäischen Kunst. In: Der Mensch und die Künste. Festschrift für Heinrich Lützeler, Düsseldorf 1962

156 Bartnicki, A./J. Mantel-Niécko, Geschichte Äthiopiens, hrsg. von R. Richter. 2 Teile, Berlin 1978

157 Bastian, A., Die Völker des östlichen Asien. 6 Bde, Leipzig 1866

158 Ders., Indonesien. 5 Bände, Berlin 1884—1894

159 Bauer, W. (Hrsg.), China und die Fremden, München 1980

160 Baumann, H., Schöpfung und Urzeit des Mythus der afrikanischen Völker, Berlin 1936; Berlin (West) 1964 (Neudruck)

161 Ders. (Hrsg.), Die Völker Afrikas und ihre traditionellen Kulturen. Teil II, Wiesbaden 1979

162 Baumgartner, A., Geschichte der Weltliteratur, Bd. II: Die Literatur Indiens und Ostasiens, Freiburg i. Br. 1902

163 Bay, E., Islamische Krankenhäuser im Mittelalter, Düsseldorf 1967 (Diss.)

164 Beal, S., Travels of Fah-Hian and Sung Yün. Buddhist Pilgrims from China to India (400 and 518 A. D.), London 1869

165 Beck, A., Ernst der Fromme, Herzog zu Sachsen-Gotha und Altenburg, Bd. 2, Weimar 1865

166 Beckmann, J. Litteratur der älteren Reisebeschreibungen. Nachrichten von ihren Verfassern, von ihrem Inhalte, von ihren Ausgaben und Übersetzungen, Bd. 1, Göttingen 1807/08

167 Belevitch-Stankevitch, H., Le goût chinois en France au temps de Louis XIV., Paris 1910

168 Berendes, J., Die Pharmazie bei den alten Culturvölkern. 2 Bde., Halle 1891/1898

169 Berger, F., Reiseberichte als historische Quelle für die Geschichte. Eine Darstellung der wichtigsten Reiseliteratur des 16. Jahrhunderts, Magdeburg 1983 (Diss.)

170 Beschreibung des Chinesischen Reichs, seiner Einwohner und deren Sitten, Gebräuche und Religion, Weisenfels 1790

171 Bezold, C., Kebra Nagast, die Herrlichkeit der Könige. Nach den Handschriften in Berlin, London, Oxford und Paris zum erstenmal im äthiopischen Urtext herausgegeben und mit deutscher Übersetzung versehen, München 1905

172 Bibliotheca Geographica. Verzeichnis der seit der Mitte des vorigen Jahrhunderts bis zu Ende des Jahres 1856 in Deutschland erschienenen Werke über Geographie und Reisen mit Einschluss der Landkarten, Pläne und Ansichten, hrsg. von Wilhelm Engelmann. Mit einem ausführlichen Sach-Register. 2 Teile, Leipzig 1857

173 Bishop, O. W., Origin of the Far Eastern Civilization, Washington 1942

174 Bitterli, U., Die Entdeckung des schwarzen Afrikaners. Versuch einer Geistesgeschichte der europäisch-afrikanischen Beziehungen an der Guineaküste im 17. und 18. Jahrhundert. 2. Auflage, Zürich 1980

175 Ders. (Hrsg.), Die Entdeckung und Eroberung der Welt. 2 Bde., München 1981

176 Blyden, E. W., African Life and Customs, London 1908

177 Ders., Christianity, Islam and the Negro Race, London 1870

178 Ders., The Negro in Ancient History, Washington 1869

179 Ders., West Africa before Europe, London 1905

180 Blüme, M.-L., Medizin- und kunsthistorische Betrachtung der Geburts-

hilfe im Alten Ägypten und in Weiß- und Schwarzafrika, Göttingen 1968 (Diss.)

181 Blümlein, M., Beitrag zur Geschichte priesterärztlicher Betätigung in Madagaskar, Erlangen 1951 (Diss.)

182 Böttger, W., Kultur im Alten China, Leipzig/Jena/Berlin 1977

183 Bosch, C., Karawanen-Reisen, Berlin 1928

184 Bouterwerk, K. u. a., Nordasien, Zentral- und Ostasien in Natur, Kultur und Wirtschaft, Potsdam 1937

185 Boxer, C. R., Hidalgos in the Far East 1550—1770. Facts and Fancy in the history of Macao, Den Haag 1948

186 Brandenburg, D., Medizinisches in Tausenduneiner Nacht. Ein literaturgeschichtlicher Beitrag zur islamischen Heilkunde, Stuttgart 1973

187 Brandl, L., Ärzte und Medizin in Afrika, Pfaffenhofen 1966

188 Bredon, J./I. Mitrophanow, Das Mondjahr. Chinesische Sitten, Bräuche und Feste, Berlin/Wien/Leipzig 1937

189 Brentjes, B., Die Orientalische Welt. Von den Anfängen bis Tschingis-Khan, Berlin 1970

190 Bockelmann, C., Geschichte der islamischen Völker und Staaten, München/Berlin 1939

191 Bürkle, H. (Hrsg.), Theologie und Kirche in Afrika, Stuttgart 1968

192 Büttner, Th., Geschichte Afrikas, Bd. 1, Berlin 1976

193 Budge, E. A. W., A history of Ethiopia, Nubia and Abissinia, London 1928

194 Busia, K. A., Das afrikanische Weltbild. In: Bürkle, H. (Hrsg.), Theologie und Kirche in Afrika, Stuttgart 1968

195 Caetani, L., Annali dell' Islam, Bd. II—III, Milano 1905—1926

196 Cameron, N., Barbarians and Mandarins. Thirteen Centuries of Western Travellers in Chine, Chikago/London 1970

197 Castanhoso, M. de, Christoph da Gama in Abessinien. In: Platicha, H., Afrika aus erster Hand, Düsseldorf 1972

198 Chang Hsing-lang, The importation of Negro slaves to China unter the Tang Dynasty. In: Bulletin of the Catholic University of Peking, Nr. 7, Peking 1930

199 Chavannes, E., Le Dieu du Sol dans l'ancienne religion chinoise, Angers 1900

200 Ch'en, K., The Chinese Transformation of Buddhism, Princeton 1973

201 China und Europa. Chinaverständnis und Chinamode im 17. und 18. Jahrhundert. Ausstellungskatalog Schloß Charlottenburg, Berlin(West) 1973

202 Colegrave, Sukie, Yin und Yang, Frankfurt am Main 1985

203 Cole, F., The People of Malaysia, New York 1945

204 Conrady, A., China, Berlin 1910

205 Ders., Das kanonische Buch von den Bergen und Meeren: Die Cosmography des alten Chinas, Leipzig 1916

244

206 Cordier, H., Bibliotheca Sinica. 5 Bde., Paris 1904—1924

207 Ders., La Chine en France au 18ᵉ siècle, Paris 1910

208 Couq, J. M., Les Musulmans en Afrique, Paris 1975

209 Creel, H. G., Studies in Early Chinese Culture, Baltimore 1937

210 Das Cupta, A., Indian Merchants and the Decline of Surat c. 1700—1750, Wiesbaden 1979

211 Daus, R., Die Erfindung des Kolonialismus, Wuppertal 1983

212 Davidson, B., Alt-Afrika wiederentdeckt, Berlin 1962

213 Davis, J. F., China und die allgemeine Beschreibung der Sitten und Gebräuche, der Regierungsverfassung, der Gesetze, Religion, Wissenschaften, Literatur, Naturerzeugnisse, Künste, Fabriken und des Handels der Chinesen. 2 Teile, Magdeburg 1839

214 Dawson, C. (Hrsg.), The Mission to Asia. Narratives and Letters of the Franciscan Missionaries in Mongolia and China in the Thirteenth and Fourteenth Centuries, London 1980

215 Des achtzehnten Jahrhunderts Geschichte der Erfindungen, Theorien und Systeme in der Natur- und Arzneywissenschaft, Gotha 1799

216 Dietrich, K., Byzantinische Quellen der Länder- und Völkerkunde, 5.—15. Jahrhundert, Leipzig 1912

217 Dietschy, H., Medizinmann und Schamanismus in Afrika, Basel 1936

218 Diez, H. F., Denkwürdigkeiten von Asien in Künsten und Wissenschaften, Sitten und Gebräuchen, Berlin 1811

219 Drenkhan, R., Darstellungen von Negern in Ägypten, Hamburg 1967 (Diss.)

220 Dschang Hui-djiän, Li Schi-dschen, der große chinesische Pharmakologe des 16. Jahrhunderts, Peking 1959

221 Dubs, H. H., Ancient military contact between Roman and Chinese. In: American Journal of Philology, Bd. 62, Nr. 3, Baltimore 1941

222 Ders., A Roman city in ancient China. Chinese Society Sinological Series Nr. 5, London 1957

223 Dümichen, J., Die Flotte einer ägyptischen Königin, Leipzig 1868

224 Dunne, G. H., Das große Exempel. Die Chinamission der Jesuiten, Stuttgart

225 Durajt, W., Das Vermächtnis des Ostens. 2. Auflage, Bern 1956 1965

226 Duyvendak, J. J. L., The true dates of the Chinese maritime expeditions in the early XV century. In: T'oung Pao, Bd. 34, Nr. 5, Paris/Leiden 1939

227 Ders., China's Discovery of Africa, London 1949

228 Eichhorn, W., Die alte chinesische Religion und das Staatskultwesen, Leiden/ Köln 1976

229 Ders., Die Religion Chinas, Stuttgart 1973

230 Eliade, M., Das Mysterium der Wiedergeburt. Initiationsriten, ihre kulturelle und religiöse Bedeutung, Zürich/Stuttgart 1961

231 Elliot, H. M., The history of India, as told by its own historians. The Muhammedan period. 8 Bde., London 1867/77

232 Ellis, W., History of Madagascar. 2 Bde., London 1838

233 El-Tahtany, H., Die Ausfuhrgüter der ostafrikanischen Küste im Mittelalter, Wien 1972

234 Engelsing, R., Der Bürger als Leser. Lesergeschichte in Deutschland 1500 bis 1800, Stuttgart 1974

235 Engemann, W., Voltaire und China, Leipzig 1932

236 Erkes, E., China, Gotha 1919

237 Ders., Die Entwicklung der chinesischen Gesellschaft von der Urzeit bis zur Gegenwart, Berlin 1953

238 Europa und die Kaiser von China. Berliner Festspiele. Katalog, Frankfurt am Main 1985

239 Fairbank, J. K., Trade and Diplomacy on the China Coast, Cambridge (Mass.) 1953

240 Fisch, J., Die europäische Expansion und das Völkerrecht. Die Auseinandersetzung um den Status der überseeischen Gebiete, Stuttgart 1984

241 Filesi, T., Le relazioni della Cina con l'Africa nel Medioevo, Milano 1962

242 Fischer, R., Korallenstädte in Afrika: Die vorkoloniale Geschichte der Ostküste, Oberdorf 1984

243 Forouzan, A., Die Gesundheitsgebote und -verbote des Islam, Freiburg 1965

244 Fortunes, R., Wanderungen in China während der Jahre 1843—1845. Aus dem Engl. übersetzt, Leipzig 1854

245 Franke, H./R. Trauzettel, Das chinesische Kaiserreich. Fischer Weltgeschichte, Bd. 19, Frankfurt am Main 1968

246 Franke, O., Geschichte des Chinesischen Reiches, Bd. I—V, Berlin 1930 bis 1952

247 Franke, R. O., Die internationalen Beziehungen des alten Indiens, Leipzig 1914

248 Franke, W., China und das Abendland, Göttingen 1962

249 Franz, A., Die kirchlichen Benediktionen im Mittelalter, Freiburg 1909

250 Freeman-Grenville, G. S. P., The East African Coast, Oxford 1962

251 Friederici, K., Bibliotheca orientalis oder vollständige Liste der in Deutschland, Frankreich, England und den Kolonien erschienenen Bücher, Broschüren usw. über die Sprachen, Religionen, Antiquitäten, Literaturen und Geschichte des Ostens, Jg. I—VIII, London/Leipzig 1876—1883

252 Friedrich, A., Afrikanische Priestertümer, Stuttgart 1939

253 Froelich, J. S., Les musulmans d'Afrique Noir, Paris 1962

254 Fuchs, W., Drei neue Versionen der chinesisch-koreanischen Weltkarte von 1402. In: Studia Sino-Altaica. Festschrift für Erich Haenisch zum 80. Geburtstag, Wiesbaden 1961

255 Ders., Chinesische und mandjurische Handschriften und seltene Drucke, Wiesbaden 1966

256 Furber, H., Rival Empires of Trade in the Orient 1600—1800, Oxford 1976

257 Fu Wei-kang, Die Geschichte der chinesischen Akupunktur und Moxibustion, Heidelberg 1977

258 Gatty, J. C., Voyage de Siam du Père Bouvet, Leiden 1963

259 Geiss, I., Außereuropäische Geschichte. In: Geschichte in Wissenschaft und Unterricht. 37. Jg., Heft 2, Stuttgart 1986

260 Gerbett, G. F., Ost-Indische Naturgeschichte, Sitten und Alterthümer, in sonderheit bey den Malabaren, so aus den Berichten der Königlich-Dänischen Mißion, Halle 1752

261 Gernet, J., Die chinesische Welt, Frankfurt am Main 1979

262 Ders., Christus kam bis nach China, Zürich/München 1984

263 Gerster, G., Kirchen im Fels, Zürich 1972

264 Glaiser, C. u. a., Die außereuropäische Kunst, Leipzig 1929

265 Glamann, K., Dutch-Asiatic Trade 1620—1740, Kopenhagen 1958

266 Glaser, E., Die Abessinier in Arabien und Afrika, München 1895

267 Gokhale, B. G., Surat in the Seventeenth Century, London 1978

268 Goodrich, L. C., Negros in China. In: Bulletin of the Catholic University of Peking, Nr. 8, Peking 1931

269 Granet, M., Die chinesische Zivilisation, München/Zürich 1976

270 Ders., Das chinesische Denken, Frankfurt am Main 1985

271 Granzow, U., Quadrant, Kompaß und Chronometer, Wiesbaden 1986

272 Griep, W., Reiseliteratur im späten 18. Jahrhundert. In: Hansers Sozialgeschichte der deutschen Literatur, Bd. 3. Deutsche Aufklärung bis zur Französischen Revolution 1680—1786, hrsg. von R. Grimminger, München/ Wien 1980

273 Ders./H.-W. Jäger (Hrsg.), Reisen im 18. Jahrhundert, Heidelberg 1986

274 Groot, J. J. M. de, Chinesische Urkunden zur Geschichte Asiens. 2 Bde., Berlin 1921 und 1926

275 Die großen Religionen der Welt, Luzern/Frankfurt am Main 1977

276 Grube, W., Religion und Kultus der Chinesen, Leipzig 1910

277 Gründer, J. W. L., Geschichte der Chirurgie von den Urzeiten bis zu Anfang des achtzehnten Jahrhunderts. 2. Auflage, Breslau 1865

278 Guérin, M. J., Chinoiserie en Europe au 17e siècle. Exposition au Musée des Arts Decoratifs, Paris 1911

279 Gurjewitsch, A. J., Das Weltbild des mittelalterlichen Menschen, Dresden 1978

280 Guy, B., The French Image of China Before and After Voltaire, Genf 1963

281 Haberland, E., Untersuchungen zum äthiopischen Königtum, Wiesbaden 1965

282 Ders., Altes Christentum in Süd-Äthiopien, Wiesbaden 1976

283 Hable-Selassi, S., Beziehungen Äthiopiens zur Griechisch-Römischen Welt, Bonn 1964 (Diss.)

284 Halbfass, W., Indien und Europa. Perspektiven ihrer geistigen Begegnung, Basel/Stuttgart 1981

285 Hammerschmidt, E., Äthiopische Handschriften vom Tanasee, Wiesbaden 1973

286 Harless, J. C., Die Verdienste der Frauen um Naturwissenschaft, Gesundheits- und Heilkunde, so wie auch um Länder-, Völker- und Menschenkunde, von der ältesten Zeit bis auf die neueste, Göttingen 1830

287 Harley, G. W., Native African Medicine, London 1970

288 Harnack, A., Medicinisches aus der ältesten Kirchengeschichte. In: Texte und Untersuchungen zur Geschichte der Altchristlichen Literatur, o. O. 1892

289 Hartmann, R., Abyssinien und die übrigen Gebiete der Ostküste Afrikas, Leipzig 1883

290 Hasper, M., Über die Natur und Behandlung der Krankheiten der Tropenländer, 2 Bände, Leipzig 1831

291 Haussig, H. W., Die Geschichte Zentralasiens und der Seidenstraße in vorislamischer und islamischer Zeit, Darmstadt 1983 und 1988

292 Heepe, M. Die Suaheli-Chronik von Patta. In: Mitteilungen des Seminars für orientalische Sprachen, Berlin 1928

293 Heinsius, W., Allgemeines Bücher-Lexikon oder vollständiges alphabetisches Verzeichnis aller von 1700—1892 erschienenen Bücher. 19 Bde., Leipzig 1812—1894

294 Heintze, B., Written Sources, Oral Traditions and Oral Traditions as Written Sources. In: Paideuma 33, Stuttgart 1987

295 Heldentaten des Don Christoph da Gama in Abessinien. Ein Verzweiflungskampf zwischen Christentum und Islam im 16. Jahrhundert in Abessinien. Aus dem Portug. übersetzt und mit Einleitung und Anmerkungen versehen von E. Littmann, Berlin 1907

296 Helmolt, H. F., Weltgeschichte. 9 Bde., Leipzig/Wien 1900—1907

297 Hennig, R., Indienfahrt abendländischer Christen im frühen Mittelalter. In: Archiv für Kulturgeschichte, Bd. 25, 1935

298 Ders., Terra Incognitae. Eine Zusammenstellung und kritische Bewertung der wichtigsten vorkolumbischen Entdeckungsreisen an Hand der darüber vorliegenden Originalberichte. Bd. I—IV, Leiden 1944—1956

299 Herrmann, A., Die alten Seidenstraßen zwischen China und Syrien, Berlin 1910

300 Ders., Ein alter Seeverkehr zwischen Abessinien und Süd-China bis zum Beginn unserer Zeitrechnung. In: Zeitschrift der Gesellschaft für Erdkunde zu Berlin, Berlin 1913

301 Herrn Ludwig Holbergs Vergleichung der Historien und Thaten verschiedener insonderheit Orientalisch- und Indianischer Großer Helden und berühmter Männer. Aus dem Dänischen, 2. Teil, Copenhagen/Leipzig 1741

302 Hertzberg, G., Die asiatischen Feldzüge Alexanders des Großen. 2 Bde., Halle 1863—1864

303 Heyer, F., Die Kirche Äthiopiens. Eine Bestandsaufnahme, Berlin(West)/New York 1971

304 Hinkel, F. W., Auszug aus Nubien, Berlin o. J.

305 Hirth, F., China and the Roman Orient, Leipzig/München/Shanghai 1885

306 Ders., Über den Schiffsverkehr von Kinsay zu Marco Polo's Zeit, Leiden 1895

307 Ders., Über fremde Einflüsse in der chinesischen Kunst, München 1896

308 Ders., Early Chinese notices of East African territories. In: Journal of the American Oriental Society, Bd. XXX, New York/New Haven 1909—1910

309 Hirth, F./W. W. Rockhill, Chau Ju-kua: His Work on the Chinese and Arab Trade in the 12th and 13th Centuries entitled »Chu-fan-chï«, St. Petersburg 1911

310 Hißmann, M., Demeunier: Über Sitten und Gebräuche der Völker. Beyträge zur Geschichte der Menschheit. 2 Bde., Nürnberg 1783/1784

311 Höver, O., Altasiaten unter Segel, Braunschweig 1961

312 Hoffmann, W., Die Geschichte des Handels, der Erdkunde und Schiffahrt aller Völker und Staaten von der frühesten Zeit bis auf die Gegenwart, Leipzig 1847

313 Honour, H., Chinoisierie. The Vision of Cathay, London 1961

314 Hotmann, M., Zur Geschichte des Islams in China, Leipzig 1912

315 Hourani, G. F., Arab seafaring in the Indian Ocean in ancient and early medieval times. In: Princeton Oriental Studies, vol. XIII, London 1951

316 Hard, P./Wong Ming, Chinesische Medizin, München 1968

317 Hudson, G. F., Europe and China. A Survey of their Relations from the Earliest Times to 1800, Boston 1961

318 Hughes, E. R. und K., Religion in China, London 1950

319 Ingham, U., A history of East Africa, London 1962

320 Ingrams, W. H., Zanzibar, its History and its People, London 1931

321 Irmscher, J., Einführung in die Byzantinistik, Berlin 1971

322 Ders., Einleitung in die Altertumswissenschaften, Berlin 1986

323 Itscherenska, I., Deutsche Reiseberichte über Indien vom 16. bis 18. Jahrhundert. Bemerkungen zu ihren Aussagen in bezug auf das ökonomische

und soziale Leben in Indien. In: Neue Indienkunde. New Indology. Festschrift Walter Ruben zum 70. Geburtstag, hrsg. von Horst Krüger, Berlin 1970

324 Isztachri, Schech Ebu Ishak el Farsi el, Das Buch der Länder. Aus dem Arabischen übersetzt von A. D. Mortmann, nebesten einem Vorworte von C. Ritter, Hamburg 1845

325 Jackson, F., Early days in East Africa, London 1930

326 Jäger, H.-W., Die Literatur der Spätaufklärung. Ein Forschungsschwerpunkt der Universität Bremen. In: Jahrbuch der Wittheit zu Bremen, Bd. XXVII, Bremen 1983

327 Kadalie, V., Die Entwicklung der europäischen Medizin in Südafrika und ihre Auswirkungen auf die Bantu-Medizin, Düsseldorf 1966

328 Kaminski, G./E. Unterrieder, Von Österreichern und Chinesen, Wien/München/Zürich 1980

329 Kayser, G. H., Die Geographie der Alten mit der der neuern Zeit in Vergleichung gebracht. Als Vorbereitungsbuch für Schulen zur allgemeinen Weltgeschichte, Augsburg 1816

330 Kern, H., Der Buddhismus und seine Geschichte in Indien. 2 Bde., Leipzig 1882—1884

331 Kiang, L. K., Die Leibesübungen im Alten China, Würzburg 1939

332 Kienitz, F.-K., Völker im Schatten. Die Gegenspieler der Griechen und Römer von 1200 v. Chr. bis 200 v. Chr., Basel/München 1981

333 Ki-Zerbo, J., Die Geschichte Schwarz-Afrikas. Aus dem Franz., 2. unveränderte Auflage, Wuppertal 1981

334 Klaproth, J., Verzeichnis der chinesischen und mandshuischen Bücher und Handschriften der Königlichen Bibliothek zu Berlin, Paris 1822

335 Klöden, G. A. v., Das Stromsystem des obern Nil nach den neueren Kenntnissen mit Bezug auf die älteren Nachrichten, Berlin 1856

336 Königsmann, B. L., De Aristotelis geographia, Schlesvici 1806

337 Komari, H., Biologisches und Medizinisches im Koran, Tübingen 1951 (Diss.)

338 Der Koran, Leipzig 1983

339 Koty, J., Die Behandlung der Alten und Kranken bei den Naturvölkern, Stuttgart 1934

340 Kremer, A. v., Geschichte der herrschenden Ideen des Islams, Leipzig 1868

341 Kremer, P., Der schwarze Erdteil: Afrika im Spiegel alter Bücher, 1484 bis 1884. Ausstellungskatalog, Köln 1984

342 Kriss, R./H. Kriss-Heinrich, Volksglaube im Bereich des Islam. 2 Bde., Wiesbaden 1962

343 Kromrei, E., Glaubenslehre und Gebräuche der älteren abessinischen Kirche, Leipzig 1895 (Diss.)

344 Kühn, A., Berichte über den Weltanfang bei den Indochinesen, Leipzig 1935

345 Kümmerling-Fitzler, H., Der Nürnberger Kaufmann Georg Pock (1528/29) in Portugiesisch-Indien und im Edelsteinland Vijayanagara. In: Mitteilungen des Vereins für Geschichte der Stadt Nürnberg, 55 (1967/68)

346 Kunstmann, F., Afrika vor den Entdeckungen der Portugiesen, München 1853

347 Ders., Die Kenntnis Indiens im 15. Jahrhundert, München 1863

348 Kwok, D. W. Y., Scientism in Chinese Thought, New Haven 1965

349 Lach, D. F., Asia in the making of Europe. The century of discovery. 2 Bde., Chicago/London 1965

350 Ders., A century of wonder: I. The visual arts, Chicago/London 1970

351 Lamberg-Karlovsky, C. C., Wechselwirkungen zwischen den alten Kulturen in West- und Südasien. In: Wissenschaft und Menschheit 1985, Moskau/Leipzig/Jena/Berlin 1985

352 Lambo, T., African traditional beliefs, concepts of health and medical practice, Ibadan 1963

353 Lane, E. W., Sitten und Gebräuche der heutigen Egypter. Aus dem Engl. übersetzt. 3 Bde., Leipzig 1852

354 Langenmeier, Th., Alte Kenntnis und Kartographie der zentralafrikanischen Seenregion, Erlangen 1916 (Diss.)

355 Laske, F., Der ostasiatische Einfluß auf die Baukunst des Abendlandes, Berlin 1909

356 Legge, J., A Record of buddhistic kingdoms: an account by the Chinese monk Fa-hsien of his travels in India and Ceylon (A. D. 399—414) in search of the buddhist books of discipline, Oxford 1896

357 Leibniz, G. W., Der Briefwechsel des Gottfried Wilhelm Leibniz, o. O. (1889); Hildesheim 1966 (Neudruck)

358 Le Laysage en Orient et en Occident. Ausstellungskatalog, Paris 1960

359 Lessing, J., Japan und China im europäischen Kunstleben. In: Illustrierte Deutsche Monatshefte, 4. Folge, H. V, 1880

360 Lewin, G., Die ersten fünfzig Jahre der Song-Dynastie in China. In: Veröffentlichungen des Museums für Völkerkunde zu Leipzig, Heft 23, Berlin 1973

361 Lexikon früher Kulturen. 2 Bde., Leipzig 1984

362 Liu, M. T., Die chinesischen Nachrichten zur Geschichte der Ost-Türkei. 2 Bde., Wiesbaden 1958

363 Littmann, E., The legend of the Queen of Sheba in the Tradition of Axum, Leiden 1904

364 Ders., Geschichte der äthiopischen Literatur. In: Brockelmann, C. u. a., Geschichte der christlichen Litteraturen des Orients, Leipzig 1909

365 Ders., Indien und Abessinien, Bonn 1926

366 Loewenberg, J., Geschichte der Geographie, Berlin 1840

367 Löhr, J. A. C., Bildergeographie. Eine Darstellung aller Länder und Völker. 2 Bde., Leipzig 1810

368 Ludolfi (Leutolf), H., Historia Aethiopica, Frankfurt am Main 1681

369 Ludolfus, H., A New History of Ethiopia, London 1682

370 Lupprian, K.-E., Die Beziehungen der Päpste zu islamischen und mongolischen Herrschern im 13. Jahrhundert anhand ihres Briefwechsels, Vatikan 1981

371 Luschan, F. v., Zur Medizin der Naturvölker, Berlin 1899

372 Mahler, J. G., The Westerners among the Figurine of the T'ang dynasty of China, Rom 1959

373 Mahmud, S. F., Geschichte des Islam, München 1964

374 Malte-Brun, C., Geschichte der Erdkunde, von den ältesten bis auf die neuesten Zeiten. Aus dem Franz., mit Zusätzen von E. A. W. Zimmermann. 2 Teile, Leipzig 1816

375 Marshall, P. J., East India Fortunes. The British in Bengal in the Eighteenth Century, Oxford 1976

376 Mathew, D., Ethiopia, the Study of a Polity, 1540—1935, London 1947

377 Mbiti, J. S., Afrikanische Religion und Weltanschauung, Berlin(West) 1974

378 Meiners, C. (Hrsg.) Abhandlungen Sinesischer Jesuiten über die Geschichte, Wissenschaften, Künste, Sitten und Gebräuche der Sinesen. 2 Bde., Leipzig 1778

379 Mérab, Médicine et médicins en Ethiopie, Paris 1912

380 Merkwürdigkeiten, Ägyptische, aus alter und neuer Zeit, ein raisonnierender Auszug aus Herodots, Diodors Strabos, Plutarchs und anderer Werke. 2 Teile, Leipzig 1786

381 Mez, A., Die Renaissance des Islam, Heidelberg 1922 .

382 Mookerji Radhakumud, A History of Indian shipping and maritime activity from the earliest times, Bombay 1912

383 Moreland, W. H., India at the Death of Akbar, London 1920

384 Moule, A. C., Christians in China before the Year 1550, London 1930

385 Müller, K. E. (Hrsg.), Menschenbilder früher Gesellschaften. Ethnologische Studien zum Verhältnis von Mensch und Natur. Frankfurt am Main/New York 1983

386 Müller, W., Die Umsegelung Afrikas durch phönizische Schiffer, Rathenow 1891

387 Müller, W. M., Die alten Ägypter als Krieger und Eroberer in Asien, Leipzig 1903

388 Mungello, D. E., Curios Land: Jesuit Accomodation and the Origins of Sinology, Wiesbaden/Stuttgart 1985

389 Nabavi, M.-H., Hygiene und Medizin im Koran, Stuttgart 1967

390 Needham, J., Science and Civilisation in China, Bd. I—V/2, Cambridge 1954—1974

391 Ders., Clerks and Craftsmen in China and the West, Cambridge 1970

392 Ders., Wissenschaftlicher Universalismus. Über Bedeutung und Besonderheiten der chinesischen Wissenschaft, Frankfurt am Main 1977

393 Netto, F., Ostasiatische Kunst in Alt-Potsdam. Tabaks- und Drachenhäuschen, Potsdam 1906

394 Noroff, A. S. v., Die Atlantis nach griechischen und arabischen Quellen, St. Petersburg 1854

395 Oppel, Alwin, Erdkarte, darstellend die Erkenntnis vom Mittelalter bis zur Gegenwart, Zürich 1893

396 Oppert, G., Der Presbyter Johannes in Sage und Geschichte. Ein Beitrag zur Völker- und Kirchenhistorie und zur Heldendichtung des Mittelalters, Berlin 1864

397 Ostasiatische Kunst und Chinoiserie. Ausstellungskatalog, Köln 1953

398 Pálos, St., Chinesische Heilkunst, München 1976

399 Pankhurst, R., An Introduction to the History of Ethiopia, London 1961

400 Paulitschke, P., Die geographische Erforschung des afrikanischen Kontinents von den ältesten Zeiten bis auf unsere Tage, 2. Ausg., Wien 1880

401 Ders., Die Afrika-Literatur 1500 bis 1750, Wien 1882

402 Pearson, M. N., Merchants and Rulers in Gujarat, Berkeley/Los Angeles 1976

403 Ders., Coastal Western India, New Delhi 1981

404 Peiter, E., Zu den medizinischen Anschauungen des Kirchenvaters Cyprian von Karthago, Berlin 1970

405 Pelka, O., Ostasiatische Reisebilder im Kunstgewerbe des 18. Jahrhunderts, Leipzig 1924

406 Pelliot, P., Notes on Marco Polo. Ouvrage posthume, Teil I—III, Paris 1959—1973

407 Der Periplus des Erythräischen Meeres von einem Unbekannten. Griechisch und Deutsch von B. Fabricius, Leipzig 1886

408 The Periplus of the Erythraean sea. Travel and trade in the Indian ocean by a merchant of the First Century. Translated from the Greek and annotated by Wilfred H. Schoff, London 1912

409 Pfeiffer, W. H. (Hrsg.), Asiatische Medizin in Europa, Heidelberg 1984

410 Pfister, L., Notices biographiques et bibliographiques sur les Jésuites de l'ancienne Mission de Chine (1552—1773). 2 Bde., Shanghai 1932/1934

411 Pfleiderer, B./W. Bichmann, Krankheit und Kultur. Eine Einführung in die Ethnomedizin, Berlin 1985

412 Philippe, A., Geschichte der Apotheke bei den wichtigsten Völkern der Erde seit den ältesten Zeiten bis auf unsere Tage. 2 Bde., 2. Aufl., Jena 1858

413 Pischel, R., Leben und Lehre des Buddha, Leipzig 1906

414 Plath, J. H., Die Religion und der Kultus der alten Chinesen. 2 Bde., München 1862

415 Platicha, H., Simbabwe. Entdeckungsreisen in die Vergangenheit, Stuttgart 1985

416 Porkert, M., Die chinesische Medizin, Düsseldorf/Wien 1982

417 Preiser, F. E. (Hrsg.), Zur Geschichte Abessiniens im 17. Jahrhundert. Der Gesandtschaftsbericht des Hassan ben Ahmed El-Haimi, Berlin 1898

418 Reichard, H. A. O., Zur Kunde fremder Völker und Länder. Aus französischen Missionsberichten. 4 Bde., Leipzig 1781—1783

419 Reichwein, A., China und Europa, geistige und künstlerische Beziehungen, Berlin 1923

420 Ders., China und Europa im 18. Jahrhundert, Berlin 1923

421 Reil, S., Kilian Stumpf, 1655—1720. Ein Würzburger Jesuit am Kaiserhof zu Peking, Münster 1978

422 Reilly, C., Athanasius Kircher, S. J., Master of a Hundred Arts, 1602—1680, Wiesbaden/Rom 1974

423 Reinaud, M. T., Relations des voyages faits par les Arabes et les Persians dans l'Inde et à la Chine dans le XII-e siècle de ère chrétienne. 2 Teile, Paris 1845

424 Reinhard, W., Geschichte der europäischen Expansion, Band 1 (Die Alte Welt bis 1818), Band 2 (Die neue Welt), Stuttgart/Berlin(West)/Köln/Mainz 1983/1985

425 Reitemeyer, E., Beschreibung Ägyptens im Mittelalter, Leipzig 1903

426 Die Religion in Geschichte und Gegenwart. Handwörterbuch für Theologie und Religionswissenschaften, hrsg. von K. Galling. 7 Bde., 3. Aufl., Tübingen 1957—1962

427 Richthofen, F., China, Berlin 1887

428 Risch, F., Johann de Plano Carpini. Geschichte der Mongolen und Reisebericht 1245—1247, Leipzig 1930

429 Robertson, W., Dr. Wilhelm Robertson's historische Untersuchung über die Kenntnisse der Alten von Indien, Berlin 1792

430 Roscher, A., Ptolemaeus und die Handelsstraßen in Central-Afrika. Ein Beitrag zur ältesten uns erhaltenen Weltkarte, Gotha 1857

431 Rosenthal, G. E., Die Nationalfeste, Feyerlichkeiten, Ceremonien und Spiele aller Völker, Religionen und Stände, Weißenfels 1796

432 Ders., Neue Anti-Pandora oder angenehme und nützliche Unterhaltung über Lebensart, Sitten, Gebräuche und natürliche Beschaffenheit verschiedener Völker und Länder; auch über Gegenstände der Naturlehre, Geschichte und Technologie. 2 Bde., Erfurt 1796

433 Rothermund, D., Europa und Asien im Zeitalter des Merkantilismus, Darmstadt 1978

434 Rotter, G., Die Stellung des Negers in der Islamisch-arabischen Gesellschaft bis zum 16. Jahrhundert, Bonn 1966 (Diss.)

435 Rouselle, E., Die Frau in Gesellschaft und Mythos der Chinesen, In: Sinica 1941

436 Ruben, W., Kulturgeschichte Indiens, Berlin 1978

437 Salt, H., Vollständige Völkergallerie in getreuen Abbildungen aller Nationen der Erde, mit ausführlicher Beschreibung ihrer Sitten und Gewohnheiten und einer allgemeinen Erd- und Länderkunde. 2 Bde., Meißen 1841/42

438 Schickel, J. (Hrsg.), Konfuzius. Materialien zu einer Jahrhundertdebatte, Frankfurt am Main 1976

439 Schindler, B., Das Priestertum im alten China, Leipzig 1919

440 Schipperges, H., Die Assimilation der arabischen Medizin durch das lateinische Mittelalter, Wiesbaden 1964

441 Schluchter, W. (Hrsg.), Max Webers Studie über Konfuzianismus und Taoismus, Interpretation und Kritik, Frankfurt am Main 1983

442 Schmidt-Glintzer, H., Das HUNG-MING CHI und die Aufnahme des Buddhismus in China, Wiesbaden 1976

443 Schmidt, M. G., Geschichte des Welthandels, Leipzig 1906

444 Schmitt, E., Dokumente zur Geschichte der europäischen Expansion, Bd. 3 und 4, München 1987 und 1988

445 Schnabel, P., Text und Karten des Ptolemäus, Leipzig 1938

446 Schubarth-Engelschall, K., Arabische Berichte über die Völker Afrikas. Muslimische Reisende und Geographen des Mittelalters über die Völker der Sahara, Berlin 1967

447 Schurhammer, G., Die zeitgenössischen Quellen zur Geschichte Portugiesisch-Asiens und Afrikas zur Zeit des 16. Jahrhunderts, Leipzig 1932

448 Schwarz, E. H. I., The Chinese connections with Africa. In: Journal of the Royal Asiatic Society of Bengal, vol. IV, no. 2, Calcutta 1938

449 Seidel, W., Die Verbreitung der Inder in Ost- und Südafrika, Rostock 1937 (Diss.)

450 Selden, E., China in German Poetry from 1773 to 1833. In: University of California Publications in modern Philology, Berkeley 1942

451 Sinor, D., Inner Asia and its contacts with Medieval Europa, London 1977

452 Soltau, D. W., Geschichte der Entdeckungen und Eroberungen der Portugiesen im Orient vom Jahr 1415 bis 1539. 4 Teile, Braunschweig 1821

453 Soothill, W. E., The Three Religions of China, London 1929

454 Spannaus, G., Züge aus der politischen Organisation afrikanischer Staaten und Völker, Leipzig 1928

455 Speck, E., Handelsgeschichte des Altertums. 2 Bde., Leipzig 1900

456 Sprengel, M. C., Geschichte der wichtigsten geographischen Entdeckungen bis zur Ankunft der Portugiesen in Japan 1542, 2. umgearb. Aufl., Halle 1792

457 Steensgard, N., The Asian Trade Revolution of the Seventeenth Century, Chicago 1974

458 Ders., L'Océan Indien, The Indian Ocean Network and the Emerging World Economy c. 1500—c. 1750. In: XVIe Congrès International des Sciences Historiques, Stuttgart 1985

459 Stein, G. (Hrsg.), Exoten durchschauen Europa, Frankfurt am Main 1984

460 Steinsieck, W., Die Funktion der Reise- und Briefliteratur in der Aufklärung, untersucht am Beïspiel der »Lettres Chinoises« des Marquis d'Argens, Aachen 1975

461 Stigand, C. H., The Land of Zinj, London 1913

462 Storbeck, J., Die Berichte der arabischen Geographen des Mittelalters über Ostafrika. In: Mitteilungen des Seminars für Orientalische Sprachen, Berlin 1914

463 Strandes, J., Die Portugiesenzeit von Deutsch- und Englisch-Ostafrika, Berlin 1899

464 Streit, R., Bibliotheca Missionum. 21 Bde., Aachen 1916—1955

465 Stuck, G., Verzeichnis von ältern und neuern Land- und Reisebeschreibungen. 2 Teile, Halle 1784

466 Sullivan, M., The Meeting of Eastern and Western Art from the 16th Century to Present Day, London 1973

467 Sutton, J. E. G., The East African Coast, Nairobi 1966

468 Tabor, I., Medizin und Sozialhygiene in den fünf großen Weltreligionen, Köln 1970

469 Tellez, B., Travels of the Jesuits in Ethiopia, o. O. 1710

470 Thorwald, J., Macht und Geheimnis der frühen Ärzte. Ägypten, Babylonien, Indien, China, Mexiko und Peru. München/Zürich 1962

471 Toussaint, A., Histoire de l'Océan Indien, Paris 1960

472 Treidler, H. (Bearb.), Herodot. Reisen und Forschungen in Afrika, Leipzig 1926

473 Trimingham, J. S., Islam in Ethiopia, Oxford 1952

474 Ders., Islam in East Africa, Oxford 1964

475 Trüb, C. L. P., Heilige und Krankheit, Stuttgart 1978

476 Tscharner, E. H. v., China in der deutschen Dichtung bis zur Klassik, München 1939

477 Tscheboksarow, N. N./I. A. Tscheboksarowa, Völker, Rassen, Kulturen, Leipzig/Jena/Berlin 1979

478 Tsui chi. Geschichte Chinas und seiner Kultur, Zürich 1946

479 Übleis, F., Marco Polo in Südasien (1293/94). In: Archiv für Kulturgeschichte, Bd. 60 (1978)

480 Ders., Deutsche in Indien 1600—1700: Entstehung, Struktur und Funktion der deutschen Reiseberichte des 17. Jahrhunderts. In: Zeitschrift für Religions- und Geistesgeschichte, Bd. 32, Köln 1980

481 Unschuld, P. U., Pen-ts'ao. 2000 Jahre traditionelle pharmazeutische Literatur Chinas, München 1973

482 Ders., Yü-chih pen-ts'ao p'in-hui ching-yao. Ein Arzneibuch aus dem China des 16. Jahrhunderts, München 1973

483 Ders., Medizin in China. Eine Ideengeschichte, München 1980

484 Väth, A., Johann Adam Schall von Bell, S. J., Missionar in China. Kaiser- licher Astronom und Ratgeber am Hofe von Peking, 1592—1666. Ein Lebens- und Zeitbild, Köln 1933

485 Velgus, V. A., Izvestija o stranach i narodach Afriki i morskie svjazi v bassej- nach tichogo i indiskogo okeanov (Kitajskie istočniki ranee XIv.), Moskau 1978

486 Velten, C., Sitten und Gebräuche der Suaheli, Göttingen 1903

487 Verlinden, C., L'Océan Indien, The Ancient Period and the Middle Ages. In: XVIᵉ Congrès International des Sciences Historiques. Rapports, Stuttgart 1985

488 Versuch einer Litteratur deutscher Reisebeschreibungen sowohl Originale als Übersetzungen, wie auch einzelne Reisenachrichten aus den berühmtesten deutschen Journalen, Prag 1793

489 Vierling, H., Über Constantinus Africanus und seine Schrift Pantegni, Mün- chen 1951

490 Völcker, C. M. W., Über Homerische Geographie und Weltkunde, Hannover 1829

491 Ders., Mythische Geographie der Griechen und Römer. 2 Teile, Leipzig 1832

492 Wagner, J. Chr., Das mächtige Kayser Reich Sina und die Asiatische Tartarey vor Augen gestellet, Augsburg 1688

493 Wang Gungwu, Chinese historians and the nature of early Chinese foreign relations. In: The Journal of the Oriental Society of Australia, vol. 3, no. 2, Canberra 1965

494 Warmington, E. H., The commerce between the Roman Empire and India, Cambridge 1928

495 Watson, J. B., Records of the Grand Historian of China. 2 Bde., London/ New York 1961

496 Ders., Foundation for Empire. English Private Trade in India 1659—1760, New Delhi 1980

497 Weischer, B., Cyrill von Alexandrien. Der Dialog »Daß Christus Einer Ist«, Bonn 1966 (Diss.)

498 Weisweiler, M. (Hrsg.), Buntes Prachtgewand: Über die guten Eigenschaften der Abessinier, Hannover 1924

499 Weule, K., Die Erforschung der Erdoberfläche. In: Kraemer, H. (Hrsg.), Weltall und Menschheit, Bd. 3, Berlin/Leipzig/Wien/Stuttgart o. J.

500 Wheathley, P., The Land of Zanj: exegetical notes on Chinese knowledge of East Africa prior to A. D. 1500. Geographers and Tropics: Liverpool Essays, London 1904

501 Wessel, K. (Hrsg.), Christentum am Nil, Recklinghausen 1964

502 Winderlich, C., Historisch-politisch-topographische Geographie des Altertums. Ein Hilfsbuch, Leipzig 1851

503 Winter, E., G. W. Leibniz und die Aufklärung. In: Sitzungsberichte der Deutschen Akademie der Wissenschaften zu Berlin. Klasse für Philosophie, Geschichte, Staats-, Rechts- und Wirtschaftswissenschaften, Berlin 1968

504 Wilhelm, R., I Ging, Das Buch der Wandlungen, Jena 1924

505 Ders., Geschichte der chinesischen Kultur, München 1928

506 Ders., Li Gi. Das Buch der Sitten des Älteren und Jüngeren Dai, Jena 1930

507 Ders., Dschuang Dsi. Das wahre Buch vom südlichen Blütenland, Jena 1940

508 Wilke, L., Im Reich des Negus vor 200 Jahren. Missionsreise der Franziskaner nach Abessinien von 1700 bis 1704, Trier 1914

509 Willetts, W., Das Buch der chinesischen Kunst, Leipzig 1970

510 Wölffling, S., Untersuchungen zur Geschichte und Organisation der deutschen archäologischen Forschung im Vorderen Orient von 1871—1965, Halle 1969 (Habilitationsschrift)

511 Wollmann, T., Scheich Ibrahim: die Reisen des Johann Ludwig Murckardt (1784—1817), Basel 1984

512 Wright, H. B., Zauberer und Medizinmänner, Zürich 1958

513 Wüstenfeld, F., Geschichte der arabischen Ärzte und Naturforscher, Göttingen 1840

514 Ders., Marcizi's Geschichte der Copten. Aus den Handschriften zu Gotha und Wien mit Übersetzung und Anmerkungen, Göttingen 1845

515 Wuthenow, R.-R., Die erfahrene Welt. Europäische Reiseliteratur im Zeitalter der Aufklärung, Frankfurt am Main 1980

516 Yamada, Ch., Die Chinamode des Spätbarock seit 1650, Berlin 1935

517 Yang, C. K., Religion in Chinese Society, Berkeley/Los Angeles 1961

518 Yüan Tongli, China in Western Literature. A Continuation of Cordier's Bibliotheca Sinica, New Haven 1958

519 Yule, H. Marco Polo, London 1903

520 Zingerle, P., Zur Geschichte der christlichen Kirche, Innsbruck 1859

521 Zorzi, A. (Hrsg.), Marco Polo. Eine Biographie, Düsseldorf 1981

Abbildungsnachweis

Die aus der Forschungsbibliothek Gotha entliehenen Karten für den Vorsatz entstammen der 1792 in Berlin erschienenen „Historischen Untersuchung über die Kenntnisse der Alten von Indien" des Reisenden W. Robertson.

Freundlicherweise wurden uns von der Forschungsbibliothek Gotha auch die Vorlagen für die Abbildungen 1—4, 6—7, 10, 12—42 zur Verfügung gestellt.

Das Institut für Denkmalpflege, Abteilung Meßbild, Berlin, Brüderstraße 13, überließ uns dankenswerterweise die Fotos für die Abbildungen 5, 8—9.

Die Karte für Abbildung 11 entstammt der Publikation des Akademie-Verlages Berlin von 1974 „Jahrhunderte ungleichen Kampfes".

Personenregister

Anmerkung:
Jahreszahlen unmittelbar nach dem Namen sind Lebensdaten, Daten nach Erläuterungen bedeuten Jahre der Herrschaft. Es konnten nicht alle Angaben vollständig ermittelt werden.

Geographisch — ethnographisches Register

273

278

Register religionsgeschichtlicher Begriffe